10|18

12, avenue d'Italie — Paris XIIIe

Sur l'auteur

Grigori Chalvovitch Tchkhartichvili, alias Boris Akounine, est né en 1956 en Géorgie. Dès 1986, il entre à la prestigieuse revue *Inostrannaïa Literatoura* (« Littérature étrangère »), dont il devient rédacteur en chef adjoint en 1993. Il y publie de nombreux auteurs étrangers (Kundera, Perec, Sollers ou Houellebecq). En octobre 2000, il quitte la revue pour se consacrer à l'écriture. Auteur de nombreuses traductions de l'anglais et du japonais (Mishima, Inoué), il supervise, depuis 1996, la publication d'une anthologie en vingt volumes consacrée à la littérature japonaise.

L'année de ses quarante ans, il publie un important essai intitulé *L'Écrivain et le suicide*, et c'est pour se reposer de ce travail long et « démoralisant », selon ses propres dires, qu'il décide d'écrire un roman policier visant à toucher un large public : *Azazel*. Publié sous le pseudonyme de Boris Akounine, ce titre s'impose comme le premier d'une série qui en comptera douze et qui relate le parcours du jeune Eraste Pétrovitch Fandorine au sein de la police secrète. En 2000, il a fait paraître le premier roman de son nouveau cycle, dont le héros n'est autre que le petit-fils d'Eraste Pétrovitch Fandorine.

LE GAMBIT
TURC

PAR

BORIS AKOUNINE

Traduit du russe
par Irène SOKOLOGORSKY

10|18

« Grands Détectives »
dirigé par Jean-Claude Zylberstein

PRESSES DE LA CITÉ

Titre original :
Touretskij Gambit

© Boris Akounine, 1998.
© I. Zakharov, 1998.
© Presses de la Cité, 2001, pour la traduction française.
ISBN 2-264-03552-8

La Revue parisienne

14 (2) juillet 1877

Notre correspondant, qui a rejoint depuis quinze jours l'armée russe du Danube, nous fait savoir que le premier juillet (par un ordre du jour daté du 13, selon le calendrier européen), le tsar Alexandre a remercié son armée victorieuse qui s'est emparée du Danube et a pénétré dans l'Empire ottoman. Le document de l'empereur indique que l'ennemi est totalement vaincu et que dans moins de deux semaines l'église Sainte-Sophie de Constantinople sera dominée par la croix orthodoxe. Dans sa marche en avant, l'armée ne rencontre pratiquement pas de résistance, si l'on excepte les piqûres de moustique que font subir aux communications russes les détachements volants de ceux que l'on appelle les Bachi-Bouzouks (« têtes folles »), mi-bandits, mi-partisans, connus pour leurs mœurs sauvages et leur férocité sanguinaire.

La femme est une créature faible sur laquelle on ne saurait compter, a dit saint Augustin. Et il a raison, cet obscurantiste misogyne, mille fois raison. En tout cas en ce qui concerne une certaine personne dénommée Varvara Souvorova.

Les choses avaient commencé comme une aventure amusante, et voilà maintenant où elle en était, et c'était bien fait pour elle, pauvre imbécile ! Sa mère avait coutume de dire que tôt ou tard Varia finirait mal, eh bien ça y était, c'était fait. Quant à son père, un homme d'une grande sagesse doté d'une patience angélique, un jour de violente explication, il avait divisé la vie de sa fille en trois périodes : le diable en jupons, le fléau céleste, la nihiliste écervelée. Jusque-là Varia était fière de cette définition de sa personne, affirmant qu'elle ne pensait pas en rester là, malheureusement sa suffisance venait de lui jouer un bien vilain tour.

Qu'est-ce qui lui avait pris d'accepter de faire une halte dans cette auberge, ou comment appellent-ils cette sinistre institution ? Le cocher, ce perfide bandit de Mitko, avait commencé à se lamenter : « Faut donner à boire aux chevaux, faut les faire boire... » Et voilà où cela l'avait conduite. Seigneur, que faire à présent, que faire ?...

Installée devant une table en bois brut dans l'un des coins de ce hangar sombre et crasseux, Varia tremblait de peur. De toute sa vie elle n'avait éprouvé une angoisse aussi terrible et aussi dénuée d'espoir qu'une fois, le jour où, à six ans, elle avait cassé la tasse préférée de sa grand-mère et s'était tapie sous le divan dans l'attente de la punition qui devait immanquablement tomber.

Elle aurait bien prié, mais les femmes d'avant-garde ne prient pas. La situation apparaissait cependant comme totalement sans issue.

Récapitulons. Le trajet de Saint-Pétersbourg à Bucarest avait été effectué rapidement et, peut-on dire, dans le confort. Un train rapide (deux wagons luxueux et dix plates-formes chargées d'armes) avait amené Varia à la capitale du royaume de Roumanie en trois jours. Officiers et fonctionnaires militaires qui se rendaient sur le terrain des opérations avaient failli en venir aux mains pour les yeux bruns de cette jeune femme aux cheveux courts qui fumait et qui refusait obstinément de se laisser faire le baisemain. A chaque station, Varia se voyait offrir des bouquets de fleurs et des petits paniers de fraises. Les fleurs, elle les jetait par la fenêtre, parce que cela faisait bourgeois, mais bientôt il avait fallu se désintéresser également des fraises, car elle commençait à se couvrir de petits boutons rouges. Pour finir, le voyage avait été agréable et amusant, bien que du point de vue intellectuel et pour ce qui était des idées, ses cavaliers se soient révélés n'être que des mollusques absolus. Il y avait bien un jeune cornette qui connaissait Lamartine et qui avait même entendu parler de Schopenhauer, il lui faisait d'ailleurs une cour plus élégante que les autres, mais en bonne camarade Varia lui avait expliqué qu'elle allait rejoindre son fiancé, et le jeune homme avait tout de suite adopté une conduite irréprochable. Physiquement, il n'était pourtant pas mal du tout, il ressemblait à Lermontov. Bon, oublions le beau cornette !

La seconde étape du voyage s'était, elle aussi, déroulée sans le moindre incident. Bucarest était reliée à Turnu-Mégurele par une diligence régulière. Il avait fallu affronter les chaos et avaler pas mal de poussière, en revanche elle était à présent à deux pas du but : on disait en effet que le quartier général de l'armée du Danube était situé de l'autre côté de la rivière, à Tsarévitsy.

Il restait à présent à réaliser la dernière partie du Plan élaboré à Saint-Pétersbourg (dans sa tête, c'est ainsi qu'elle le nommait : « le Plan », avec une majuscule). Dernière, mais particulièrement difficile. Hier soir, mettant à profit l'obscurité, elle avait traversé le Danube en barque en se faisant déposer un peu en amont de Zimnitsa, là où, quinze jours auparavant, l'héroïque division 14 du général Dragomirov était venue à bout de la barrière imprenable que constituait le fleuve. Elle se trouvait à présent en territoire turc et en pleine zone militaire, elle pouvait donc à tout instant se faire capturer. Des détachements cosaques allaient et venaient sur les routes ; une seconde d'inattention, et c'était fini, retour forcé à Bucarest. Mais Varia était une jeune fille ingénieuse et, prévoyant la chose, elle avait pris des mesures.

Dans un petit village bulgare situé sur la rive méridionale du Danube, elle avait eu la bonne surprise de découvrir une auberge. Puis la chance avait continué à lui sourire. Le patron de l'auberge comprenait le russe, et il lui avait promis, moyennant la modeste somme de cinq roubles, de lui indiquer un guide, un « vodatch », digne de confiance. Varia avait fait l'acquisition d'un pantalon très large de style chalvar, d'une chemise, de grosses bottes, d'une veste sans manches et d'un chapeau de toile bizarre, et, harnachée de la sorte, de jeune fille européenne, elle s'était transformée en un petit adolescent bulgare maigrichon qui ne pouvait attirer en rien l'attention d'un détachement. Pour ce qui était de sa route, elle s'était donné la peine de choisir un itinéraire un peu compliqué de façon à contourner les colonnes militaires et à arriver à Tsarévitsy non pas par le nord, mais par le sud. C'est là, à l'état-major de l'armée, que se trouvait Pétia Iablokov, son... A vrai dire la relation de Pétia à Varia n'était pas très claire. Etait-il son fiancé ? Un camarade ? Son mari ? Disons qu'il était son ex-mari et son futur fiancé. Et, bien sûr, un camarade.

Ils étaient partis avant le jour dans une carriole grinçante et cahotante. Au début, Mitko, le peu disert conducteur à la moustache brune qui mâchouillait sans arrêt du tabac qu'il recrachait sur la route en longs jets bruns (ce qui chaque fois faisait frémir Varia d'horreur), avait chantonné des airs exotico-balkaniques, mais bientôt il s'était tu, en ayant l'air de se plonger dans des réflexions profondes. Maintenant elle comprenait fort bien lesquelles !

Il aurait tout aussi bien pu la tuer, songea-t-elle avec un frisson. Ou faire pire encore. Il n'y avait rien de plus facile, et qui se serait soucié de la chose ? On aurait tout mis sur le dos des bandits, comment les appelait-on déjà ? Les Bachi-Bouzouks.

A présent, elle était certes vivante, mais les choses allaient fort mal. Mitko le traître avait conduit sa passagère dans une auberge qui ressemblait plutôt à un repaire de bandits, et là, l'installant à une table et commandant du fromage et une cruche de vin, il s'était dirigé vers la porte en lui faisant comprendre qu'il allait revenir. Varia, qui ne voulait pas rester dans ce bouge immonde et malodorant, avait essayé de le suivre, mais Mitko lui avait expliqué qu'il avait besoin d'être seul, poussé disons par un besoin physiologique. Comme Varia ne comprenait pas, il avait illustré la chose par un geste, et la jeune fille, gênée, était retournée à sa table.

Le besoin physiologique avait duré au-delà de toute limite. Varia avait mangé un peu du mauvais fromage salé et bu une gorgée du vin aigre qu'on lui avait servi, après quoi, incapable de supporter plus longtemps l'attention dont sa personne devenait l'objet de la part des sinistres clients de l'établissement, elle était sortie dans la cour.

Là, elle avait eu le souffle coupé.

Il n'y avait plus trace de sa voiture. Or elle y avait sa valise avec toutes ses affaires, et, dans sa valise, une petite boîte à pharmacie dans laquelle, au milieu des bandages et de la charpie, elle avait caché son passeport et tout son argent.

Varia était sur le point de courir sur la route quand l'aubergiste avait jailli de son établissement, avec sa chemise rouge, son nez cramoisi et sa joue mangée de verrues. Hurlant de colère, il lui avait fait comprendre qu'avant de s'en aller, il fallait qu'elle commence par régler sa consommation. Varia était revenue par peur du propriétaire, mais elle n'avait pas de quoi payer. Tout doucement elle avait regagné sa place en essayant de vivre les choses comme une aventure, mais sans y parvenir vraiment.

Il n'y avait pas une seule femme dans la salle, et les paysans, sales et gueulards, avaient une façon de se conduire tout à fait différente des moujiks russes. Ceux-ci sont paisibles et, avant d'être pris de boisson, ils discutent à mi-voix. Ceux-là hurlaient à tue-tête, buvaient du vin rouge à pleines carafes et riaient constamment d'un gros rire avide (c'est ainsi que l'avait perçu Varia). A l'autre bout de la pièce, à une grande table longue, on jouait aux dés et chaque coup s'accompagnait de hurlements puissants. A un moment, la querelle était devenue plus violente, et l'un des joueurs, un petit bonhomme fin soûl, avait reçu un coup de cruche sur la tête. Maintenant il restait là sous la table sans que personne ne s'approche même de lui.

Le patron avait désigné Varia d'un signe de tête en proférant à son sujet des propos visiblement salaces, et aux tables voisines tout le monde s'était tourné vers elle avec un petit gloussement qui ne présageait rien de bon. La jeune fille s'était recroquevillée, enfonçant son bonnet sur ses yeux. Dans l'auberge, elle était la seule à en porter un, mais elle ne pouvait pas l'enlever, ses cheveux se seraient répandus sur ses épaules. Ils n'étaient pas si longs. Comme il convenait à une femme moderne, Varia se les coupait, mais ils auraient tout de même signalé sur-le-champ son appartenance au sexe faible. « Sexe faible », une vilaine expression inventée par les hommes. Vilaine certes, mais, hélas, exacte.

A présent, la jeune fille était au centre de l'attention générale, et les regards qui se posaient sur elle étaient gluants, mauvais. Seuls les joueurs de dés restaient indifférents et, à une table d'elle, plus près du comptoir, un homme tout courbé, le nez dans sa cruche de vin, qui lui tournait le dos. Elle ne voyait que ses cheveux noirs coupés court et ses tempes grisonnantes.

Une peur violente l'avait saisie. Allons, ne te laisse pas aller, avait-elle essayé de se dire. Tu as l'âge adulte, et tu es une forte femme et non une poupée de salon. Il faut leur dire que je suis russe et que je vais rejoindre mon fiancé à l'armée. Nous sommes les libérateurs de la Bulgarie, et ici tout le monde nous aime. La langue bulgare est facile, il suffit d'ajouter « ta » aux mots russes.

Elle avait tourné le regard vers la fenêtre : et si Mitko réapparaissait ? Il était peut être allé faire boire les chevaux à un étang, et maintenant il allait revenir. Mais sur la route poussiéreuse, elle n'avait vu ni Mitko ni la voiture, en revanche elle avait découvert une chose à laquelle elle n'avait pas fait attention jusque-là. Les maisons du village étaient dominées par un petit minaret tout délabré. Oh ! là ! là ! Seraient-ils musulmans ! Pourtant les Bulgares sont chrétiens, ils sont orthodoxes, tout le monde sait cela. En plus, ils sont en train de boire du vin, or le Coran l'interdit. Mais si le village est chrétien, alors pourquoi un minaret ? Et s'il est musulman, de quel côté sont-ils : du nôtre ou de celui des Turcs ? Il paraît douteux qu'ils soient du nôtre. Et il s'ensuit que les « ta » ajoutés à « armée » et à « état-major » ne seront d'aucun secours.

Mon Dieu, mais que faut-il donc faire ?

A quatorze ans, pendant une leçon de catéchisme, il était venu à Varenka Souvorova une idée indiscutable dans son évidence. Comment se faisait-il que personne n'y ait songé auparavant ? Si Dieu avait commencé par créer Adam pour créer Eve ensuite, cela ne signifiait pas du tout que les hommes étaient plus importants, mais que les femmes étaient plus achevées. L'homme est un prototype expérimental de l'espèce humaine, tandis que la femme est une variante confirmée, corrigée et complétée. C'était clair comme le jour ! Et pourtant, bizarrement, la vie intéressante et véritable appartenait en totalité à l'homme, alors que les femmes se bornaient à accoucher et à faire de la broderie : enfants, broderies... Pourquoi cette injustice ? Parce que les hommes étaient plus forts. Il fallait donc être forte.

Et Varenka avait pris la décision de vivre autrement. Aux Etats-Unis, il y avait bien déjà une première femme médecin, Mary Jacobi, et une première femme prêtre, Antoinetta Blackwell. En Russie, c'étaient toujours la tradition et les vieilles mœurs. Mais ce n'était pas grave, il suffisait d'attendre un peu.

Après le lycée, tout comme les Etats d'Amérique du Nord, Varia était partie en guerre pour son indépendance (combien son père, l'avocat Souvorov, s'était montré faible !) et elle était allée s'inscrire dans une école d'accouchement, se transformant par là même de « fléau céleste » qu'elle était en une « nihiliste écervelée ».

L'expérience n'avait pas été concluante. Varenka était venue à bout de la partie théorique sans difficulté, bien que tout un ensemble de choses dans le processus de création de l'être humain lui soit apparu étonnant et invraisemblable, mais dès qu'il s'était agi d'assister à une naissance pour de bon, ç'avait été la catastrophe. Incapable de supporter les hurlements de l'accouchée et la vue horrible de la minuscule tête tout écrasée qui s'extirpait lentement de chairs déchirées et sanglantes, Varia, à sa grande honte, avait perdu connaissance, après quoi il ne lui était plus resté qu'à aller voir du côté des cours de télégraphie. Dans un premier temps, il lui avait semblé flatteur de devenir l'une des premières femmes télégraphistes russes, on avait même parlé d'elle dans le journal *Les Nouvelles de Saint-Pétersbourg* (voir l'article *Il est grand temps* dans le numéro du 28 novembre 1875), malheureusement le travail s'était révélé terriblement ennuyeux et dénué de toute perspective.

C'est pourquoi, au grand soulagement de ses parents, Varia était allée s'installer dans leur domaine de Tambov, non pas pour n'y rien faire, bien sûr, mais pour y éduquer et y instruire les enfants des paysans. C'est là, dans la petite école toute neuve qui sentait bon le bois frais, qu'elle avait fait la connaissance de Pétia Iablokov, étudiant à Saint-Pétersbourg. Pétia enseignait l'arithmétique, la géographie et les bases des sciences naturelles, Varia était chargée de toutes les autres matières. Les paysans n'avaient pas mis longtemps à comprendre que la fréquentation de l'école n'allait leur valoir aucun dédommagement ni avantage, et ils s'étaient empressés de retirer leurs enfants (c'est pas le tout de se chatouiller le cerveau, il faut travailler), mais Varia et Pétia avaient eu le temps de faire des projets pour la suite de leur existence : une existence qu'ils voulaient libre, moderne, fondée sur le respect réciproque et sur un sage partage des responsabilités.

Il avait été immédiatement mis fin à l'humiliation qui consistait à dépendre de la générosité des parents. Le couple s'était installé dans le quartier de Vyborg, louant un appartement qui était plein de souris, mais qui comptait trois pièces. Il s'agissait en effet de vivre comme Véra Pavlovna et

Lopoukhov, les héros de *Que faire ?* de Tcherny-chevski : chacun avait son territoire, la troisième pièce étant réservée aux échanges entre eux et à l'accueil des amis. Varia et Pétia s'étaient présentés à la logeuse comme mari et femme, mais ils n'avaient cohabité strictement que comme des camarades : le soir, ils lisaient, prenaient le thé et discutaient dans le salon commun, puis ils se souhaitaient une bonne nuit, et chacun regagnait sa chambre. Ils avaient vécu ainsi toute une année, une année parfaitement heureuse, âme contre âme au sens propre du terme, sans boue et sans indélicatesse. Pétia fréquentait l'université et donnait des cours, Varia, qui avait suivi un enseignement de sténographie, s'était mise à gagner jusqu'à cent roubles par mois. Elle avait eu à enregistrer les protocoles de jugement d'un tribunal, à prendre en dictée les mémoires d'un général vainqueur de Varsovie retombé en enfance, après quoi, sur une recommandation d'amis, elle avait été embauchée pour taper le roman d'un Grand Ecrivain. (Mieux vaut taire son nom, parce que les choses devaient finir d'une façon peu élégante). Eperdue d'admira-tion pour cet auteur connu, Varia avait catégori-quement refusé de se faire payer, considérant que ce travail était pour elle un grand honneur. Mal-heureusement, le maître avait interprété son geste tout autrement. C'était un homme terriblement vieux, ayant passé la cinquantaine, chargé d'une nombreuse famille, et par-dessus le marché d'une très grande laideur. En revanche, il faut reconnaî-tre qu'il parlait bien et qu'il savait convaincre : l'in-nocence n'est en effet qu'un préjugé ridicule, la morale bourgeoise est odieuse et la nature humaine n'a rien de honteux. Varia prêtait l'oreille à ses discours, puis elle en parlait longuement à Pétia, lui demandant conseil durant des heures. Pétroucha reconnaissait que le respect du mythe de la virginité et des bonnes mœurs était des chaînes imposées à la femme, mais il déconseillait vivement à Varia d'entrer dans des relations physiologiques avec le Grand Ecrivain. Il s'énervait, essayait de démontrer qu'il n'était pas si grand que cela malgré ses mérites passés, précisant que bien des gens d'avant-garde voyaient aujourd'hui en lui un réactionnaire. La conclusion avait été, comme nous l'avons déjà dit, fort vilaine. Un jour, interrompant la dictée d'une scène particulièrement forte (Varia avait les larmes aux yeux en la notant), l'écrivain s'était mis à respirer bruyamment et à renifler, puis, attrapant maladroitement sa jeune dactylo par les épaules, il l'avait entraînée vers le divan. Pendant un moment, elle avait supporté les propos privés de sens qu'il lui avait chuchotés ainsi que le contact de ses doigts tremblants qui ne s'y retrouvaient pas dans les boutons et dans les crochets de sa robe, puis, brusquement, elle avait compris de la manière la plus nette... plus exactement, sans le comprendre, elle avait senti que tout cela était incorrect et ne pouvait pas arriver. Elle avait repoussé le Grand Ecrivain et s'était enfuie de chez lui pour ne plus y retourner.

Cet incident avait eu un effet déplorable sur Pétia. On était au mois de mars, le printemps était précoce, la Néva exhalait une odeur de grand large et de fonte des glaces, et Pétia avait posé un ultimatum : les choses ne pouvaient plus durer ainsi ; ils étaient faits l'un pour l'autre ; leur relation avait supporté l'épreuve du temps ; ils étaient tous deux des êtres vivants, et il ne servait à rien de ruser avec les lois de la nature. Il était prêt à accepter, bien sûr, un amour physique hors mariage, mais il valait mieux faire les choses en bonne et due forme, ce qui éviterait bien des difficultés. Et il s'y était tant et si bien pris que la discussion n'avait plus porté que sur le type de mariage qu'il convenait de choisir : le mariage civil ou le mariage religieux. Les débats avaient duré jusqu'en avril. En avril avait éclaté la guerre tant attendue pour la libération des frères slaves, et Pétia Iablokov, en bon citoyen, s'était porté volontaire. A la veille de son départ, Varia lui avait fait deux promesses : celle de lui donner bientôt sa réponse définitive et celle de trouver quelque chose pour qu'ils fassent la guerre ensemble.

Et elle avait trouvé. Il lui avait fallu un certain temps, mais elle avait trouvé. Ni l'hôpital militaire de campagne ni celui de l'arrière n'avaient accepté ses services, personne ne voulant tenir compte de ses cours d'accouchement inachevés. On refusait également à l'armée les femmes télégraphistes. Varia était sur le point de désespérer quand était arrivée une lettre de Roumanie : Pétia se plaignait de ne pas avoir été admis dans l'infanterie à cause de ses pieds plats et d'avoir été rattaché à l'état-major du grand prince Nicolaï Nicolaévitch, commandant en chef, du fait que l'engagé volontaire Iablokov était mathématicien et que l'armée manquait cruellement de chiffreurs.

Varia s'était alors dit qu'il ne serait pas difficile de trouver un travail auprès de l'état-major ou, au pire, de se perdre dans la masse des arrières de l'armée, et elle avait sur-le-champ imaginé son Plan qui s'était révélé étonnamment heureux dans ses deux premières étapes et qui venait, à la troisième, de s'achever par une catastrophe.

Cependant, le dénouement approchait. Le gros patron au nez rouge lança un propos menaçant et, tout en s'essuyant les mains avec un torchon gris, il vint dans la direction de Varia d'une démarche chaloupée, sa chemise rouge le faisant ressembler à un bourreau gagnant le lieu de l'exécution. La bouche de Varia se sécha, elle eut une légère nausée. Et si elle se faisait passer pour sourde-muette ? C'est-à-dire pour sourd-muet ?

L'homme qui lui tournait le dos, le nez dans sa cruche, se leva lentement, s'approcha de la table de la jeune fille et prit place en face d'elle sans dire un mot. Elle découvrit un visage pâle et très jeune, presque celui d'un gamin malgré les tempes grisonnantes. Il avait les yeux bleus, une fine moustache et une bouche réfractaire au sourire. C'était un visage étrange qui ne ressemblait en rien à celui des autres paysans, bien que l'inconnu ait été vêtu tout comme eux, si ce n'est que sa veste avait l'air un peu plus neuve et sa chemise plus propre.

Sans même se retourner, l'homme aux yeux bleus fit un geste méprisant en direction du patron de l'établissement, et le terrible bourreau se retira immédiatement derrière son comptoir. Mais cet épisode ne rassura nullement Varia, qui se dit au contraire que le plus terrible allait commencer.

Elle plissa le front, prête à entendre une langue étrangère. Il valait mieux ne rien dire et se contenter de hocher la tête. Il fallait surtout ne pas oublier que chez les Bulgares tout était à l'envers : quand on hoche la tête de haut en bas, cela signifie « non », de gauche à droite, cela veut dire « oui ».

Mais l'homme aux yeux bleus ne lui posa aucune question. Il soupira d'un air contrit et dit avec un léger bégaiement mais dans un russe parfait :

— Ah ! m-mademoiselle, vous auriez mieux fait d'attendre votre fiancé chez vous. Ici ce n'est pas un roman de Mayne Reid, et les choses auraient p-p-pu finir bien mal.

Chapitre deuxième,
où l'on voit apparaître un grand nombre d'hommes séduisants

L'Invalide russe (Saint-Pétersbourg),

2 (14) juillet 1877

... Un armistice ayant été conclu entre la Porte et la Serbie, de nombreux patriotes de la cause slave, preux chevaliers de la terre russe, qui servaient comme engagés volontaires sous la direction du vaillant général Tcherniaev, ont répondu à l'appel du tsar libérateur. Aujourd'hui, au risque de leurs jours, ils traversent les montagnes sauvages et les sombres forêts pour rejoindre la terre bulgare, faire jonction avec l'armée orthodoxe et conclure leur exploit guerrier par la victoire tant attendue.

Varia ne réalisa pas tout de suite ce qu'elle venait d'entendre. Dans un premier temps, elle commença d'un geste machinal par hocher la tête de haut en bas puis de gauche à droite, et ce n'est qu'après qu'elle resta soudain figée, la bouche ouverte.

— Ne vous étonnez pas, proféra d'une voix lasse l'étrange paysan. Le fait que vous soyez une jeune fille se voit tout de suite, tenez, vous avez une mèche de cheveux qui dépasse de votre bonnet. Et de un. (Varia corrigea d'un geste furtif la boucle traîtresse.) Le fait que vous soyez russe est tout aussi évident : nez retroussé, dessin des pommettes grand-russe, cheveux fauves, et, surtout, absence de hâle. Et de deux. En ce qui concerne le fiancé, c'est simple aussi : vous vous déplacez toute seule en essayant de ne pas attirer l'attention, vous voyagez donc pour une raison personnelle. Et qu'est-ce qui peut amener une jeune fille de votre âge dans une armée active si ce n'est un motif romantique ? Et de trois. Maintenant quatre : le moustachu qui vous a amenée ici pour disparaître ensuite était votre guide ? Et votre argent était, bien sûr, caché au milieu de vos affaires ? Ce n'est pas malin. Il faut toujours garder les choses précieuses sur soi. Comment vous appelez-vous ?

— Souvorova Varia. Varvara Andréevna, murmura Varia prise de peur. Qui êtes-vous ? Que faites-vous là ?

— Je m'appelle Eraste Pétrovitch Fandorine. Je suis un engagé volontaire serbe, et je reviens de chez les Turcs où j'étais prisonnier.

Dieu soit loué, Varia commençait à se demander si elle n'était pas l'objet d'une hallucination. Un engagé volontaire serbe revenant de chez les Turcs ! Elle posa un regard de respect sur ses tempes grisonnantes et, n'y tenant pas, demanda, en pointant en outre du doigt d'un geste peu élégant :

— Ce sont eux qui vous ont torturé, n'est-ce pas ? J'ai lu des articles sur l'horreur des camps turcs. C'est sans doute depuis aussi que vous bégayez ?

Eraste Pétrovitch Fandorine se renfrogna et ne répondit qu'à contrecœur :

— Personne ne m'a torturé. On m'a fait boire du café du matin au soir, et on ne m'a adressé la parole qu'en français. J'étais traité comme un invité du kaïmakan de Vidin.

— De qui ?

— Vidin est une ville sur la frontière roumaine. Et le kaïmakan en est le gouverneur. Quant à mon bégaiement, il est la trace d'un ancien traumatisme.

— Vous vous êtes enfui, c'est cela ? demandat-elle avec envie. Et vous êtes en train de regagner l'armée active pour vous battre ?

— Non, de ce point de vue-là, j'ai eu tout mon soûl.

Le visage de Varia exprima sans doute la perplexité la plus grande, car l'engagé volontaire estima nécessaire d'ajouter :

— La guerre, Varvara Andréevna, est une chose horrible. Personne n'a raison et personne n'a tort, et l'on trouve des gens bien et des gens mauvais des deux côtés. La seule chose, c'est que ce sont en général les gens bien qui sont tués les premiers.

— Dans ce cas, pourquoi vous êtes-vous engagé en Serbie ? dit-elle d'un ton provocateur. Personne ne vous y forçait !

— Je l'ai fait poussé par des considérations égoïstes. J'étais m-m-malade, et j'avais besoin de soins.

— Parce qu'on soigne les gens, à la guerre ?

— Oui, la vue des souffrances des autres permet de mieux supporter les siennes. Je suis arrivé au front quinze jours avant l'écrasement de l'armée de

24

Tcherniaev. Après cela, j'ai erré un long moment dans les m-m-montagnes, tiraillant plus souvent qu'à mon tour. Dieu merci, je crois que je n'ai jamais touché personne.

Il fait l'intéressant, à moins que ce ne soit tout simplement un cynique, pensa Varia avec une certaine irritation, et elle remarqua avec un air mauvais :

— Mais vous n'aviez qu'à rester auprès de votre kaïmakan en attendant la fin de la guerre. Pourquoi vous enfuir ?

— Je ne me suis pas enfui. C'est Youssouf Pacha qui m'a laissé partir.

— Et qu'est-ce qui vous a poussé à venir en Bulgarie ?

— J'ai quelque chose à y faire, répondit Fandorine laconiquement. Et vous, où vous rendez-vous ?

— Je vais à Tsarévitsy, à l'état-major du commandant en chef. Et vous ?

— A Bella. On dit que c'est là que se trouve le quartier général de Sa Majesté.

L'engagé volontaire garda un instant le silence, ses fins sourcils furent parcourus de quelques frémissements, puis il soupira et dit :

— Mais je peux aussi bien aller auprès du commandant en chef.

— C'est vrai ? s'écria Varia ravie. Allons-y ensemble, vous voulez bien ? Je ne sais pas ce que j'aurais fait si je ne vous avais pas rencontré !

— Bêtises. Vous auriez demandé au patron de l'auberge de vous conduire au détachement russe le plus proche, et l'affaire était réglée.

— J'aurais demandé cela ? Au patron de l'auberge ? reprit Varia avec un frisson de terreur.

— D'ailleurs ce n'est pas une auberge, c'est un mékhana.

— Va pour le mékhana. Mais le village est musulman ?

— Oui.

— Alors ils m'auraient livrée aux Turcs.

— Je ne voudrais pas vous offenser, Varvara Andréevna, mais pour les Turcs vous ne présentez aucun intérêt, tandis que votre fiancé aurait sûrement donné une récompense à celui qui vous aurait amenée.

— Je préfère rester avec vous. (Varia se faisait suppliante.) S'il vous plaît !

— Je n'ai qu'un cheval, et encore n'est-il qu'à moitié valide. On ne peut pas monter dessus à deux. Comme argent, j'ai en tout et pour tout trois k-k-kuruchs. Ça suffira pour payer le vin et le fromage, mais c'est tout... Il faudrait un autre cheval ou au moins un âne. Et un âne, ça vaut au moins cent kuruchs.

Le nouvel ami de Varia se tut et eut l'air de se livrer à des calculs en tournant le regard vers les joueurs de dés. Puis il poussa un nouveau soupir.

— Attendez-moi là. Je reviens.

Il s'approcha lentement de la table et resta cinq minutes à observer les joueurs, puis il dit quelque chose que Varia n'entendit pas et à la suite de quoi tous laissèrent d'un même mouvement leurs dés et se tournèrent vers lui. Fandorine désigna Varia d'un signe de tête, et les regards concentrés sur elle la firent se faire toute petite sur son siège. Puis retentit un gros rire visiblement scabreux et humiliant pour la jeune femme. Fandorine cependant, sans montrer la moindre velléité de prendre la défense de son honneur, serra la main d'un gros moustachu et s'assit sur le banc. Les autres s'écartèrent pour lui faire place, et immédiatement des curieux s'attroupèrent autour de la table.

Selon toute apparence, l'engagé volontaire se lançait dans une partie. Mais avec quel argent ? Trois kuruchs ? Il allait lui en falloir du temps pour gagner de quoi acheter un cheval ! Tout à coup, Varia fut prise d'inquiétude en réalisant qu'elle venait de confier sa personne à un homme qu'elle ne connaissait absolument pas. Un homme qui avait une allure étrange, une façon de parler bizarre et un comportement tout à fait inhabituel. D'un autre côté, avait-elle seulement le choix ?

Les observateurs poussèrent un cri : c'était le gros qui venait de jouer. Puis on entendit les dés rouler une seconde fois, et les murs de l'établissement tremblèrent sous l'effet d'un hurlement général.

— Douze, déclara Fandorine calmement avant de se lever. Où est Magareto ?

Le gros bondit lui aussi de sa chaise et, attrapant l'engagé volontaire par la manche, il se mit à lui expliquer quelque chose, les yeux désespérément exorbités.

Il répétait sans fin :

— *Ochte vetnaj, ochte vetnaj...*

Fandorine l'écouta paisiblement et hocha la tête. Pourtant son attitude conciliante ne donna nullement satisfaction au gros, qui se mit à hurler de plus belle en agitant les mains. Fandorine fit alors un mouvement encore plus décidé, et c'est là que Varia se souvint du paradoxe bulgare qui voulait qu'un hochement de la tête de haut en bas signifie le refus.

27

A ce moment-là, abandonnant les mots, le joueur malchanceux essaya de passer à l'action et se prépara à asséner à Fandorine un magistral coup de poing. Les curieux s'écartèrent en un instant, mais Eraste, lui, ne bougea pas, et seule sa main droite eut l'air comme par hasard de se glisser dans sa poche. Le geste fut à peine perceptible, mais il eut sur le gros un effet magique. Perdant d'un seul coup toute contenance, il fit entendre un sanglot et bredouilla quelque chose de lamentable. Cette fois, Fandorine agita la tête de droite à gauche, lança au patron de l'établissement qui s'était approché deux pièces de monnaie et se dirigea vers la sortie. Il ne jeta même pas un regard à Varia, mais elle n'avait pas besoin d'être invitée et, sautant de sa chaise, elle se retrouva en un instant à côté de son sauveur.

— Le deuxième en partant du bord, fit Eraste en clignant des yeux d'un air concentré et en s'arrêtant sur le perron.

Suivant son regard, Varia découvrit près de la barrière toute une rangée de chevaux, d'ânes et de mules broutant paisiblement du foin.

— Tenez, voici votre B-B-Bucéphale, dit l'engagé volontaire en désignant un petit âne brun. Il ne paye pas de mine, mais au moins vous ne tomberez pas de bien haut !

Varia commençait à comprendre :

— Vous venez de le gagner ?

Fandorine acquiesça en silence tout en détachant une jument brune toute maigre.

Il aida la jeune femme à s'installer sur une selle en bois, sauta avec une certaine légèreté sur la sienne, et ils prirent la rue du village vivement éclairée par le soleil de midi.

— Est-ce qu'on est loin de Tsarévitsy ? demanda Varia, ballottée au rythme des petits pas de son moyen de transport aux oreilles toutes velues.

— Si on ne se perd pas, on y sera ce soir, déclara majestueusement d'en haut le cavalier.

Il est devenu un vrai Turc, à avoir été longtemps leur prisonnier, pensa Varia avec colère. Il aurait pu laisser son cheval à la dame. C'est du narcissisme masculin typique. Le paon ! Le col bleu ! Tout ce qui leur plaît, c'est de faire l'avantageux devant la petite cane grise. Déjà que je dois avoir belle allure, me voilà à présent dans le rôle de Sancho Pança auprès du Chevalier à la triste figure.

Tout à coup un détail de l'épisode vécu lui revint :

— Qu'est-ce que vous avez dans votre poche ? Un pistolet ?

Fandorine ne comprit pas tout de suite :

— Dans quelle poche ? Ah ! dans ma poche ! Rien malheureusement.

— Et s'il n'avait pas pris peur ?

— Je n'aurais jamais joué avec un partenaire autrement.

Varia était intriguée.

— Mais comment avez-vous fait pour gagner un âne d'un seul coup ? Il n'a quand même pas joué son âne contre trois kuruchs ?

— Bien sûr que non !

— Qu'est-ce que vous avez joué, alors ?

— Vous, répondit Fandorine sans se troubler. Une jeune fille contre un âne, c'est une bonne mise. Pardonnez-moi, Varvara Andréevna, mais je n'avais pas d'autre solution.

— Vous pardonner ? (Varia fit un tel saut sur son âne qu'elle faillit glisser sur le côté.) Et si vous aviez perdu ?

— Sachez, Varvara Andréevna, que j'ai une par-
ticularité étrange. Je ne peux pas supporter les jeux
de hasard, mais quand je suis obligé de jouer, je
gagne toujours. *Les caprices de la fortune**. Ma libération aussi, je l'ai gagnée aux dés auprès du pacha
de Vidin.

Ne sachant pas comment réagir à une déclaration aussi peu sérieuse, Varia décida qu'elle était
mortellement offensée. Aussi cheminèrent-ils
désormais en silence.

Véritable objet de torture, sa maudite selle lui
causait bien des ennuis, mais elle souffrait sans
rien dire, se contentant de déplacer de temps à
autre son centre de gravité.

— C'est dur ? demanda Fandorine. Voulez-vous
que je vous donne ma veste ?

Varia ne répondit pas, premièrement parce que
la proposition lui parut quelque peu indécente,
deuxièmement pour une raison de principe.

Le chemin serpenta longtemps entre de petites
collines boisées, puis déboucha dans une plaine.
De tout le trajet ils n'avaient rencontré personne,
et cela commençait à devenir inquiétant. Varia
avait bien essayé de jeter quelques regards en biais
à Fandorine, mais celui-ci, telle une bûche, gardait
un calme absolu et ne se montrait pas disposé à
réengager la conversation.

Cela dit, elle allait avoir bonne mine en arrivant
à Tsarévitsy dans une tenue pareille ! Pétia, disons
que cela lui était égal. Lui, elle pouvait bien se dra-
per dans un sac de toile qu'il ne s'en apercevrait

---

* Les expressions en italique suivies d'un astérisque sont en
français dans le texte. (*N.d.T.*)

même pas, mais il y avait là les membres de l'état-major, toute une société. Se présenter comme un épouvantail... Varia enleva son bonnet, passa la main dans sa coiffure et perdit définitivement le moral. Ses cheveux qui, en temps normal déjà, n'avaient rien d'extraordinaire avec cette teinte souris que l'on appelle châtain clair, s'étaient en plus emmêlés à cause du déguisement et pendaient lamentablement. Elle ne les avait plus lavés depuis Bucarest, et cela faisait trois jours. Non, il valait mieux garder le bonnet. Pour le reste, la tenue de petit paysan bulgare n'était pas si mal. Elle était pratique et faisait bel effet à sa façon. Le pantalon évoquait un peu les célèbres *bloomers* que portaient jadis les suffragettes anglaises pour lutter contre l'humiliation que constituaient les culottes et les jupons. Si seulement elle avait pu passer une large ceinture rouge autour de sa taille comme dans *L'Enlèvement au sérail* (Pétia et elle étaient allés écouter l'opéra l'automne dernier au théâtre Marie), cela aurait même fait pittoresque.

Soudain les réflexions de Varvara Andréevna furent interrompues de la manière la plus indélicate. L'engagé volontaire s'était penché et avait attrapé son âne par la bride. Le stupide animal s'était arrêté brutalement, et Varia avait failli passer par-dessus sa tête.

— Qu'est-ce qui vous prend ? Vous êtes fou ?

— Maintenant, quoi qu'il arrive, taisez-vous ! lui dit Fandorine à voix basse et avec le plus grand sérieux, fixant quelque chose au devant d'eux.

Varia releva la tête et découvrit, enveloppé dans un nuage de poussière, un détachement de cavaliers en désordre qui venait droit sur eux. Il y avait bien là une vingtaine d'hommes. On voyait leurs gros bonnets poilus, et le soleil posait par moments de petites étoiles sur leur harnachement et sur leurs armes. L'un des cavaliers chevauchait en tête du détachement, et Varia put distinguer un bout de tissu vert enroulé autour de son bonnet de fourrure.

— Qui sont ces hommes, des Bachi-Bouzouks ? demanda Varia très haut, un frémissement dans la voix. Qu'est-ce qui va se passer maintenant ? On est perdus ? Ils vont nous tuer ?

— Si vous gardez le silence, je ne crois pas, répondit Fandorine d'un ton qui n'était pas très assuré. Votre soudaine envie de parler tombe bien mal.

Il avait complètement cessé de bégayer, ce qui acheva de mettre Varia mal à l'aise.

Eraste Pétrovitch prit une nouvelle fois son âne par la bride, se plaça en retrait du chemin et, tirant le bonnet de la jeune fille jusque sur ses yeux, il lui dit à voix très basse :

— Regardez vos pieds, et pas un son.

Mais elle ne résista pas et jeta un regard par en dessous sur les célèbres bandits dont tous les journaux parlaient depuis deux ans.

Celui qui chevauchait en tête (c'était sans doute le bey) avait une barbe rousse, il portait une veste matelassée sale et dépenaillée, mais ses armes étaient en argent. Il passa à côté d'eux sans un regard pour les pauvres paysans. Ceux de sa bande en revanche eurent un maintien moins digne. Plusieurs d'entre eux se postèrent autour de Fandorine et de Varia en échangeant des propos d'une voix rauque. Les Bachi-Bouzouks avaient des visages tels que Varia eut envie de fermer les yeux de toutes ses forces, elle n'aurait même pas imaginé que des êtres humains puissent avoir des faces pareilles. Soudain, au milieu de toutes ces têtes de cauchemar, elle découvrit un visage humain tout ce qu'il y avait d'ordinaire. Il était pâle, l'un de ses yeux, ensanglanté et tout tuméfié, était fermé, l'autre, en revanche, brun et empli d'une tristesse sans fin, la regardait bien en face.

Les bandits avaient avec eux un officier russe à l'uniforme poussiéreux et déchiré qu'ils avaient assis devant-derrière sur sa selle. Ses mains étaient ligotées dans le dos, à son cou pendait bizarrement l'étui de son sabre, et il avait du sang au coin de la bouche. Varia se mordit les lèvres pour ne pas crier et, ne supportant pas le désespoir qui se lisait dans le regard du prisonnier, elle baissa les yeux. Mais un cri, ou plus exactement un sanglot hystérique, échappa à sa gorge tout à coup desséchée par la peur : l'un des bandits portait, attachée au pommeau de sa selle, une tête humaine aux cheveux blonds et à la longue moustache. Fandorine lui serra fortement le bras et dit quelque chose de bref en turc — elle ne comprit que « Youssouf Pacha » et « kaïmakan » — mais ces mots n'eurent aucun effet sur les bandits. L'un d'entre eux, qui avait un nez énorme tout de travers et portait une barbe en pointe, souleva la lèvre supérieure de la jument de Fandorine et, découvrant de longues dents gâtées, cracha de mépris, proférant des propos qui déclenchèrent le rire des autres. Après quoi il fit claquer son fouet sur la croupe de l'animal qui, apeuré, se jeta sur le côté pour adopter tout de suite un petit trot mal coordonné. Varia donna des coups de talon dans le ventre bedonnant de son âne et suivit, n'osant pas croire le danger écarté. Tout dansait autour d'elle, l'horrible tête aux yeux fermés de douleur avec du sang aux commissures des lèvres ne la laissait pas en repos. Une phrase insensée, presque obsessionnelle, tournait dans son esprit : les bandits coupeurs de têtes sont des bandits qui coupent des têtes.

— Je vous en prie, ce n'est pas le moment de vous évanouir, ils peuvent re-re-revenir, dit Fando-rine à voix basse.

Il ne croyait pas si bien dire. Une minute plus tard, ils entendirent derrière eux un bruit de galop qui se rapprochait.

Eraste Pétrovitch jeta un coup d'œil et lui glissa :

— Ne vous retournez pas, en avant !

Mais Varia désobéit et se retourna quand même, et elle aurait vraiment dû n'en rien faire. Ils avaient eu le temps de s'écarter d'environ deux cents pas des Bachi-Bouzouks, mais l'un des cavaliers, celui qui portait la tête coupée, revenait à vive allure, son horrible trophée battant sur la croupe de son cheval.

Saisie par le désespoir, Varia regarda son compagnon. Celui-ci, ayant apparemment perdu son éternel sang-froid, buvait, la tête rejetée en arrière, de l'eau à une grosse gourde de cuivre.

Sa maudite bête tricotait mélancoliquement des pattes, refusant obstinément d'accélérer le pas. Une minute plus tard, le rapide coursier eut rejoint les voyageurs désarmés et cambra son impétueuse monture. Se penchant sur le côté, il arracha le bon-net de Varia et partit d'un grand rire sauvage en voyant ses cheveux libérés se répandre sur ses épaules.

— Ho ! ho ! cria-t-il, et on vit étinceler ses dents blanches.

D'un mouvement vif de la main gauche, Eraste Pétrovitch, sombre et concentré, fit voler en l'air le gros bonnet à poils du bandit, frappant du même mouvement sa nuque rasée de sa lourde gourde. On entendit un bruit liquide et écœurant, l'eau de la gourde glouglouta, et le Bachi-Bouzouk roula dans la poussière

— Au diable votre âne ! Donnez-moi la main. En selle. Foncez à toute allure, et ne vous retournez sous aucun prétexte ! lui lança d'une voix hachée Fandorine qui avait encore cessé de bégayer.

Varia était plus morte que vive, il l'aida à monter sur le cheval du bandit, arracha le fusil de l'étui accroché à sa selle, et ils partirent au galop.

Le cheval du Bachi-Bouzouk s'élança, et Varia rentra la tête dans les épaules, craignant de perdre son équilibre. Le vent sifflait dans ses oreilles, son pied gauche avait malencontreusement perdu un étrier trop long, des coups de feu crépitaient derrière eux, quelque chose de lourd la frappait douloureusement à la hanche droite.

Jetant un très bref regard, elle vit la tête toute mordorée qui dansait et, poussant un petit cri, elle lâcha les rênes, ce qui était la dernière chose à faire.

Une seconde plus tard, désarçonnée, elle partait en l'air, effectuant un arc de cercle pour aller s'écraser dans quelque chose de vert, de mou et de bruissant qui était un buisson de la route.

C'était le moment ou jamais de perdre connaissance, mais bizarrement cela ne venait pas. Varia restait assise dans l'herbe, tenant l'une de ses joues qui était égratignée, alors que se balançaient autour d'elle des branches qu'elle avait cassées dans sa chute.

Pendant ce temps-là, sur la route, voici ce qui se passait. Du plat de son fusil, Fandorine éperonnait à qui mieux mieux sa pauvre cavale qui faisait tout ce qu'elle pouvait, lançant en avant ses jambes fines. Il arrivait presque au buisson dans lequel se tenait Varia assommée par le choc, mais derrière, à une centaine de pas à peine, dans un concert de coups de feu, déferlait la horde des poursuivants, dix cavaliers au moins. Soudain, le cheval de l'engagé volontaire perdit son allure, sa tête eut un geste de douleur, et il partit sur le côté, de plus en plus sur le côté, pour, finalement, s'affaler doucement par terre en écrasant la jambe de son cavalier. Varia hurla. Fandorine s'extirpa tant bien que mal de sous son cheval qui essayait vainement de se redresser et se mit debout de toute sa taille. Puis, jetant un rapide regard à Varia, il releva son fusil et se mit à viser les Bachi-Bouzouks.

Il ne se dépêchait pas de tirer, visait au mieux, et sa posture en imposait tellement qu'aucun des bandits ne voulut affronter sa balle le premier. Quittant le chemin, le détachement s'égailla dans le pré, formant un large demi-cercle autour des fugitifs. Les coups de feu cessèrent, et Varia comprit qu'ils voulaient les prendre vivants.

Fandorine reculait sur le chemin, visant les bandits les uns après les autres, se rapprochant de plus en plus d'elle. Quand il fut presque à la hauteur de son buisson, Varia cria :

— Tirez, qu'est-ce que vous attendez !

Mais Eraste, sans se retourner, chuchota :

— Le fusil du partisan n'est pas chargé.

Varia jeta un coup d'œil à gauche : il y avait des Bachi-Bouzouks. Un autre à droite : là aussi ce n'étaient que cavaliers aux hauts bonnets de fourrure. Puis elle regarda derrière elle et découvrit entre les plantations légères quelque chose qui retint son attention.

Des cavaliers arrivaient au grand galop : en tête, monté sur un puissant coursier noir, les coudes largement écartés comme un jockey, galopait ou, plus exactement volait, un homme coiffé d'un chapeau américain. Il était talonné de près par un autre qui portait un uniforme blanc aux épaulettes d'or. Derrière eux, au trot, venaient en une petite troupe compacte une dizaine de Cosaques du Kouban. Et tout à fait derrière, à bonne distance, on voyait sautiller sur sa selle un homme bizarre, coiffé d'un haut-de-forme et vêtu d'une longue redingote.

Varia, comme envoûtée, regardait cette étrange cavalcade, et voilà que les Cosaques se mirent à siffler et à ululer. Les Bachi-Bouzouks firent eux aussi entendre leur voix et se regroupèrent. On voyait arriver à leur rescousse le reste de la troupe avec le bey roux en tête. Les horribles bandits avaient oublié l'existence de Varia et de Fandorine, ils avaient à présent d'autres soucis.

Une bataille rangée allait s'ensuivre. Oubliant le danger, Varia n'en finissait pas de tourner la tête d'un côté et de l'autre. Le spectacle était en effet à la fois terrible et beau.

Mais le combat s'arrêta à peine commencé. Le cavalier coiffé d'un chapeau américain (il était maintenant tout à fait proche et Varia put distinguer son visage basané, une barbiche *à la Louis-Napoléon*[*] et une moustache couleur des blés, frisée vers le haut) tira sur ses rênes et se figea, puis, sans qu'on sache d'où il l'avait tiré, il eut dans la main un pistolet à canon long. Le pistolet fit paf ! paf !, cracha deux petits nuages blancs et coléreux, et le bey à la veste élimée chancela doucement sur sa selle, tel un homme ivre, puis s'inclina sur le côté. L'un des Bachi-Bouzouks l'attrapa à bras le corps, le jeta sur l'encolure de son cheval, et le détachement battit en retraite sans livrer bataille.

Varia et Fandorine, appuyé d'un geste las sur son fusil inutile, virent défiler devant eux dans un galop endiablé le tireur magicien, le cavalier à l'uniforme blanc (ils purent apercevoir l'éclat d'une épaulette de général), puis le groupe de Cosaques hérissé de piques.

— Ils ont un officier russe ! leur cria l'engagé volontaire.

Cependant s'approchait d'eux le dernier membre de la troupe miraculeuse, un civil qui, apparemment, ne s'intéressait nullement à la poursuite.

Derrière des lunettes, des yeux clairs et ronds considérèrent les rescapés avec commisération.

— Vous êtes des Tchétniks ? demanda le civil avec un fort accent anglais.

— *No, sir*, répondit Fandorine, et il ajouta autre chose dans cette même langue que Varia ne comprit pas, car au lycée elle avait fait du français et de l'allemand.

Elle tira impatiemment l'engagé volontaire par la manche, et celui-ci lui expliqua avec l'air d'un homme pris en faute :

— Je lui ai dit que nous n'étions pas des Tchétniks, mais des Russes, et que nous essayions de rejoindre les nôtres.

— Qu'est-ce que c'est que les Tchétniks ?

— Des révoltés bulgares.

— Oh ! mais vous êtes une dame (le bon visage bien en chair de l'Anglais exprima l'étonnement le plus vif). Cependant, quel déguisement ! Je ne savais pas que les Russes utilisaient les femmes pour faire de l'espionnage. Vous êtes une héroïne, madame. Comment vous appelez-vous ? Cela va beaucoup intéresser mes lecteurs.

Il sortit un bloc-notes de son sac de voyage, et ce n'est qu'à ce moment-là que Varia remarqua sur sa manche un bandeau de trois couleurs qui portait le numéro 48 et le mot « correspondant ».

— Je m'appelle Varvara Andréevna Souvorova, et je ne me livre à aucun acte d'espionnage. J'ai mon fiancé à l'état-major, dit-elle avec fierté. Et monsieur est mon compagnon de voyage, c'est Eraste Pétrovitch Fandorine, un engagé volontaire serbe.

Gêné, le correspondant retira d'un geste vif son haut-de-forme et passa au français :

— Je vous prie de m'excuser, mademoiselle. Seamus McLaughlin, collaborateur du journal *Daily Post* de Londres.

— Vous êtes le journaliste anglais qui a parlé des horreurs commises par les Turcs en Bulgarie ? demanda Varia en enlevant son bonnet et en essayant tant bien que mal de faire bouffer ses cheveux.

— Je suis irlandais, corrigea avec sévérité McLaughlin. Ce n'est pas du tout la même chose.

— Et eux, qui sont-ils ? demanda-t-elle en désignant d'un signe de tête la direction d'où montait un nuage de poussière et où retentissaient des coups de feu. L'homme au chapeau, qui est-ce ?

39

— C'est un cow-boy hors pair, monsieur Paladin en personne, une plume remarquable, favori des lecteurs français et atout majeur du journal *La Revue parisienne*.

— *La Revue parisienne* ?

— Oui, c'est un quotidien français qui tire à cent cinquante mille, ce qui, pour la France, est un très beau chiffre, expliqua avec mépris le correspondant. Moi, mon *Daily Post* vend quotidiennement deux cent quarante mille exemplaires, vous voyez la différence !

Varia secoua la tête pour que sa coiffure se remette en place et entreprit d'essuyer la poussière sur son visage.

— Monsieur, vous avez surgi juste au bon moment. C'est la providence qui vous a envoyés.

L'Anglais, ou plutôt l'Irlandais, haussa les épaules :

— C'est Michel qui nous a entraînés. Il a été écarté de l'action et simplement rattaché à l'état-major, et l'inaction le rend fou. Ce matin, les Bachi-Bouzouks ont fait des leurs dans les arrières russes, et Michel s'est lancé personnellement à leur poursuite. Quant à Paladin et moi, nous sommes comme ses deux petits chiens, nous le suivons partout. D'abord parce que nous sommes de vieux amis, nous nous connaissons depuis le Turkestan, ensuite parce que là où est Michel, on trouve toujours un bon sujet pour un article... Tiens, les voilà qui reviennent et, bien sûr, comme on dit, en ayant fait chou blanc.

— Pourquoi « bien sûr » ?

Le correspondant eut un sourire condescendant mais garda le silence, et ce fut Fandorine, qui

40

jusque-là n'avait pratiquement pas pris part à la conversation, qui répondit à sa place.

— Vous avez bien vu, m-m-mademoiselle, que les Bachi-Bouzouks avaient des montures fraîches, tandis que celles des poursuivants étaient épuisées.

McLaughlin approuva :

— *Absolutely so !*

Varia eut un regard mauvais pour tous les deux : quand il s'agit de faire passer une femme pour une imbécile, on tombe tout de suite d'accord ! Cependant Fandorine sut se faire pardonner sur-le-champ : sortant de sa poche un mouchoir d'une blancheur étonnante, il l'appliqua sur la joue de la jeune femme qui, dans le feu de l'action, avait complètement oublié son égratignure.

Le correspondant avait cependant fait erreur en annonçant l'échec des poursuivants, et Varia fut heureuse de constater qu'ils avaient tout de même réussi à récupérer l'officier prisonnier. Deux Cosaques tenaient par les pieds et par les mains un homme en uniforme noir dont le corps s'abandonnait. Pourvu qu'il ne soit pas mort !

Cette fois, arrivait en tête le beau cavalier en blanc que le Britannique avait appelé Michel. C'était un jeune général aux yeux bleus remplis de gaieté et qui portait une barbe tout à fait singulière : soignée, souple et divisée en deux, elle formait comme deux ailes qui partaient sur les côtés.

— Ils nous ont échappé, les salauds ! cria-t-il de loin en ajoutant une expression sonore dont le sens échappa quelque peu à Varia.

Otant son haut-de-forme et essuyant son crâne chauve et rose, McLaughlin le menaça du doigt :

— *There is a lady here !*

Le général se redressa, jeta un regard à Varia puis, tout de suite, retomba dans l'indifférence, ce qui était plus que compréhensible : cheveux sales, joue écorchée, tenue inepte. Il se présenta cependant avant de jeter un regard interrogateur à Fandorine :

— Major général Sobolev le second, de la suite de Sa Grandeur impériale.

Mais Varia, vexée de voir le peu de cas que le général faisait de sa personne, lui demanda d'une manière provocante :

— Sobolev le second, et qui est Sobolev le premier ?

Le général marqua son étonnement :

— Comment cela ? Mais mon père, le lieutenant général Dimitri Ivanovitch Sobolev, commandant de la division cosaque du Caucase. Vous n'allez pas me dire que vous n'avez jamais entendu parler de lui ?

— Non, je n'ai jamais entendu parler ni de lui ni de vous, fit Varia d'une voix froide.

Elle mentait, car toute la Russie connaissait Sobolev le Second, le héros du Turkestan, qui avait conquis Khiva et Makhram.

On disait du général des choses diverses. Les uns le considéraient comme un soldat d'une vaillance exceptionnelle, un chevalier sans peur et sans reproche, et voyaient en lui un futur Souvorov ou même un Bonaparte, d'autres dénonçaient le poseur et l'ambitieux. Les journaux racontaient que Sobolev avait réussi à faire face tout seul à toute une bande de Tekints, et que, blessé sept fois, il n'avait pas reculé ; que, traversant un désert aride à la tête d'un petit détachement, il avait mis en pièces la terrible armée d'Abdurrahman Bey. Et pourtant d'autres relations de Varia rapportaient des rumeurs d'une tout autre nature, parlant d'une exécution d'otages et d'une vague disparition du trésor de Kokand.

Mais en regardant les yeux clairs et lumineux du beau général, Varia comprit que les sept blessures et l'armée d'Abdurrahman Bey étaient la vérité, et que l'histoire des otages et celle de l'argent du khan n'étaient qu'inventions malveillantes de gens envieux.

Cela d'autant plus que Sobolev commençait à regarder Varia de nouveau, en ayant l'air cette fois de lui trouver quelque chose.

— Mais qu'est-ce qui vous amène en ce lieu où coule le sang, madame ? Et vêtue de la sorte par-dessus le marché ! Je suis intrigué.

Varia se présenta et raconta brièvement ses aventures. Son instinct sûr lui disait en effet que Sobolev n'allait pas la trahir et qu'il ne la ferait pas reconduire à Bucarest sous bonne escorte.

— Votre fiancé a de la chance, Varvara Andréevna, fit le général en caressant Varia du regard. Vous êtes une jeune fille exceptionnelle. Permettez-moi cependant de vous présenter mes camarades. Je crois que vous avez déjà fait connaissance avec monsieur McLaughlin, et voici Serge Véréchtchaguine, mon second, frère du peintre. (Un adolescent mince et beau garçon coiffé d'un bonnet circassien s'inclina avec émotion devant Varia.) Lui-même dessine d'ailleurs à la perfection. Durant une mission de reconnaissance sur le Danube, il a si bien représenté les positions turques que c'était une merveille. Mais où est

Paladin ? Hé ! Paladin, venez par là, je vais vous présenter à une jolie femme.

Varia considérait avec curiosité le Français qui venait d'arriver le dernier. Il était merveilleusement beau (un bandeau sur sa manche portait l'indication « Correspondant » et le n° 32), non moins beau que Sobolev dans son genre : un nez mince, légèrement camus, une moustache claire frisée vers le haut avec une petite barbe espagnole tirant sur le roux, des yeux gris remplis d'intelligence. Cela dit, pour le moment ses yeux étaient en train de jeter des éclairs de colère :

— Ces bandits font la honte de l'armée turque ! s'exclama avec passion le journaliste en français. Tout ce qu'ils savent faire, c'est égorger des civils, mais dès qu'il s'agit de se battre, il n'y a plus personne. A la place de Kérim Pacha, je les désarmerais tous, et je les pendrais !

Mais McLaughlin interrompit son envolée :

— Calmez-vous, preux chevalier, il y a là une dame. Vous avez de la chance, vous venez de lui apparaître sous le visage d'un héros romantique, ne perdez pas la face ! Regardez comme elle s'intéresse à vous !

Varia devint cramoisie et jeta à l'Irlandais un regard furieux dont il se contenta de rire. Paladin en revanche se conduisit comme il sied à un vrai Français : il mit pied à terre et s'inclina.

— Charles Paladin, mademoiselle, pour vous servir.

— Varvara Souvorova, répondit-elle fort courtoisement, je suis heureuse de faire votre connaissance. Et merci à vous tous, messieurs, d'être arrivés si à propos.

— Mais permettez-moi de vous demander votre nom à vous, dit Paladin en jetant un regard intrigué en direction de Fandorine.

— Eraste Fandorine, répondit l'engagé volontaire en regardant bizarrement non pas le Français mais Sobolev. J'ai participé à la campagne de Serbie, et aujourd'hui je me rends à l'état-major auquel j'ai à transmettre une information importante.

Le général considéra Fandorine de la tête aux pieds et voulut respectueusement lui manifester sa sympathie :

— Je parie que vous en avez vu de toutes les couleurs ? A quoi vous occupiez-vous avant la Serbie ?

Après un petit moment d'hésitation, Fandorine répondit :

— Je faisais partie du ministère des Affaires étrangères. Je suis conseiller titulaire.

C'était inattendu. Il était donc diplomate ? A dire vrai les nouvelles rencontres qu'elle venait de faire avaient quelque peu fait oublier à Varia l'impression forte (pourquoi le taire ?) qu'avait produite sur elle son peu loquace compagnon de route, mais maintenant, de nouveau, elle se tournait vers lui avec admiration. Un diplomate engagé volontaire, avouez que ce n'est pas une chose courante. Non, il n'y avait pas à dire, tous les trois, Fandorine, Sobolev et Paladin, étaient étonnamment séduisants, chacun à sa manière.

— Quelles informations ? fit Sobolev soudain renfrogné.

Fandorine gardait le silence, il n'avait visiblement pas envie de répondre à la question.

Mais le général lui lança sur un ton vif :

— Arrêtez de jouer aux grands secrets de la cour de Madrid ; car enfin c'est incorrect à l'égard de ceux qui viennent de vous sauver la vie.

L'engagé volontaire baissa tout de même la voix, et les correspondants tendirent l'oreille.

— Je viens de Vidin, mon général, et il y a trois jours Osman Pacha s'est mis en route pour gagner Plevna avec un corps d'armée.

— Qu'est-ce que c'est que cet Osman, et qu'est-ce que c'est que Plevna ?

— Osman Nuri Pacha est le meilleur chef de guerre de l'armée turque. C'est lui qui a vaincu les Serbes. Il a tout juste quarante-cinq ans, et il est déjà michur, c'est-à-dire feld-maréchal, et ses hommes n'ont rien à voir avec ceux qui protégeaient le Danube. Quant à Plevna, c'est une petite ville à une trentaine de verstes d'ici, en direction de l'ouest. Il faut y arriver avant Osman et occuper ce point stratégique qui protège l'accès de Sofia.

Sobolev se donna une telle claque sur la cuisse que son cheval fit un petit saut sur le côté.

— Ah ! si j'avais au moins un détachement. Sachez malheureusement, Fandorine, que je ne suis plus aux affaires. Il faut que vous vous rendiez à l'état-major pour parler au commandant en chef. Pour ma part, je dois achever ma mission de reconnaissance, mais je vais vous attribuer une garde qui vous conduira à Tsarévitsy. Ce soir, j'aurai le plaisir de vous attendre chez moi, Varvara Andréevna. Dans la tente des correspondants de presse, on ne s'ennuie jamais !

— Avec plaisir, dit Varvara en glissant un regard apeuré en direction du jeune officier prisonnier que l'on avait couché dans l'herbe.

Deux Cosaques s'occupaient du blessé, accroupis auprès de lui.

— Il est mort, hein ? demanda-t-elle à voix basse.

— Il est tout ce qu'il y a de plus vivant au contraire, lui répondit le général. Il a eu de la chance, l'animal, maintenant il vivra cent ans. Quand nous sommes arrivés à la hauteur des Bachi-Bouzouks, il lui ont tiré une balle dans la tête avant de prendre la fuite. Mais une balle, comme chacun le sait, ce n'est pas intelligent. Elle est partie de biais et lui a seulement arraché un peu de peau. Alors, les gars, en avez-vous fini avec le pansement du capitaine ? lança-t-il aux Cosaques d'une voix forte.

Les deux Cosaques aidèrent l'officier à se relever. Il faillit tomber mais réussit à garder son équilibre et repoussa avec détermination les deux hommes qui essayaient de le soutenir par le bras. Après quoi il fit quelques pas mal assurés, donnant à chaque instant le sentiment que les jambes allaient lui manquer, et, le petit doigt sur la couture du pantalon, il lança d'une voix rauque :

— Eréméï Pérépelkine, de l'état-major général, Excellence. Je venais de Zimnitsa, et je me rendais sur mon lieu de service, à l'état-major du détachement occidental où je viens d'être nommé au département des Opérations du lieutenant général Krüdener. Sur ma route, j'ai été attaqué par un détachement de la cavalerie irrégulière de l'ennemi et fait prisonnier. Je suis coupable... Je n'imaginais pas que cela soit possible dans nos arrières... Je n'avais même pas de pistolet sur moi, juste mon épée.

Cette fois Varia put examiner l'officier martyr de plus près. Il était de taille moyenne, solide, ses cheveux ébouriffés étaient châtains, il avait une bouche étroite, presque privée de lèvres, et des yeux bruns marqués de sévérité. Un seul œil à vrai dire, car on ne voyait toujours pas le second, en revanche il n'y avait plus à présent dans le regard du capitaine ni angoisse mortelle ni désespoir.

— Vous êtes vivant, et c'est bien, dit Sobolev avec aménité. Quant au pistolet, un officier doit toujours en avoir un sur lui, même un officier d'état-major. Aller et venir sans pistolet, c'est comme pour une dame sortir dans la rue sans chapeau, on la prend pour une prostituée.

Il eut un petit rire qui s'étrangla sous un regard furieux de Varia :

— Pardon, mademoiselle.

A ce moment-là un fringant cavalier s'approcha du général, à qui il montra quelque chose du doigt :

— Excellence, on dirait que c'est Séménov !

Varia tourna la tête et fut prise d'une nausée. Le cheval bai des bandits, sur la croupe duquel elle s'était montrée si mauvaise cavalière, venait de réapparaître et broutait l'herbe comme si de rien n'était tandis que l'horrible chose continuait à ballotter à son flanc.

Sobolev sauta à terre, s'approcha du cheval et, tout en le considérant d'un air sceptique, se mit à tourner et à retourner l'horrible ballon dans tous les sens.

— Tu crois vraiment que c'est Séménov ? fit-il, peu convaincu. Tu te trompes, Nétchitaïlo, Séménov n'avait pas du tout cette tête-là.

— Comment ça, Mikhaïl Dmitriévitch ? fit le sous-officier cosaque en s'échauffant. Voyez son oreille déchirée et, tenez, regardez (il entrouvrit les lèvres violettes de la tête du mort) : il y a aussi la dent de devant qui manque. Sûr que c'est Séménov.

— Peut-être bien, approuva le général d'un air pensif. Eh bien, dans quel état ils l'ont mis ! (Puis, se tournant vers Varvara, il ajouta :) il s'agit de l'un des Cosaques du deuxième escadron qui a été enlevé ce matin par les hommes de Daoud Bey.

Mais Varia ne l'entendait plus, la terre et le ciel avaient effectué une culbute, prenant la place l'un de l'autre, et Paladin et Fandorine eurent tout juste le temps de rattraper la jeune demoiselle devenue soudain toute molle.

Chapitre troisième,
presque entièrement consacré à la fourberie orientale

La Revue parisienne

15 (3) juillet 1877

L'aigle à deux têtes, blason de la Russie, reflète d'une manière parfaite le système de gouvernement de ce pays où la moindre affaire un tant soit peu importante se voit confiée non pas à une, mais au moins à deux instances qui se gênent mutuellement sans porter ni l'une ni l'autre la moindre responsabilité. Il en va de même dans l'armée active. Formellement, c'est le grand prince Nicolaï Nicolaévitch, actuellement cantonné dans le village de Tsarévitsy, qui commande en chef, et pourtant, à peu de distance de son état-major, dans la petite ville de Bella, se trouve le quartier général de l'empereur Alexandre II qui a auprès de lui le grand chancelier, le ministre de la Guerre, le chef des gendarmes et tous les hauts dignitaires. Si l'on ajoute à cela que l'armée roumaine alliée à la Russie a son propre commandant en la personne du prince Karl Hohenzollern-Singmaringen, ce n'est même plus le roi des oiseaux à deux têtes qui vient à l'imagination, mais un conte populaire russe bien connu qui parle d'un cygne, d'un crabe et d'un brochet malencontreusement attelés à un même équipage...

— Alors, pour finir, dois-je vous dire « madame » ou « mademoiselle » ? demanda le lieutenant-colonel des gendarmes noir comme un scarabée en accompagnant ses propos d'une grimace désagréable. Nous ne sommes pas dans une salle de bal, et je ne suis pas en train de vous faire des compliments ! Nous sommes à l'état-major de l'armée, et je conduis un interrogatoire, aussi veuillez ne pas finasser.

Le lieutenant-colonel s'appelait Ivan Kharitonovitch Kazanzakis, il ne faisait pas le moindre effort pour essayer de comprendre la situation de Varia, et tout portait à croire que les choses allaient se conclure par un rapatriement forcé en Russie.

La veille, ils n'étaient arrivés à Tsarévitsy qu'à la nuit. Fandorine s'était immédiatement rendu à l'état-major, quant à Varia, bien que tombant de fatigue, elle s'était attelée à l'essentiel. Les baronnes Vreskoï, infirmières du détachement sanitaire, lui avaient procuré des vêtements, avaient fait chauffer de l'eau, et la jeune fille avait commencé par faire sa toilette avant de s'écrouler sur l'un des lits de l'hôpital, profitant du fait qu'ils étaient pratiquement inoccupés. L'entrevue avec Pétia avait été remise au lendemain, elle avait en effet besoin d'être en pleine possession de ses moyens pour affronter l'importante explication qui devait avoir lieu.

Cependant, le matin, on ne l'avait pas laissée dormir. Deux gendarmes casqués et munis d'une carabine étaient venus quérir la « jeune personne qui disait se nommer mademoiselle Souvorova » pour la conduire sur-le-champ dans la Section spéciale du détachement occidental sans même lui donner le temps de se peigner correctement.

Et cela faisait à présent plusieurs heures qu'elle tentait d'expliquer à son bourreau au visage glabre et aux sourcils épais vêtu d'un uniforme bleu les relations qui la liaient au chiffreur Pétia Iablokov.

— Seigneur, mais faites donc venir Pierre Afanassiévitch, il vous confirmera tout cela, répétait-elle sans fin au lieutenant-colonel qui répondait invariablement :

— Chaque chose en son temps.

Le gendarme était particulièrement intéressé par les détails de sa rencontre avec « la personne qui se disait être le conseiller titulaire Fandorine ». Il nota soigneusement tout ce qu'elle lui dit sur Youssouf Pacha de Vidin, sur le café et la langue française et sur sa libération gagnée au jeu de dés. Mais il se passionna surtout en apprenant que l'engagé volontaire avait parlé turc avec les Bachi-Bouzouks et voulut à tout prix savoir la façon dont il s'était exprimé, en trouvant ses mots facilement ou non. L'élucidation de ce dernier détail stupide prit bien, au bas mot, une bonne demi-heure.

Mais au moment où Varia était sur le point de piquer une crise d'hystérie sèche et sans larmes, la porte de la masure de terre battue dans laquelle était localisée la Section spéciale s'ouvrit brusquement, et l'on vit entrer, ou plutôt faire irruption au galop, un général très digne, aux yeux autoritairement exorbités et à la moustache avantageuse.

— Général Mizinov, aide de camp général, déclara-t-il d'une voix forte à peine le seuil franchi en considérant le lieutenant-colonel. Kazanzakis, je présume ?

Pris au dépourvu, le lieutenant-colonel se figea dans un garde-à-vous impeccable, trouvant tout juste la force d'émettre un bredouillement imprécis. Varia, elle, fixa de tous ses yeux Lavrenty Arkadiévitch Mizinov, chef de la Troisième Section et responsable du corps de gendarmes, en qui la jeunesse d'avant-garde voyait le satrape en chef et un bourreau de la liberté.

— C'est cela même, Votre Excellence, finit par articuler l'offenseur de Varia d'une voix rauque. Lieutenant-colonel Kazanzakis, du corps de gendarmerie. Auparavant j'ai servi dans la direction de Kichinev, présentement je suis affecté à la direction du Département spécial auprès de l'état-major occidental. Je suis en train de procéder à l'interrogatoire d'une prisonnière.

— Qui est-ce ? demanda le général en levant un sourcil et en jetant à Varia un regard dénué de toute aménité.

— Varvara Souvorova. Elle prétend être venue ici à titre personnel pour rencontrer un certain Iablokov, soldat du chiffre, qui serait son fiancé.

Mizinov marqua un intérêt :

— Souvorova ? Ne serions-nous pas parents ? Mon arrière-grand-père du côté maternel s'appelait Alexandre Vassiliévitch Souvorov-Rymniksky.

— J'espère bien que nous ne le sommes pas, coupa Varvara d'une voix sèche.

Le satrape eut un ricanement rempli de compréhension, après quoi il n'accorda plus aucune attention à la jeune prisonnière.

— Cessez de me bassiner les oreilles avec n'importe quelles vétilles, Kazanzakis. Où est Fandorine ? Le rapport indique qu'il est entre vos mains.

— En effet, et je l'ai placé sous bonne garde, déclara d'un air bravache le lieutenant-colonel et,

53

baissant la voix, il ajouta : j'ai de bonnes raisons de croire que nous sommes en présence d'Anvar Effendi lui-même, notre visiteur tant attendu. Tous les détails concordent, Excellence. En ce qui concerne Osman Pacha et Plevna, c'est de toute évidence de la désinformation. Mais qu'est-ce qu'il a bien organisé son affaire...

— Crétin, rugit Mizinov avec une telle violence que l'on vit la tête du lieutenant-colonel disparaître entre ses deux épaules. Qu'on me l'amène sur-le-champ !

Kazanzakis se rua dehors tandis que Varia se pressait contre le dossier de sa chaise, mais le général avait oublié sa présence, et il resta là à souffler et à tambouriner nerveusement sur la table jusqu'à ce que le lieutenant-colonel revienne accompagné de Fandorine.

L'engagé volontaire avait l'air épuisé, et ses yeux profondément cernés indiquaient clairement qu'on n'avait pas dû le laisser dormir beaucoup.

— B-b-bonjour, Lavrenty Arkadiévitch, dit-il mollement en faisant également un petit salut en direction de Varia.

— Mon Dieu, Fandorine, est-ce bien vous ? fit le satrape en poussant un petit cri. On a peine à vous reconnaître ! Vous avez pris dix ans ! Asseyez-vous, mon ami, je suis si content de vous revoir !

Installant Eraste Pétrovitch, il s'assit lui-même, ce qui fit que Varia se retrouva dans son dos. Quant à Kazanzakis, il restait figé sur le seuil.

— Comment allez-vous à présent ? demanda Mizinov. J'aimerais vous présenter mes profondes...

Fandorine lui coupa la parole poliment mais résolument :

— Laissons cela, dit-il, je vais p-p-parfaitement bien. Dites-moi plutôt si ce monsieur (et il désigna le lieutenant-colonel d'un mouvement méprisant de la tête) vous a transmis les informations concernant Plevna ? Chaque heure compte.

— Oui, oui, et j'ai en main un ordre du commandant en chef, je voulais simplement m'assurer qu'il s'agissait bien de vous. Tenez, écoutez.

Il sortit un papier de sa poche, s'arma d'un monocle et lut :

— « *Au baron Krüdener, lieutenant général, commandant du détachement occidental. Ordre vous est donné de prendre Plevna et de vous y retrancher en gardant sous votre commandement au moins une division. Nicolaï.* »

Fandorine eut un hochement de tête approbateur.

— Lieutenant-colonel, à coder immédiatement et à envoyer à Krüdener par le télégraphe, ordonna Mizinov.

Kazanzakis prit respectueusement le feuillet et courut exécuter l'ordre reçu en faisant sonner ses éperons.

— Ainsi donc, vous pouvez reprendre le service ? demanda le général.

Eraste Pétrovitch fit une grimace.

— Lavrenty Arkadiévitch, je crois que j'ai fait mon d-d-devoir en vous informant des manœuvres qu'Osman Pacha est en train de conduire sur notre flanc. Quant à faire la guerre à la pauvre Turquie qui n'aurait pas besoin de nos valeureux efforts pour s'effondrer d'elle-même, soyez assez aimable pour m'en dispenser.

— Non, cher ami, c'est hors de question. Je ne vous en dispense pas ! lança Mizinov avec humeur.

Si le mot patriotisme ne signifie rien pour vous, je me permettrai de vous rappeler, monsieur le conseiller titulaire, que vous n'êtes pas à la retraite, vous bénéficiez simplement d'un congé illimité. Par ailleurs, bien que rattaché au corps diplomatique, vous n'en faites pas moins partie de la Troisième Section placée sous mes ordres !

Varia ne put s'empêcher d'émettre un petit cri. Fandorine, qu'elle prenait pour un homme respectable, était un agent de la police ! Ce qui ne l'empêchait d'ailleurs pas de jouer les héros romantiques : pâleur séduisante, regards langoureux, tempes noblement argentées. Allez faire confiance aux gens, après cela !

— Votre Excellence, dit Eraste Pétrovitch d'une voix basse, sans même soupçonner sans doute qu'il venait de se perdre à jamais aux yeux de Varia, ce n'est pas vous que je sers, c'est la Russie. Et je refuse de prendre part à une guerre qui non seulement n'a aucun sens pour mon pays, mais qui lui est néfaste.

— Pour ce qui est de la guerre, ce n'est ni à vous ni à moi d'en décider. C'est à Sa Majesté l'empereur, déclara Mizinov d'une voix coupante.

Il y eut une pause pénible, et quand le chef des gendarmes reprit la parole, sa voix avait une tout autre tonalité :

— Eraste Pétrovitch, mon ami, fit-il d'un ton pénétrant. Vous savez bien que des centaines de milliers de Russes risquent leur vie, le pays ploie sous le poids d'une guerre... Pour ma part, j'ai un mauvais pressentiment. Tout se passe trop facilement, et j'ai peur que les choses ne tournent mal.

Voyant qu'il n'obtenait pas de réponse, le général se frotta les yeux d'un geste las et poursuivit sur le ton de la confidence :

— Ma tâche est difficile, Fandorine, très difficile. Partout c'est la pagaille, les choses se font en dépit du bon sens. Je manque de collaborateurs, surtout de gens de qualité. Vous savez bien que je ne veux pas vous imposer un travail de routine, mais j'ai un petit problème particulièrement délicat et qui vous conviendrait parfaitement.

Cette fois, Eraste Pétrovitch baissa la tête dans un mouvement interrogateur, et le général poursuivit d'un air patelin :

— Vous vous souvenez d'Anvar Effendi ? Le secrétaire du sultan Abdül-Hamid. Vous savez bien, celui dont on a un peu parlé dans l'affaire Azazel ?

Eraste Pétrovitch eut un frémissement à peine perceptible, mais garda le silence.

Mizinov fit entendre un ricanement.

— Quand je pense que cet idiot de Kazanzakis vous a pris pour lui, je vous jure ! Nous avons des renseignements selon lesquels ce personnage intéressant dirigerait personnellement une opération secrète contre notre armée. C'est un homme d'une grande témérité, une tête brûlée que rien n'arrête, et il est tout à fait capable de faire son apparition en personne dans nos lignes. Alors, ça vous intéresse ?

— Je vous écoute, Lavrenty Arkadiévitch, dit Fandorine en glissant un regard de biais à Varia.

— Voilà qui est parfait, fit Mizinov, satisfait, et il cria : Novodvortsev, le dossier !

Un commandant d'un certain âge portant des aiguillettes d'aide de camp entra d'un pas mesuré, tendit au général un buvard de calicot rouge et se retira tout aussitôt. Par la porte, Varia aperçut le visage en sueur du lieutenant-colonel Kazanzakis, et elle lui fit une grimace à la fois ironique et méprisante : bien fait pour toi, sadique, tu n'as plus qu'à rester moisir dehors à présent !

— Ainsi, voilà ce dont nous disposons concernant Anvar, expliqua le général en faisant crisser les pages. Ne voulez-vous pas le noter ?

— Je le retiendrai, répondit Eraste Pétrovitch.

— Nous ne savons que très peu de choses sur la première période de sa vie. Il est né il y a environ trente-cinq ans. On croit savoir qu'il est originaire d'Hévraïs, une petite ville musulmane de Bosnie. On ne sait rien de ses parents. Il a été éduqué en Europe, dans l'un des établissements prestigieux de Lady Esther dont vous avez sans doute gardé le souvenir à cause d'Azazel.

C'était la seconde fois que Varia entendait ce nom étrange et, comme la première fois, Fandorine eut une réaction bizarre : il tira son menton en avant comme si son col de chemise était brusquement devenu trop serré.

— C'est il y a une dizaine d'années qu'Anvar Effendi a fait surface, quand l'Europe a commencé à s'intéresser au grand réformateur turc Midhat Pacha. Notre Anvar, qui alors n'était pas encore un Effendi, était son secrétaire. Tenez, voici les états de service de Midhat. (Mizinov sortit un document de son buvard et s'éclaircit la voix.) A l'époque il était gouverneur général du vilayet du Danube, et c'est sous son autorité qu'Anvar a organisé dans la région un service de diligences, construit un chemin de fer, mais également mis en place tout un réseau d'« islahans », établissements scolaires de bienfaisance destinés aux orphelins tant musulmans que chrétiens.

— Ah bon ! fit Fandorine, intéressé.

— Eh oui... C'est une belle initiative, n'est-ce pas ? D'une manière générale, Midhat Pacha et Anvar ont développé dans la région une telle activité qu'on a pu très sérieusement craindre de voir la Bulgarie quitter la zone d'influence russe, et Nikolaï Pavlovitch Gnatiev, notre ambassadeur à Constantinople, a dû user de toute son influence sur le sultan Abdül-Aziz pour faire rappeler le trop zélé gouverneur. A la suite de cela, devenu président du Conseil d'Etat, Midhat a fait passer une loi sur l'enseignement obligatoire, une loi excellente, qu'entre parenthèses nous n'avons pas encore en Russie. Et devinez qui a élaboré cette loi ? Vous avez gagné, c'est Anvar Effendi. Tout cela serait très touchant si, outre son travail sur l'instruction, notre homme n'avait pas, dès cette époque, pris la plus grande part aux intrigues de la cour, sachant le grand nombre d'ennemis qu'avait son protecteur. On a essayé d'envoyer à Midhat des tueurs, glissé du poison dans son café, un jour on a même mis dans son lit une courtisane atteinte de la lèpre, et il entrait dans les attributions d'Anvar de protéger le grand homme de toutes ces gentilles farces. Cette fois le parti russe à la cour du sultan s'est révélé le plus fort, et en 1869 le pacha a été exilé le plus loin possible, comme gouverneur général de la sauvage et misérable Mésopotamie. Quand Midhat Pacha a entrepris de conduire là aussi des réformes, un soulèvement a éclaté à Bagdad. Savez-vous ce qu'il a fait ? Rassemblant les notables de la ville et les représentants du clergé, il leur a tenu un bref discours dont voici le contenu. Je vous le rapporte mot pour mot, car j'en admire sincèrement l'énergie et le style : « Vénérables mollahs, messieurs les notables ! Si dans deux heures les désordres n'ont pas cessé, je donnerai l'ordre de vous pendre tous, et je mettrai le feu aux quatre points cardinaux de la belle ville de Bagdad. Et tant pis si par la suite le grand padischah, qu'Allah l'ait en sa haute protection, me pend, moi aussi, pour me punir de ce méfait. » Il va de soi que deux heures plus tard le calme régnait dans la ville. (Mizinov eut un ricanement et hocha la tête.) Après cela il pouvait passer aux réformes. En moins de trois ans qu'a duré la présence à Bagdad de Midhat en qualité de gouverneur, son fidèle collaborateur Anvar Effendi a réussi à y installer le télégraphe, à mettre en place un service d'omnibus dans la ville, à faire marcher des bateaux sur l'Euphrate, à créer le premier journal irakien et à recruter des élèves pour une école de commerce. Qu'est-ce que vous en dites ? Je ne parle même pas de choses moins importantes comme la création de la compagnie de navigation par actions « Osmano-osmanienne » dont les bâtiments vont jusqu'à Londres en passant par le canal de Suez. Pour finir, par le moyen d'une intrigue extrêmement subtile, Anvar a réussi à faire tomber le grand vizir Mahmud Nédim qui dépendait à un tel point de l'ambassadeur de Russie que les Turcs l'avaient surnommé « Nédimov ». Midhat a alors dirigé le gouvernement du sultan, mais il n'a réussi à se maintenir à ce poste important que deux mois et demi, notre Gnatiev s'étant une fois encore révélé le plus fort. Le plus grand vice de Midhat, absolument impardonnable aux yeux de tous les autres pachas, est son caractère incorruptible. C'est ainsi qu'il a entrepris de lutter contre les pots-de-vin et prononcé devant les diplomates européens une phrase qui lui a été fatale : « Il est temps de montrer à l'Europe que tous les Turcs ne sont pas de misérables prostituées ! » Ces « prostituées » lui ont valu d'être expulsé de Constantinople et de se retrouver gouverneur à Salonique. La petite ville grecque a alors connu une prospérité nouvelle, tandis que la cour du sultan s'enfonçait de nouveau dans le sommeil, la volupté et la dilapidation des biens de l'Etat.

Eraste Pétrovitch coupa brutalement la parole au général :

— Je vois que vous êtes tout simplement a-a-amoureux de cet homme, dit-il.

— De Midhat ? Incontestablement. (Le général haussa les épaules.) Et je le verrais avec bonheur à la tête du gouvernement russe. Malheureusement, il n'est pas russe, mais turc. En plus, c'est un Turc tourné vers la Grande-Bretagne. Nos objectifs sont diamétralement opposés, c'est pourquoi Midhat est un ennemi. Et un ennemi particulièrement dangereux. L'Europe a peur de nous et ne nous aime pas, en revanche elle a la plus grande estime pour Midhat, surtout depuis qu'il a donné une constitution à son pays. A présent, Eraste Pétrovitch, armez-vous de patience. Je vais vous lire une longue lettre que j'ai reçue il y a un an déjà de Nikolaï Pavlovitch Gnatiev. Elle vous donnera une excellente idée de l'adversaire contre lequel nous allons avoir à lutter.

Le chef des gendarmes sortit de son buvard un ensemble de feuillets couverts d'une petite écriture régulière de comptable et entama sa lecture :

— « *Mon cher Lavrenty, dans notre Stamboul protégé par Allah, les événements se développent avec une telle rapidité que moi-même je n'arrive pas à les suivre, et pourtant, sans fausse modestie, cela fait bien des années que ton fidèle serviteur a la main sur le pouls du Grand Malade de l'Europe. Non sans mes efforts, ce pouls était progressivement en train de faiblir et promettait bientôt de s'arrêter, mais voilà que depuis le mois de mai...* »

Il s'agit de l'année dernière, de 1876, tint à préciser Mizinov.

« *Mais voilà que depuis le mois de mai, ce pouls s'est tellement emballé qu'on se demande si le Bosphore ne va pas quitter ses berges et si les murs de la ville impériale ne vont pas s'écrouler, ne te laissant plus la possibilité d'accrocher ton bouclier nulle part.*

Tout se résume au fait qu'en mai, la capitale du grand et de l'incomparable sultan Abdül-Aziz, Ombre du Très Haut et protecteur de la foi, a vu revenir triomphalement de son exil Midhat Pacha accompagné de son éminence grise, le très rusé Anvar Effendi.

Cette fois, le sage Anvar, qui a acquis de l'expérience, s'est mis à agir à coup sûr, à la fois à l'européenne et à l'orientale. Il a commencé à l'européenne : ses agents se sont répandus dans les chantiers navals, à l'arsenal, à l'Hôtel des monnaies, et les ouvriers, qui n'avaient pas été payés depuis fort longtemps, sont sortis en masse dans les rues. Après cela, il a eu recours à un truc typiquement oriental. Le 25 mai, Midhat Pacha a déclaré aux croyants qu'il avait été visité la nuit par le prophète (va donc vérifier !), qui a confié à son esclave la tâche de sauver la Turquie en péril.

Pendant ce temps-là, mon bon ami Abdül-Aziz passait son temps comme à l'accoutumée dans son harem, en la plaisante compagnie de son épouse préférée, la délicieuse Mihri Hanim, qui, étant sur le point d'accoucher, faisait caprice sur caprice et exigeait la présence constante de son maître. Cette belle Circassienne aux cheveux d'or et aux yeux bleus, outre sa beauté exceptionnelle, s'était illustrée aussi par le fait qu'elle avait su vider entièrement la caisse du sultan. Rien que dans la dernière année, elle avait laissé dans les magasins français de Péra plus de dix millions de roubles, et on comprend parfaitement que, comme le diraient les Anglais enclins à la litote, les habitants de Constantinople ne lui portent que fort peu de sentiments affectueux.

Crois-moi, Lavrenty, je me suis trouvé impuissant à faire quoi que ce soit. J'ai eu beau adjurer, menacer, intriguer comme un eunuque dans un harem, Abdül-Aziz est resté sourd et muet. Le 29 mai, une foule hurlante de plusieurs milliers de personnes s'est rassemblée autour du palais de Dolmabahçe (une construction horrible entre toutes de style européano-oriental), mais le padischah n'a même pas tenté de calmer ses sujets. Il s'est enfermé dans la partie de sa résidence réservée aux femmes et à laquelle je n'ai pas accès et a passé son temps à écouter Mihri Hanim jouer des valses viennoises au piano.

Pendant ce temps-là, Anvar a fait le siège du ministre de la Guerre, travaillant à incliner cet homme prudent et circonspect à un changement d'orientation politique. Selon les informations que m'a fournies mon agent, placé auprès du pacha en qualité de cuisinier (d'où le caractère un peu particulier de ces informations), ces pourparlers décisifs se sont déroulés de la manière suivante. Anvar s'est présenté chez le ministre à midi juste, et l'ordre a été donné de servir le thé avec des tchureks. Un quart d'heure plus tard, un rugissement scandalisé de Son Excellence se faisait entendre dans son cabinet, et des officiers d'ordonnance accompagnaient Anvar au poste de garde. Après cela, le pacha est resté une demi-heure tout seul à aller et venir dans son bureau, mettant à mal deux assiettes de halva dont il est grand amateur. Puis il a souhaité interroger le traître personnellement et s'est rendu au poste de garde. A deux heures trente, il était demandé d'apporter des fruits et des douceurs. A quatre heures moins le quart, du cognac et du champagne. Un peu après quatre heures, ayant pris le café, le pacha et son hôte se sont rendus chez Midhat. On raconte qu'en récompense de sa participation au complot, le ministre s'était vu promettre de la part de ses protecteurs le poste de grand vizir et un million de livres sterling.

Le soir, les deux conspirateurs de première ligne avaient trouvé un accord parfait, et dans la nuit même un coup d'Etat a eu lieu. La flotte a bloqué le palais du côté de la mer, le chef de la garnison de la capitale a remplacé la garde par des hommes à lui, et le sultan a été conduit au palais Ferije en compagnie de sa mère et de Mihri Hanim.

Quatre jours plus tard, le sultan a entrepris de se tailler la barbe avec des ciseaux de manucure, mais il s'y est pris si maladroitement qu'il s'est ouvert les veines des deux poignets et qu'il en est mort sur-le-

champ. *Invités à venir constater le décès, les méde-cins des ambassades européennes ont unanimement conclu à un suicide, le corps ne portant aucune trace de coups ou de violence.*

En un mot, tout avait été joué proprement et élé-gamment comme dans une bonne partie d'échecs. Tel est le style d'Anvar Effendi.

Mais cela n'a été que le début, ensuite il y a eu le milieu de partie.

Ayant joué son rôle, le ministre de la Guerre était à présent devenu un obstacle sérieux car, nullement intéressé par des réformes et par l'idée d'une consti-tution, il se préoccupait surtout de savoir quand et comment il allait toucher son million. Par ailleurs, il se conduisait à présent comme s'il avait été la pre-mière personne du gouvernement, ne cessant de répéter que c'était lui qui avait détrôné Abdül-Aziz et non Midhat Pacha.

Anvar Effendi s'attachait pour sa part à accréditer cette même version auprès d'un jeune officier valeu-reux, aide de camp du défunt sultan. Cet officier s'appelait Hassan Bey. Il était le frère de la belle Mihri Hanim et jouissait de la plus grande popula-rité auprès des délicieuses dames de la cour, car il était d'un physique fort agréable, avait une réputa-tion de bravoure et exécutait à la perfection les romances italiennes. Tout le monde l'appelait tout simplement le Circassien.

Quelques jours après que le sultan se fut si malen-contreusement taillé la barbe, son inconsolable veuve mit au monde un enfant mort et mourut elle-même dans des souffrances horribles. C'est à ce moment-là précisément qu'Anvar et le Circassien devinrent très proches. C'est ainsi qu'un jour Hassan

Bey vint à la résidence rendre visite à son ami. Il se trouva qu'Anvar n'était pas là, en revanche tous les ministres étaient rassemblés auprès de Midhat Pacha. Au palais, tout le monde connaissait le Circassien, et on l'accueillait comme quelqu'un de familier. Il prit le café avec les officiers d'ordonnance, fuma un peu en bavardant de choses et d'autres. Puis, paresseusement, fit quelques pas dans le couloir et brusquement se rua dans la salle de réunion. Il ne toucha ni à Midhat ni à ses notables, en revanche il tira deux balles de revolver dans la poitrine du ministre de la Guerre, qu'il acheva au yatagan. Les ministres les plus raisonnables prirent la fuite, mais deux d'entre eux voulurent jouer les héros. Et ils eurent grand tort, car le Circassien en tua un et blessa grièvement le second. Le valeureux Midhat Pacha essaya d'intervenir, accompagné de deux de ses officiers d'ordonnance. Hassan Bey tira sur les deux hommes à bout portant, toujours sans toucher au pacha. On finit par avoir raison de l'assassin, mais il avait encore eu le temps de mettre à mort un officier de police et de blesser sept autres soldats. Pendant ce temps-là, notre Anvar était en dévotion à la mosquée, et nombreux sont ceux qui peuvent en témoigner.

Hassan Bey passa la nuit sous les verrous à chanter à tue-tête des airs de Lucia di Lammermoor, *à telle enseigne que, séduit par son talent, Anvar Effendi essaya même d'obtenir sa grâce, mais les ministres, furieux, furent intraitables, et au petit jour le meurtrier fut pendu à un arbre. Les dames du harem, qui aimaient si tendrement leur Circassien, vinrent assister à son exécution et versèrent force larmes en lui adressant de loin des baisers.*

Désormais, Midhat Pacha n'avait plus d'obstacles sur sa route si ce n'est le destin qui lui porta un coup auquel il ne s'attendait pas. Le grand stratège se vit en effet jouer un mauvais tour par sa marionnette, le nouveau sultan Mourad.

Dès le 31 mai au matin, tout de suite après le coup d'Etat, Midhat Pacha s'était en effet rendu auprès du prince Mourad, neveu du sultan déchu, causant à celui-ci une peur intense. Je me dois ici de faire une brève digression pour expliquer la triste situation qui est celle, dans l'Empire ottoman, de l'héritier du trône.

Le problème est que, bien qu'ayant quinze épouses, le prophète Mahomet n'avait pas de fils et qu'il n'a laissé aucune instruction en matière de succession au trône. C'est pourquoi, durant des siècles, chacune des très nombreuses sultanes a rêvé de faire monter son fils sur le trône, œuvrant de toutes les manières à faire disparaître ceux de ses rivales. Il y a d'ailleurs à la cour un cimetière spécial pour les princes tués ainsi sans autre mobile, ce qui fait que, selon les critères turcs, nous autres Russes, nous sommes tout simplement ridicules avec nos Boris et Gleb et avec notre tsarévitch Dimitri.

Dans l'Empire ottoman, le trône se transmet non pas du père au fils, mais du frère aîné au frère cadet. Quand une lignée des frères est épuisée, c'est le tour de la nouvelle génération, avec toujours ce passage de l'aîné au cadet. Tout sultan a une peur violente de son frère cadet ou de l'aîné de ses neveux, et les chances de chacun des princes de vivre jusqu'à l'accès au trône sont minimes. Le prince héritier est maintenu dans l'isolement le plus total, on ne laisse personne lui rendre visite, et on essaie même, perfidement, de lui choisir des concubines stériles. Selon une vieille tradition, les serviteurs du futur padischah ont la langue coupée et le tympan des oreilles crevé. Tu peux imaginer, avec une éducation pareille, l'état de leur santé mentale. Soliman II, par exemple, a passé trente-neuf ans reclus à recopier et à illustrer le Coran. Et quand enfin il a été fait sultan, il n'a pas attendu longtemps pour demander à retourner à sa solitude et pour abdiquer. Je le comprends tout à fait, combien il est plus agréable de passer son temps à colorier des images !

Revenons cependant à Mourad. C'était un bel homme qui était loin d'être bête et qui possédait même une culture étendue, malheureusement il était très influençable et par ailleurs sujet à une bien compréhensible manie de la persécution. C'est avec joie qu'il confia au sage Midhat les rênes du pouvoir, ce qui faisait que les plans des conjurés se réalisaient parfaitement. Malheureusement, la rapide ascension puis la mort étonnante de son oncle avaient eu sur lui une telle influence qu'il commença à perdre la tête et à avoir des crises de violence. Consultés secrètement, les psychiatres européens en vinrent à la conclusion qu'il était inguérissable et que son état ne pouvait qu'empirer.

Observe l'extraordinaire esprit de prévoyance d'Anvar Effendi. Le jour même de l'accession de Mourad, quand tout avait encore l'air radieux, our mutual friend demanda subitement à devenir le secrétaire du prince Abdül-Hamid, frère du sultan et héritier du trône. Apprenant la chose, j'ai tout de suite compris que Midhat Pacha n'avait pas une confiance totale en Mourad V. Anvar apprit à connaître le nouvel héritier du trône, le jugea sans doute acceptable, et Midhat Pacha fit à Abdül-Hamid la proposition suivante : promets-nous de promulguer une constitution, et tu seras padischah. Il va sans dire que le prince accepta.

Tu connais la suite : le 31 août, Abdül-Hamid II monta sur le trône à la place de Mourad V qui avait perdu l'esprit. Midhat devint grand vizir. Quant à Anvar, il resta auprès du nouveau sultan dans les coulisses et devint le chef non déclaré de la police secrète, et donc (ha ! ha !) ton collègue à toi, Lavrenty !

Il est intéressant de noter qu'en Turquie presque personne ne connaît Anvar Effendi. Il ne se met jamais en avant, et on ne le voit pas dans le monde. Moi par exemple, je ne l'ai aperçu qu'une fois, le jour où je suis venu me présenter au nouveau sultan. Anvar se tenait à côté du trône, dans l'ombre, il portait une grosse barbe noire (fausse selon moi) et des lunettes noires, ce qui constituait un manquement de poids à l'étiquette de la cour. Durant l'audience, Abdül-Hamid s'est à plusieurs reprises tourné vers lui, comme pour quêter un soutien ou un conseil.

Voilà celui auquel tu vas à présent avoir affaire. Si mon intuition ne me trompe pas, Midhat Pacha et Anvar vont continuer à manipuler le sultan comme il leur plaira, et dans une petite année ou deux... »

Mizinov interrompit là sa lecture qui n'avait que trop duré :

— La suite n'est pas intéressante, dit-il en essuyant son front couvert de sueur, d'autant plus que le très intelligent Nicolaï Pavlovitch a tout de même été trompé par son intuition. Midhat Pacha n'a pas réussi à rester sur le trône et a fini par partir en exil.

Eraste Pétrovitch, qui avait écouté avec la plus grande attention et sans bouger d'un pouce de toute la lecture (à la différence de Varia qui, elle, n'avait pas cessé de se tortiller sur sa chaise trop dure), demanda brièvement :

— Je connais maintenant le début, je vois aussi le milieu de la partie, mais qu'en est-il de la fin de partie ?

Le général eut un hochement de tête approbateur.

— C'est bien là le problème. Le dernier acte s'est révélé à tel point complexe que même un homme aussi expérimenté que Gnatiev s'est trouvé pris au dépourvu. Le 7 février de cette année, Midhat Pacha a été convoqué chez le sultan, placé sous bonne garde et conduit à bord d'un paquebot qui a fait effectuer au ministre en disgrâce un long voyage en Europe. Quant à notre Anvar, trahissant son bienfaiteur, il est devenu l'éminence grise, non plus du chef du gouvernement, mais du sultan lui-même. Dans cette position il a fait de son mieux pour que les relations entre la Porte et la Russie soient rompues. Et voici qu'à quelque temps de là, au moment où l'existence de la Turquie s'est trouvée sérieusement menacée, selon les rapports de nos agents, Anvar Effendi aurait quitté son pays pour se rendre sur le théâtre des opérations militaires avec l'intention de changer le cours des événements par le moyen d'opérations secrètes dont nous ne pouvons que supputer le contenu.

A ce moment-là, Fandorine tint des propos étranges :

— Primo : aucune obligation. Secundo : liberté d'action totale. Tertio : rapport à vous seul.

Si Varia ne comprit pas la signification de ses paroles, le chef des gendarmes, lui, en fut ravi et répondit sur-le-champ :

— Voilà qui est bien. Je reconnais le Fandorine d'avant. Sinon, mon ami, vous aviez quelque chose de congelé. Ne m'en veuillez pas, je ne vous parle pas en qualité de supérieur, mais au titre d'aîné, comme un père... Il ne faut pas s'ensevelir vivant. Laissez les tombes aux morts. A votre âge, est-ce une façon de faire ! Vous qui, comme le dit la chanson, avez *toute la vie devant vous* *.

— Lavrenty Arkadiévitch, fit l'engagé volontaire, diplomate et flic, ses joues pâles se couvrant en une seconde de pourpre tandis que sa voix prenait une résonance métallique. Je ne crois pas avoir s-s-sollicité de votre part de propos d'ordre privé...

Jugeant cette observation d'une grossièreté inexcusable, Varia rentra sa tête dans ses épaules en se disant qu'atteint dans ses sentiments les meilleurs, Mizinov allait se vexer à mort et se mettre à hurler.

Mais le satrape se contenta de soupirer et répondit un peu sèchement :

— Vos conditions sont acceptées. Ayez donc l'entière liberté de votre action. D'ailleurs, c'est bien ainsi que j'envisageais votre travail. Vous n'avez qu'à observer, à écouter, et si quelque chose attire votre attention... Bon, ce n'est pas à moi de vous donner des leçons !

— Atchoum ! Effrayée d'avoir éternué, Varia se fit toute petite sur sa chaise.

La frayeur du général fut cependant bien plus grande encore que la sienne. Il se retourna en sursautant et braqua un regard ahuri sur le témoin involontaire de cette conversation confidentielle.

71

— Madame, que faites-vous là ? N'êtes-vous donc pas sortie de la pièce avec le lieutenant-colonel ? Comment avez-vous osé ?

— C'était à vous de faire attention, répondit la jeune femme fort dignement. Je ne suis ni un moustique ni une mouche pour que vous puissiez ignorer ma présence. D'ailleurs je suis en état d'arrestation, et personne ne m'a autorisée à partir.

Elle eut l'impression de voir un léger frémissement passer sur les lèvres de Fandorine. Non, elle s'était trompée, ce personnage ne savait pas sourire.

— Bon, qu'à cela ne tienne, et une menace discrète se fit entendre dans la voix de Mizinov. Madame ma non-parente, vous venez d'apprendre un certain nombre de choses que vous n'avez nullement à savoir. Et pour la sécurité de l'Etat, je vous place en arrestation administrative provisoire. Vous allez être conduite sous bonne garde à la quarantaine de la garnison de Kichinev, où vous demeurerez détenue jusqu'à la fin de la campagne. Vous n'avez à vous en prendre qu'à vous-même !

Varia pâlit.

— Mais je n'ai même pas rencontré mon fiancé...

— Vous le reverrez après la guerre, coupa Maliouta Skouratov[1] qui se tourna vers la porte avec l'intention d'appeler ses opritchniks.

Mais à ce moment-là Eraste Pétrovitch se mêla de la conversation :

---

1. Ame damnée d'Ivan le Terrible, placé à la tête de sa garde. (*N.d.T.*)

— Lavrenty Arkadiévitch, je pense qu'il serait tout à fait suffisant de demander à mademoiselle Souvorova de p-p-prêter serment.

— Je donne ma parole ! s'empressa de lancer Varia, heureuse d'avoir trouvé un défenseur.

— Excusez-moi, cher ami, mais on ne peut pas prendre de risques, fit le général d'une voix coupante sans même jeter un regard à la jeune personne. Et puis il y a ce fiancé. D'ailleurs peut-on faire confiance à une gamine ? Vous connaissez le proverbe : le cheveu est long, mais l'intelligence petite.

— Je n'ai pas les cheveux longs ! Quant à ce que vous dites de l'intelligence, c'est mesquin ! et Varia eut dans la voix un petit tremblement traître. Qu'est-ce que j'en ai à faire de vos Anvar et de vos Midhat !

— Je prends les choses sous ma r-r-responsabilité, Excellence. Je me porte garant de Varvara Andréevna.

Son visage renfrogné marqué par le mécontentement, Mizinov gardait le silence, et Varia se dit que, même parmi les agents de la police, on trouvait apparemment des gens qui n'étaient pas tout à fait des moins que rien. C'était quand même un engagé volontaire serbe...

— Ce n'est pas malin, marmonna le général.

Puis, se tournant vers Varia, il lui demanda sur un ton marqué de malveillance :

— Savez-vous faire quelque chose ? Avez-vous une écriture correcte ?

— Oui, j'ai un diplôme de sténographie ! J'ai travaillé comme télégraphiste ! et aussi comme sage-femme, ajouta-t-elle sans trop savoir pourquoi elle faisait tout à coup ce petit mensonge.

— Sténographe et télégraphiste ? (Mizinov eut l'air très étonné.) Alors à plus forte raison. Eraste Pétrovitch, je n'autorise cette demoiselle à rester ici qu'à une seule et unique condition : elle fera fonction de secrétaire auprès de vous. Il vous faudra bien de toute façon avoir un courrier ou une personne de liaison qui n'éveille pas trop les soupçons. Cependant, je vous le rappelle : vous vous êtes porté garant d'elle.

Varia et Fandorine réagirent d'une seule voix :

— Ah ça non !

Et ils poursuivirent toujours en chœur, mais en avançant des arguments différents :

Eraste Pétrovitch dit :

— Je n'ai pas besoin de secrétaire.

Varia lança :

— Je refuse de travailler dans la police secrète !

Le général haussa les épaules et se leva :

— A votre guise ! Novgorodtsev, la garde !

— Je suis d'accord ! cria Varia.

Fandorine ne dit rien.

Chapitre quatrième,
où l'ennemi porte le premier coup

Daily Post (Londres)

le 15 (3) juillet 1877

... Le détachement de l'impétueux général Gourko vient de prendre la ville de Tyrnovo, ancienne capitale du royaume bulgare, et se dirige à vive allure en direction du col de Chipkino, au-delà duquel s'étendent des plaines sans défense, étirées jusqu'à Constantinople même. Rédif Pacha, le vizir de la guerre, et Abdül-Kérim Pacha, le commandant en chef, ont été démis de leurs fonctions et déférés devant un tribunal. A présent, seul un miracle peut sauver la Turquie.

Ils s'arrêtèrent sur le perron. Il convenait de s'expliquer.

Fandorine se racla la gorge et dit :

— Je regrette vraiment que les choses aient tourné de cette façon. Il va sans dire, Varvara Andréevna, que vous êtes entièrement libre et que je n'ai nullement l'intention de vous contraindre à quelque collaboration que ce soit.

— Je vous en remercie, répondit-elle sèchement. C'est très généreux de votre part. Sinon, je dois vous l'avouer, je pensais que vous aviez monté cette affaire intentionnellement. Vous au moins, vous étiez parfaitement conscient de ma présence, et vous aviez toutes les raisons de savoir comment les choses allaient finir. De quoi s'agit-il en fait, avez-vous vraiment besoin d'une secrétaire ?

Une fois encore, passa dans les yeux de Fandorine une petite étincelle qui, chez un homme normal, aurait pu être considérée comme un signe de bonne humeur.

— Vous ne m-m-manquez pas d'esprit d'observation, Varvara Andréevna, mais vous êtes injuste. J'avais bien en effet mon idée en me comportant ainsi, mais c'était dans votre seul intérêt. Lavrenty Arkadiévitch vous aurait à coup sûr fait repartir, quant à monsieur Kazanzakis, il vous aurait en outre flanquée d'un gendarme. Maintenant, vous pouvez rester ici tout à fait officiellement.

Varia ne trouvait rien à objecter, mais elle n'en avait pas pour autant envie d'exprimer des remerciements à un misérable espion.

— Je vois en effet que vous manifestez la plus grande habileté dans votre peu respectable profession, dit-elle sur un ton caustique. Voilà que vous vous êtes montré plus subtil que le mangeur d'hommes en chef !

— Lavrenty Arkadiévitch, un mangeur d'hommes ? fit Eraste Pétrovitch, étonné. Voilà qui ne lui ressemble guère ! Par ailleurs, qu'y a-t-il de peu respectable dans le fait de servir les intérêts de l'Etat ?

Comment parler à quelqu'un qui dit des choses pareilles ?

Varia se détourna ostensiblement et embrassa du regard le camp : petites maisonnettes aux murs blancs, rangées bien ordonnées de tentes, poteaux télégraphiques flambant neufs. Dans la rue, un soldat courait, agitant d'une manière bien familière de longs bras maladroits.

— Varia, Varenka ! hurla de loin le soldat et, arrachant sa casquette à large visière, il se mit à l'agiter. Te voilà enfin !

— Pétia, fit-elle en poussant un petit cri d'étonnement.

Et, oubliant tout de suite Fandorine, elle courut à la rencontre de celui pour lequel elle venait de parcourir quinze cents verstes.

Serrés l'un contre l'autre, ils s'embrassèrent très naturellement, sans la moindre gêne, comme ils ne l'avaient encore jamais fait. C'était une joie de retrouver le visage sans beauté mais agréable et rayonnant de bonheur de Pétia. Le jeune homme avait maigri, sa peau était brunie, et il se tenait plus voûté. Sa veste d'uniforme noire agrémentée d'épaulettes rouges lui allait mal, mais son sourire était le même, large et rempli d'adoration.

— Alors, tu es d'accord ? demanda-t-il.

— Oui, dit Varia tout simplement, alors qu'elle avait l'intention de ne pas être d'accord tout de suite et de commencer par une conversation longue et sérieuse au cours de laquelle elle aurait posé un certain nombre de conditions de principe.

Pétia poussa un glapissement de gosse et voulut l'embrasser de nouveau, mais Varia s'était déjà reprise.

— Il faut cependant que l'on discute des choses dans le détail. Premièrement...

— On discutera de tout, bien sûr ! Mais pas maintenant, ce soir. On se retrouve dans la tente des journalistes, d'accord ? Ils y ont organisé une espèce de club. Tu connais déjà le Français ? Oui, Charles Paladin. Il est gentil. C'est lui qui m'a dit que tu étais là. En ce moment, j'ai beaucoup de travail. Je me suis juste sauvé une minute et, si l'on s'en aperçoit, ça me coûtera cher. A ce soir ! A ce soir !

Et il repartit en soulevant de la poussière avec ses lourdes bottes et en se retournant à chaque instant.

Malheureusement, le soir, il ne leur fut pas possible de se voir. Un coursier vint apporter un petit mot de l'état-major : « Je dois travailler toute la nuit. A demain. Je t'aime. P. »

Que faire ? Le travail, c'est le travail, et Varia commença à s'organiser. Les infirmières lui offrirent l'hospitalité. Gentilles et prêtes à rendre service, elles étaient malheureusement âgées, trente-cinq ans environ, et elles n'étaient pas très drôles. C'est elles qui rassemblèrent l'indispensable pour remplacer les bagages restés aux mains de l'audacieux Mitko : des vêtements, des chaussures, un flacon d'eau de Cologne (elle qui possédait de merveilleux parfums de Paris !), des bas, du linge, un peigne, des pinces, une savonnette parfumée, de la poudre, une crème contre le soleil, une autre contre le froid, un lait adoucissant contre les effets du vent, de l'essence de marguerite pour se laver les cheveux et autres objets utiles. Il va sans dire que les robes étaient horribles, sauf peut-être une, qui était bleu clair avec un petit col en dentelle. Varia enleva les manchettes qui n'étaient plus à la mode, et l'effet fut assez heureux.

Dès le lendemain matin cependant, elle commença à s'ennuyer. Les infirmières étaient parties à l'hôpital où on avait amené deux blessés de Lovtcha. Varia prit son café toute seule et alla expédier un télégramme à ses parents : premièrement pour qu'ils ne s'inquiètent pas, deuxièmement pour qu'ils lui envoient de l'argent (à titre de prêt exclusivement, qu'ils n'aillent pas imaginer que l'oiseau était revenu au nid !). Après quoi elle se promena dans le camp, se planta en badaud devant un train étrange qui n'était pas posé sur des rails : un convoi avait été amené de l'autre berge par traction mécanique. Des locomobiles à très grosses roues crachant une abondante vapeur traînaient derrière elles de lourds canons et des fourgons de munitions. Le spectacle était impressionnant, un vrai triomphe de la technique.

Pour finir, ne sachant plus que faire, elle décida d'aller rendre une petite visite à Fandorine qui s'était vu attribuer une tente individuelle dans le secteur de l'état-major. Eraste Pétrovitch manquait lui aussi d'occupations, et elle le trouva vautré sur son lit de camp, avec dans les mains un livre turc dont il recopiait des mots.

— Vous êtes en train de servir les intérêts de l'Etat, monsieur le policier ? lança Varia qui avait décidé que le plus convenable allait être d'adopter avec l'agent un ton ironiquement négligent.

Fandorine se leva et jeta sur ses épaules une veste militaire sans épaulettes (il avait sans doute été obligé, lui aussi, de se vêtir de bric et de broc). Par le col entrouvert de sa chemise, Varia aperçut une chaînette en argent. Portait-il une croix ? Non, cela ressemblait davantage à un médaillon. Ce serait intéressant de savoir ce qu'il gardait dedans. Monsieur le policier serait-il porté au romantisme ?

Le conseiller titulaire ferma son col et répondit avec le plus grand sérieux :

— Quand on vit dans un Etat, il faut soit l'aimer et le protéger, soit le quitter, sinon c'est du parasitisme agrémenté de commérages de laquais.

Blessée par les « commérages de laquais », Varia tenta de parer le coup :

— Il existe cependant une troisième possibilité : on peut détruire un Etat injuste pour en reconstruire un autre à sa place.

— Malheureusement, Varvara Andréevna, un Etat n'est pas une maison, ce serait plutôt un arbre. On ne le construit pas, il pousse tout seul suivant les règles de la nature, et ce processus est très lent. En l'occurrence, ce n'est pas un maçon qu'il faut, mais un jardinier.

Oubliant de s'en tenir au ton qui lui paraissait convenable, Varia s'écria avec passion :

— Nous vivons à une époque tellement difficile, tellement complexe ! Les gens honnêtes gémissent sous le joug de la bêtise et de l'arbitraire, et vous, vous êtes là à discuter comme un vieillard et à vous complaire à l'idée d'un jardinier !

Eraste Pétrovitch haussa les épaules.

— Chère et délicieuse Varvara Andréevna, je suis fatigué d'entendre geindre au sujet de notre « époque difficile ». Sous le tsar Nikolaï, quand l'époque était ô combien plus difficile que la nôtre, vos « gens honnêtes » marchaient au doigt et à l'œil et, infatigables, célébraient sur tous les tons leur existence heureuse. S'il est devenu possible de se plaindre de la bêtise et de l'arbitraire, c'est donc que les choses vont dans le bon sens.

Varvara Andréevna murmura alors entre ses dents la pire des insultes :

— Pour finir, vous n'êtes... vous n'êtes rien d'autre qu'un *serviteur du trône* !

Et comme Fandorine ne réagissait pas, elle expliqua dans une langue qui lui était accessible :

— Un esclave fidèle, privé d'intelligence et de conscience !

A peine l'expression lâchée, elle eut peur de sa grossièreté, mais Eraste Pétrovitch ne se fâcha pas et dit avec un soupir :

— Vous ne savez pas comment vous comporter avec moi. Et de un. Vous ne voulez pas me montrer de reconnaissance, et cela vous irrite. Et de deux. Laissez tomber toute idée de dette à mon égard, et nous nous entendrons parfaitement. Et de trois.

Cette condescendance plongea Varia dans une colère plus grande encore, d'autant que l'agent, ce serpent au sang froid, avait parfaitement raison.

— J'avais déjà remarqué que vous vous comportiez comme un professeur de danse : un-deux-trois, un-deux-trois. Qui vous a enseigné cette stupide façon de faire ?

— C'est vrai, j'ai eu des maîtres, répondit Fandorine en restant dans le vague.

Et, faisant fi de toute politesse, il se replongea dans son livre.

La tente sous laquelle se rassemblaient les journalistes accrédités auprès de l'état-major se voyait de loin. Devant l'entrée, un long cordon portait de petits drapeaux de différents pays, des fanions de revues et de journaux, mais aussi, bizarrement, une paire de bretelles rouge décorée d'étoiles blanches.

Pétia émit une supposition :

— Ils ont sans doute fêté la victoire de Lovtcha hier soir, et l'un d'entre eux a dû se donner à un tel point à la fête qu'il en a perdu ses bretelles.

Il souleva la portière de la tente, et Varia passa la tête.

Un certain désordre n'empêchait pas le club d'être accueillant à sa façon : tables de bois, chaises de toile, petit comptoir avec des rangées de bouteilles. Cela sentait le tabac, la cire à bougies et l'eau de Cologne masculine. Sur le côté, une longue table portait des piles de journaux russes et étrangers. Ces journaux étaient inhabituels, car composés de bandes de télégraphe. En jetant un coup d'œil au *Daily Post*, Varia eut la surprise de découvrir le numéro du jour. La rédaction devait l'envoyer par télégraphe. Ça alors !

Varia nota avec une satisfaction particulière qu'il n'y avait là que deux femmes, en plus elles portaient un pince-nez et n'étaient pas de première jeunesse. En revanche les hommes étaient très nombreux, et il y en avait même qu'elle connaissait.

Il y avait en premier lieu Fandorine, toujours avec son livre à la main. C'était assez stupide, ne peut-on pas lire chez soi, dans sa tente ?

A l'autre bout de la pièce se déroulait une partie d'échecs à un contre plusieurs : d'un côté de la table, allait et venait McLaughlin, tirant sur un petit cigare et arborant un sourire condescendant et bonhomme ; de l'autre, installés chacun devant un échiquier, Sobolev, Paladin et deux autres personnes que Varia ne connaissait pas avaient un air profondément concentré.

— Tiens, voici notre petit Bulgare ! s'écria le général Michel, visiblement soulagé de se lever de sa chaise. On ne vous reconnaît pas ! C'est bon, Seamus, disons que ça fera zéro zéro.

Paladin eut un sourire affable en direction des entrants et arrêta son regard sur Varia (ce qui fut agréable), mais continua de jouer. En revanche, passant la main sur sa moustache gominée au-delà de toute mesure, un officier au visage hâlé, vêtu d'un uniforme d'une blancheur plus qu'éblouissante, surgit brusquement devant Sobolev et lança en français :

— Général, je vous en supplie, présentez-moi à votre délicieuse amie ! Eteignez les bougies, messieurs ! Nous n'en avons plus besoin, le soleil vient de se lever !

Les deux dames âgées jetèrent à Varia un regard on ne peut plus désapprobateur, elle-même d'ailleurs fut quelque peu décontenancée par pareille entrée en matière.

Sobolev eut un petit ricanement :

— Vous avez devant vous le colonel Loukan, représentant personnel de notre précieux allié, Son Altesse Karl, prince de Roumanie, mais je vous avertis, Varvara Andréevna, le colonel est plus mortel pour les cœurs féminins qu'un anchiar.

Le ton adopté signifiait clairement qu'il convenait de ne pas faire trop de cas du Roumain, et Varia répondit d'un air guindé et en s'appuyant sur le bras de Pétia :

83

— Enchantée. Mon fiancé, Pétia Iablokov, engagé volontaire.

Prenant galamment le poignet de Varia avec deux de ses doigts (une bague ornée d'un diamant d'une taille imposante lança un éclair), Loukan était sur le point de déposer un baiser sur la main de la jeune femme, mais il se trouva rabroué comme il se devait :

— A Saint-Pétersbourg, on ne fait pas le baise-main aux femmes *modernes*.

Cela dit, il y avait là des gens intéressants, et Varia était contente d'être venue. Elle était cependant dépitée de voir que Paladin n'en finissait pas avec cette maudite partie d'échecs. Les choses avaient cependant l'air d'aller à leur conclusion, tous les autres partenaires de McLaughlin avaient déjà capitulé, et le Français n'avait visiblement aucune chance, ce qui d'ailleurs n'avait pas l'air de l'attrister. Il jetait fréquemment des coups d'œil du côté de Varia, souriait avec insouciance et sifflotait avec talent une chansonnette à la mode.

Sobolev alla se poster près du joueur et, jetant un regard à l'échiquier, reprit machinalement le refrain :

— Folichon, folichonnette... Rendez-vous, Paladin, ça commence à ressembler à un véritable Waterloo !

— La garde meurt, mais ne se rend pas !

Et, tirant d'un coup sec sur sa barbe étroite et pointue, le Français avança un pion. On vit alors soudain l'Irlandais se renfrogner et commencer à souffler.

Varia sortit une seconde pour prendre l'air et pour admirer le coucher du soleil. Quand elle revint, l'échiquier avait disparu et la conversation roulait ni plus ni moins que sur les rapports entre l'homme et Dieu.

McLaughlin, qui répondait visiblement à une réplique de Paladin, était en train de dire avec passion :

— Il ne saurait en l'occurrence s'agir de respect mutuel. Les relations de l'homme avec le Très Haut reposent sur la reconnaissance intrinsèque d'une inégalité. Il ne vient tout de même pas à l'idée des enfants de prétendre à une égalité avec leurs parents ! Le fils reconnaît sans réserve la supériorité de son père ainsi que sa dépendance, il a pour lui du respect, et c'est pour cela qu'il se montre obéissant, pour son propre bien d'ailleurs.

— Permettez-moi de filer votre métaphore, dit le Français avec un sourire et en suçotant son chibouk turc. Tout cela n'est vrai que des enfants en bas âge. Dès que le fils grandit, il ne manque jamais de remettre en cause l'autorité de son père, alors que celui-ci est encore mille fois plus sage et plus puissant que lui. C'est là un phénomène naturel et sain, sans lequel l'homme resterait toujours un bébé. C'est précisément cette période que vit aujourd'hui l'humanité qui a avancé en âge. Plus tard, quand elle aura été plus loin encore, de nouvelles relations entre elle et Dieu, fondées sur l'égalité et sur le respect réciproques, se mettront immanquablement en place. Et un jour viendra où l'enfant aura tellement grandi que son père lui sera devenu totalement inutile.

— Bravo, Paladin, vous parlez aussi bien que vous écrivez, s'écria Pétia. Malheureusement, le problème, c'est que Dieu n'existe pas, il n'existe que de la matière avec des principes élémentaires de bonne conduite. Quant à vous, je vous conseille de faire de vos conceptions un billet pour *La Revue parisienne*, c'est un sujet excellent.

— Pour faire un bon billet, on n'a pas besoin de sujet, déclara le Français. Il suffit de savoir écrire.

McLaughlin était scandalisé :

— Là, vous allez un peu loin. Sans sujet, même un équilibriste verbal comme vous ne saurait rien faire de bon.

— Désignez-moi n'importe quel objet, le plus trivial qui soit, et je rédigerai un article que ma revue sera heureuse de publier. (Paladin tendit la main.) Vous voulez parier ? Ma selle espagnole contre votre binocle Zeiss ?

L'assistance s'anima fortement.

— Je parie deux cents roubles sur Paladin, déclara Sobolev.

— N'importe quel objet ? répéta lentement l'Irlandais, vraiment n'importe lequel ?

— Absolument ! Si vous le voulez, je prends la mouche qui vient de s'installer sur la moustache du colonel Loukan.

Le Roumain s'empressa de chasser l'intruse et dit :

— Trois cents roubles sur monsieur McLaughlin. Mais quel objet choisir ?

— Prenez ne serait-ce que vos vieilles chaussures (McLaughlin pointa le doigt sur les bottes de youfte empoussiérées du Français), et essayez d'écrire quelque chose que le public parisien lira avec enthousiasme.

Sobolev leva les deux mains la paume ouverte :

— Tant qu'on n'a pas topé là, je passe. Ses vieilles chaussures, c'est quand même exagéré.

Pour finir, mille roubles furent misés sur l'Irlandais, tandis qu'il ne se trouva personne pour soutenir le Français. Varia eut un mouvement de pitié en faveur de ce dernier, mais comme ni elle ni Pétia n'avaient d'argent, elle s'approcha de Fandorine qui continuait de feuilleter son livre de hiéroglyphes turcs et lui susurra d'un air mauvais :

— Qu'est-ce que vous attendez ? Vous pouvez bien parier sur lui. Qu'est-ce que cela vous coûtera ? Vous avez bien dû recevoir quelques espèces sonnantes et trébuchantes de votre satrape ! Je vous rendrai la somme un peu plus tard.

Eraste Pétrovitch fit une grimace et dit sans entrain :

— Cent roubles sur monsieur Paladin !

Après quoi il se replongea dans sa lecture.

Loukan résuma la situation :

— Ce sera donc du dix contre un. Le gain ne sera pas énorme, messieurs, mais il est sûr.

C'est à cet instant que fit irruption dans la tente le capitaine que Varia connaissait bien. Il était méconnaissable : uniforme impeccable, bottes étincelantes, imposant bandeau noir sur l'œil (son hématome ne devait pas encore être passé), bandage blanc tout autour de la tête.

— Excellence, messieurs, je sors de chez le baron Krüdener, déclara-t-il d'un air digne. J'ai une information importante pour la presse. Vous pouvez noter : capitaine Pérépelkine, de l'état-major, département des Opérations. Pé-ré-pel-ki-ne. Nikopol a été pris d'assaut. Nous avons fait prisonniers deux pachas et six mille soldats ! Nos pertes sont infimes. C'est la victoire, messieurs !

— Peste ! Encore une fois sans moi ! gémit Sobolev, qui se rua dehors sans prendre congé de personne.

Le capitaine accompagna le général d'un regard un peu éperdu, mais il était déjà entouré de toutes parts par des journalistes, et il se mit à répondre avec une joie évidente à leurs questions, faisant parade de ses connaissances en français, en anglais et en allemand.

Varia fut étonnée du comportement d'Eraste Pétrovitch.

Jetant son livre sur la table, il écarta résolument les correspondants de presse et demanda d'une voix presque basse :

— Excusez-moi, capitaine, vous ne vous trompez pas ? Vous savez bien que Krüdener a reçu l'ordre de prendre Plevna, et Nikopol est dans la direction diamétralement opposée.

Quelque chose dans sa voix en imposa au capitaine, qui cessa immédiatement de prêter intérêt aux journalistes.

— Non, monsieur, je ne fais pas erreur. J'ai reçu moi-même le télégramme de l'état-major suprême, assisté à son déchiffrement, après quoi je l'ai porté moi-même à monsieur le baron. Je me souviens parfaitement du texte : « Au lieutenant général baron Krüdener, commandant du détachement occidental. Je vous donne l'ordre d'occuper Nikopol et de vous y retrancher avec au moins une division. Nikolaï. »

Fandorine pâlit.

— Nikopol ? demanda-t-il plus bas encore. Et qu'en est-il de Plevna ?

Le capitaine haussa les épaules :

— Je n'en ai pas la moindre idée.

Des pas et un tintement d'armes se firent tout à coup entendre. La portière fut brutalement soulevée, et l'on vit se découper la figure du lieutenant-colonel Kazanzakis, de sinistre mémoire. Dans le dos du capitaine étincelaient les baïonnettes d'une escorte. Le gendarme arrêta une seconde son regard sur Fandorine, ignora Varia, mais eut un sourire joyeux en découvrant Pétia.

— Ah ! le voilà, l'ami ! C'est bien ce que je pensais. Soldat volontaire Iablokov, je vous arrête. Qu'on l'emmène, ordonna-t-il en se tournant vers son escorte.

Deux hommes vêtus d'un uniforme bleu firent rapidement leur entrée dans le club et s'emparèrent d'un Pétia paralysé par la peur.

— Mais vous êtes fou ! hurla Varia. Lâchez-le immédiatement.

Kazanzakis ne l'honora même pas d'une réponse. Il claqua des doigts, et le prisonnier fut immédiatement entraîné dehors, tandis que le lieutenant-colonel s'attardait quelque peu dans la tente, laissant errer alentour un sourire énigmatique.

Varia en appela à Fandorine d'une voix sonore :

— Eraste Pétrovitch, qu'est-ce qui se passe ? Expliquez-lui.

— Quel motif ? demanda ce dernier d'un air bougon, les yeux fixés sur le col du gendarme.

— Dans le texte décodé par Iablokov, un mot a été changé. A la place de Plevna, il a mis Nikopol, c'est tout. Pendant ce temps-là, il y a trois heures, l'avant-garde d'Osman Pacha a occupé la ville de Plevna laissée vide et menace à présent notre flanc. Voilà ce qu'il en est, monsieur l'observateur.

Varia entendit soudain la voix de Paladin qui parlait un russe assez correct, mais en y ajoutant de délicieux grasseyements.

— Eh bien, McLaughlin, le voilà le miracle dont vous parliez et qui peut sauver la Turquie !

— Ce n'est pas un miracle, monsieur le correspondant, c'est une simple trahison, fit le lieutenant-colonel, les yeux rivés sur Fandorine à qui il dit : Je ne sais vraiment pas comment vous allez pouvoir expliquer cela à Son Excellence.

— Vous parlez trop, lieutenant-colonel. (Le regard d'Eraste Pétrovitch se porta plus bas encore, sur le premier bouton de l'uniforme du gendarme.) La vanité ne doit pas nuire à la cause.

— Comment ? (Le visage de Kazanzakis fut parcouru par un petit tic.) Voilà que vous me faites la morale ? Vous ? Il ne manquait plus que cela ! Sachez, monsieur l'enfant prodige, que j'ai eu l'occasion de prendre quelques renseignements sur vous. Du fait de ma charge. Et moralement tout cela ne vous donne pas un profil bien respectable. Vous prenez sur vous bien au-delà de votre âge. Je me suis laissé dire que vous aviez eu l'habileté de conclure un magnifique mariage, c'est cela ? Et doublement profitable : belle dot et liberté conservée. Pas mal monté ! Félici...

Il n'acheva pas car, habilement, comme un chat qui donne un coup de patte, Eraste Pétrovitch lui envoya sa main sur ses lèvres gonflées. Varia poussa un petit cri, tandis que l'un des officiers attrapait Fandorine par le bras pour le relâcher aussitôt dans la mesure où il ne donnait plus aucun signe de violence.

— Duel au pistolet, annonça Eraste Pétrovitch d'une voix absolument quotidienne, en regardant cette fois le lieutenant-colonel droit dans les yeux. Et tout de suite, immédiatement, avant que le commandement ne s'en mêle.

Kazanzakis était cramoisi. Ses yeux, noirs comme des pruneaux, étaient injectés de sang. Après une courte pause, avalant sa salive, il dit :

— Par ordre de Sa Majesté impériale, les duels sont formellement interdits durant tout le temps de la guerre. Et vous le savez parfaitement, Fandorine.

Le lieutenant-colonel quitta la tente dont la portière battit d'un coup sec. Varia demanda :

— Eraste Pétrovitch, que faut-il faire à présent ?

Chapitre cinquième,
où est décrite l'organisation d'un harem

La Revue parisienne

18 (6) juillet 1877

Charles Paladin

Une vieille paire de bottes

Croquis du front

Fendillé de partout, le cuir en est devenu plus doux que les lèvres d'un cheval. On ne saurait se montrer dans le monde chaussé de la sorte, d'ailleurs je ne m'y montre pas, mes bottes ont une tout autre destination.

Elles ont été cousues à ma mesure il y a dix ans par un vieux Juif de Sofia qui m'a escroqué de dix lires en me disant : « Monsieur, j'aurai depuis longtemps donné naissance aux racines d'une bardane que vous les porterez encore avec, au cœur, un souvenir ému pour Isaac. »

Moins d'un an après, alors que je me rendais aux fouilles d'une ville assyrienne, le talon de ma botte gauche s'est détaché et j'ai dû retourner au camp. J'avançais tout seul en boitillant sur le sable brûlant, et je maudissais le vieux bandit de Sofia en me promettant de jeter au plus vite mes bottes au feu.

Mais mes collègues, archéologues britanniques, ne

sont pas arrivés jusqu'aux fouilles non plus. Ils ont été attaqués et égorgés jusqu'au dernier par les cavaliers de Rifat Bey qui considère tous les Giaours comme les enfants de Chaïtan. Je n'ai pas mis mes bottes au feu, j'ai changé le talon et je les ai fait ferrer à argent.

En 1873, en mai, comme je me rendais à Khiva, mon guide Assaf a eu l'idée de se rendre maître de ma montre, de mon fusil et de mon cheval moreau Yatagan. La nuit, pendant que je dormais, il a glissé un eff dont la morsure est mortelle dans ma botte gauche. Mais celle-ci était à ce point avachie que le serpent a repris le chemin du désert. Au matin, c'est Assaf lui-même qui m'a raconté l'histoire, voyant dans ce qui venait de se produire le doigt d'Allah.

Six mois plus tard, le navire *Adrianopol* a heurté un rocher dans le golfe de Thermaïkos, et j'ai dû nager deux lieues et demie avant d'atteindre la rive. Mes bottes me tiraient vers le fond, mais je ne les ai pas enlevées. Je savais que ce geste serait synonyme de capitulation, et qu'alors je n'irais pas jusqu'au bout. Mes bottes m'ont aidé à tenir. J'ai été le seul rescapé de la catastrophe, tous les autres ont péri.

Aujourd'hui, je suis là où l'on tue. La mort flotte autour de nous tous les jours. Mais je suis serein. J'enfile mes bottes qui, de noires, sont devenues en dix ans toutes rousses, et je me sens au feu comme sur une piste de danse avec des escarpins aux pieds.

A l'idée qu'il pourrait bien pousser sur le corps du vieil Isaac, je ne permettrai jamais à mon cheval de piétiner un buisson de bardane.

Cela faisait trois jours que Varia travaillait avec Fandorine. Il fallait tirer Pétia d'affaire, or Eraste Pétrovitch prétendait que le seul et unique moyen était de trouver le véritable coupable. Et c'est Varia elle-même qui était venue supplier le conseiller titulaire de l'accepter comme collaboratrice.

Pour Pétia, les choses allaient mal. Varia n'était pas autorisée à le voir, mais elle savait par Fandorine que toutes les preuves étaient contre lui. Recevant du lieutenant-colonel Kazanzakis l'ordre du commandant en chef, Pétia s'était immédiatement mis au travail, après quoi, conformément aux instructions, il avait porté personnellement la dépêche codée au télégraphe. Varia se disait que, étourdi de nature, Pétia avait bien pu confondre les deux villes, d'autant plus que chacun avait entendu parler de la forteresse de Nikopol, alors que jusque-là rares étaient ceux qui connaissaient la petite ville de Plevna. Malheureusement, Kazanzakis ne croyait pas à l'étourderie, d'ailleurs Pétia s'obstinait à répéter qu'il se souvenait parfaitement d'avoir codé Plevna, un nom si amusant. Le pire était que, selon Eraste Pétrovitch qui avait assisté à l'un de ses interrogatoires, Iablokov cachait visiblement quelque chose et le faisait fort maladroitement. Pétia ne montrait jamais aucun talent dans l'art de mentir, Varia le savait bien. Et c'est ainsi que l'on s'avançait vers le tribunal.

Fandorine avait cependant une étrange façon de chercher le véritable coupable. Tous les matins, arborant une étrange tenue rayée, il faisait longuement de la gymnastique anglaise. Après quoi il passait le plus clair de la journée sur son lit, se bornant le plus souvent à faire une courte visite dans le département des Opérations de l'état-major. Le soir, il se retrouvait immanquablement au club des journalistes, fumant de petits cigares, lisant un livre, buvant du vin sans en être nullement affecté et ne participant qu'à contrecœur aux conversations. Il ne lui donnait aucune mission, et le soir, avant de prendre congé, il se contenait de lui dire : « A demain, on se reverra au club. »

Varia devenait folle de se voir si impuissante. Dans la journée, elle allait et venait dans le camp, l'œil ouvert, attentive à tout, essayant de repérer quelque chose de louche. Mais elle ne découvrait rien et, fatiguée, se rendait dans la tente d'Eraste Pétrovitch pour le secouer un peu et le pousser à l'action. Un désordre absolument indescriptible régnait dans l'antre du conseiller titulaire : des livres, des cartes, des bouteilles tressées ayant contenu du vin bulgare, des vêtements, des boulets de canon utilisés sans doute comme haltères traînaient en vrac. Un jour, sans faire attention, Varia s'était assise sur une assiette de plov froid qui n'avait rien à faire sur une chaise. Cet incident la mit fortement en colère, et elle ne put jamais ravoir la tache de graisse sur son unique robe correcte.

Le soir du 7 juillet, à l'occasion de son anniversaire, le colonel Loukan donna une petite fête au press-club (c'est ainsi qu'on s'était mis à dénommer à la mode anglaise la tente des journalistes), faisant venir de Bucarest trois caisses de champagne qu'il disait avoir payé trente francs la bouteille. Mais tout cet argent avait été dépensé en vain, car on oublia bien vite le généreux donateur au profit du véritable héros du jour que fut Paladin.

Le matin, s'étant armé du binocle Zeiss gagné à un McLaughlin ridiculisé (ses misérables cent francs avaient entre parenthèses rapporté à Fandorine la coquette somme de mille francs, et tout cela grâce à Varia), le Français avait effectué une expédition audacieuse : se rendant seul à Plevna, il avait, sous la protection de son brassard de journaliste, pénétré dans les lignes de l'ennemi, réussissant même à obtenir une interview d'un colonel turc.

— Monsieur Pérépelkine m'a obligeamment indiqué la façon dont je pouvais approcher de la ville en évitant les balles, racontait Paladin entouré d'auditeurs admiratifs, et en effet cela n'a pas été compliqué du tout. Les Turcs n'ont même pas eu l'habileté de disposer des veilleurs correctement, et ce n'est qu'entré pratiquement dans la ville que j'ai rencontré le premier asker. « Qu'est-ce que tu as à me regarder comme cela ? lui ai-je lancé. Dépêche-toi de me conduire à ton chef le plus haut placé. » En Orient, messieurs, l'essentiel est de se tenir comme un padischah. Si on hurle et si on insulte les gens, c'est qu'on en a le droit. Il m'a conduit à un colonel dont le nom est Ali Bey : fez rouge, épaisse barbe noire, insigne de Saint-Cyr sur la poitrine. Parfait, me suis-je dit, la doulce France va me tirer d'affaire. Je me suis présenté. Voilà, je suis un représentant de la presse française. Le destin m'a placé dans le camp russe, mais c'est d'un ennui mortel, pas le moindre exotisme, rien que de l'alcool qui coule à flots. Le respectable Ali Bey daignerait-il m'accorder une interview pour le public parisien ? Il a daigné. Et nous voilà confortablement installés à déguster une boisson glacée. Mon Ali Bey m'interroge : « Le sympathique café à l'angle de la rue Raspail et de la rue de Sèvres existe-t-il toujours ? » A vrai dire, je n'en ai pas la moindre idée, car il y a bien longtemps que je ne suis pas allé à la capitale, je n'en réponds pas moins : « Bien sûr, et il est même de plus en plus animé. » Nous avons discuté des grands boule-

vards, du french cancan, des cocotes parisiennes.
Le colonel a fini par se détendre complètement, sa
barbe, qu'il a réellement très imposante, à telle
enseigne qu'on dirait le maréchal de Retz, en est
devenue plus vaporeuse encore, et le voilà parti à
soupirer : « Non, dès que cette maudite guerre
prend fin, je retourne à Paris au plus vite ! — Mais
va-t-elle se terminer bientôt, Effendi ? — Oui, m'a
répondu Ali Bey, il n'y en a plus pour longtemps.
Dès que les Russes m'auront vidé de Plevna avec
les trois ou quatre hommes que j'ai sous mes
ordres, on pourra mettre le point final. Ils auront
route ouverte jusqu'à Sofia. » J'ai pris un air com-
patissant : « Aïe ! aïe ! aïe ! vous êtes un homme
courageux, Ali Bey ! Faire face à toute l'armée
russe avec si peu d'hommes ! Il faut absolument
que je parle de cela dans mon journal. Mais où se
trouve donc le valeureux Osman Nuri Pacha avec
son corps d'armée ? » Le colonel a enlevé son fez
et fait un geste de mépris. « Il a promis d'être là
demain. Mais il ne tiendra pas parole, les routes
sont mauvaises. S'il est là après-demain soir, ce
sera bien le plus tôt. » Bref, nous avons passé un
bon moment ensemble, à évoquer Constantinople,
Alexandrie, et c'est à grand-peine que j'ai réussi à
le quitter, car il avait déjà donné l'ordre d'abattre
un mouton. Suivant le conseil de monsieur Pérépelkine, j'ai donné connaissance de mon interview
à l'état-major du grand prince, qui a jugé ma discussion avec Ali Bey intéressante, fit modestement
le correspondant pour conclure. J'imagine que, dès
demain, le colonel turc aura une petite surprise !

A peine Paladin avait-il achevé son récit que
Sobolev se précipitait sur lui, ouvrant largement
ses bras de général.

— Oh ! Paladin, chère tête brûlée ! Vous êtes un vrai Gaulois, venez que je vous donne l'accolade !

Le visage du journaliste disparut sous la large barbe, tandis que McLaughlin, qui faisait une partie d'échecs avec Pérépelkine (le capitaine avait enfin ôté son bandeau noir, et c'est de ses deux yeux concentrés et plissés qu'il considérait l'échiquier), remarqua sèchement :

— Le capitaine n'avait pas à vous utiliser en qualité d'espion, et je ne suis pas certain, mon cher Charles, que votre aventure soit tout à fait irréprochable du point de vue de l'éthique journalistique. Le correspondant d'un Etat neutre n'a pas le droit d'épouser une cause ou l'autre dans un conflit et encore moins de faire fonction d'espion, dans la mesure où...

Mais l'ennuyeux Celte fut pris à partie avec une telle véhémence par l'assistance entière, y compris Varia, qu'il dut se taire.

Soudain une voix sonore et assurée se fit entendre :

— Tiens, mais on s'amuse ici !

Se retournant, Varia vit se découper dans l'entrée un bel officier de hussards de haute taille, brun, le visage orné d'une moustache affriolante, des yeux légèrement proéminents remplis d'insouciance et une croix de Saint-Georges toute neuve sur un cordon. L'attention générale dont il fut l'objet ne troubla nullement le nouvel arrivant qui eut l'air au contraire de trouver que la chose allait de soi.

L'officier se présenta :

— Comte Zourov, capitaine de cavalerie du régiment de hussards de Grodno.

Puis, se tournant vers Sobolev :

— Vous ne me reconnaissez pas, Excellence ? Nous avons pris Kokand ensemble, à l'époque je faisais partie de l'état-major de Constantin Pétrovitch.

— Mais si, bien sûr, je me souviens très bien de vous, acquiesça le général. Je crois même savoir que vous avez été déféré devant un tribunal pour jeu de cartes durant une campagne et pour duel avec un intendant dont je ne sais plus le nom.

— Dieu est miséricordieux, les choses se sont tassées, répondit le hussard avec légèreté. On m'a dit que je pourrais trouver là mon vieil ami Eraste Pétrovitch Fandorine. J'espère que c'est vrai ?

Varia porta immédiatement le regard sur le conseiller titulaire assis dans un coin reculé. Elle le vit se lever, pousser un soupir d'un air douloureux et dire sans enthousiasme :

— Hippolyte ! Que fais-tu ici ?

Le hussard courut vers lui et entreprit de le secouer par les épaules en y mettant un tel zèle que la tête d'Eraste Pétrovitch se mit à baller d'avant en arrière.

— Te voilà, que le diable t'emporte ! Quand je pense que le bruit avait couru qu'en Serbie les Turcs t'avaient empalé ! Oh ! Mais tu ne t'es pas arrangé, mon ami, tu es méconnaissable ! Et c'est pour faire plus sérieux que tu te teins les tempes ?

On avait beau dire, tout cela constituait pour le conseiller titulaire un cercle de relations bien étrange : le Pacha de Vidin, le chef des gendarmes, et à présent ce beau garçon image d'Epinal aux manières de bretteur. Comme sans le faire exprès, Varia se rapprocha d'eux pour ne pas perdre un mot de leur conversation.

Zourov cessa de secouer son interlocuteur, se contentant à présent de lui donner de petites tapes dans le dos :

— Eh oui, le destin nous en a joué, des tours, à toi et à moi ! Je te raconterai mes aventures plus tard, en tête-à-tête, ce ne sont pas des choses qu'une dame peut entendre (il jeta un regard enjoué à Varia). Pour ce qui est de la conclusion, elle est connue : je me suis retrouvé sans le sou, dans la solitude la plus totale et le cœur brisé à jamais (nouveau regard du côté de Varia).

— Qui aurait p-p-pu croire cela ? commenta Fandorine en se reculant.

— Tu bégaies un peu ? C'est le résultat d'une commotion ? Ce n'est rien, ça passera. Moi, à Kokand, l'explosion d'un obus m'a projeté contre l'angle de mur d'une mosquée, et j'en ai claqué des dents pendant tout un mois. Tu ne me croiras pas, mais je n'arrivais pas à trouver ma bouche avec mon verre. Après, ça s'est arrangé.

— Et à présent, tu viens d'où ?

— Cela, frère Erasme, c'est une longue histoire.

Le hussard embrassa du regard les habitués du club qui le considéraient avec une curiosité évidente et dit :

— Ne restez pas à l'écart, messieurs, approchez-vous ! Je me propose de raconter ma shéhérazade à Erasme.

— Ton odyssée, corrigea à mi-voix Fandorine en se retirant derrière le dos de Loukan.

— Une odyssée, c'est quand ça se passe en Grèce, moi c'est bien d'une shéhérazade qu'il s'agit. (Zourov fit une pause destinée à mettre ses auditeurs en appétit et commença son récit.) Ainsi donc, messieurs, à la suite de circonstances que Fandorine et moi sommes seuls à connaître, je me suis retrouvé à Naples sans le sou. J'ai emprunté cinq cents roubles au consul de Russie — le chien, il ne m'a pas donné plus — et j'ai pris la mer avec l'intention de me rendre à Odessa. En route malheureusement, poussé par le démon, j'ai eu la fâcheuse idée de faire une petite banque avec le capitaine et le navigateur, et ils m'ont plumé, ces bandits, jusqu'à ne plus me laisser un sou vaillant. Il va de soi que j'ai émis une protestation, mettant quelque peu à mal la propriété du navire, ce qui fait qu'arrivés à Constantinople, ils m'ont jeté dehors... Je veux dire qu'ils m'ont débarqué sans argent, sans affaires, et même sans chapeau. Or c'était l'hiver, messieurs. Un hiver turc, bien sûr, mais il faisait froid quand même. Je n'avais pas d'autre solution que de courir à notre ambassade où, franchissant difficultueusement tous les obstacles, j'ai réussi à me faire recevoir par l'ambassadeur lui-même. Nikolaï Pavlovitch Gnatiev est un homme bien. Je ne peux pas vous avancer d'argent, m'a-t-il dit, car j'ai une position de principe contre toute forme de prêt, en revanche, comte, si cela vous convient, je suis prêt à vous prendre comme officier d'ordonnance, j'ai un grand besoin d'hommes de valeur. Si vous acceptez, vous toucherez une somme de départ et tout ce qui s'ensuit. Me voilà donc officier d'ordonnance.

Sobolev hocha la tête :

— Auprès de Gnatiev lui-même ? Le vieux renard avait sans doute repéré en vous quelque chose de particulier.

Zourov haussa les épaules, fit modestement un geste de ses bras qui signifiait qu'il n'en savait pas plus et continua son récit.

— Dès le premier jour de mon nouveau service, j'ai provoqué un conflit international et été à l'origine d'un échange de notes diplomatiques. Nikolaï Pavlovitch m'avait envoyé rencontrer Hassan Haïrul, le principal prêtre turc, quelqu'un comme le pape, un homme connu pour sa sainteté et pour sa haine des Russes.

— Le Cheik ul islam ressemble davantage à votre procureur du Saint Synode, corrigea MacLaughlin, occupé à prendre des notes dans un carnet.

— Oui, c'est cela, approuva Zourov. C'est bien ce que je dis. Haïrul et moi, nous avons immédiatement éprouvé de l'antipathie l'un pour l'autre. Je me suis adressé à lui de la manière la plus protocolaire, par l'intermédiaire d'un interprète : « Votre Eminence, je suis porteur d'un pli urgent du général Gnatiev. » Lui, le chien, ses yeux m'ayant lancé un éclair, a répondu en français, exprès pour que le drogman n'adoucisse pas la chose : « C'est l'heure de la prière. Attends. » Puis il s'est assis sur ses talons, et, se tournant vers La Mecque, il a commencé à psalmodier : « O grand et tout-puissant Allah ! Accorde à ton fidèle serviteur la grâce de voir de son vivant les vils Giaours, indignes de fouler ton sol sacré, brûler en enfer. » Eh bien, comme il y va ! Depuis quand s'adresse-t-on à Allah en français ? C'est bon, me suis-je dit, moi aussi, je vais introduire quelques nouveautés dans le canon orthodoxe. Voilà que pour finir Haïrul se tourne vers moi, la face épanouie, comment donc, ne venait-il pas de remettre à sa place un Giaour ! « Donne-moi la lettre de ton général », me dit-il. « *Pardonnez-moi, Eminence****, lui ai-je fait en

102

réponse. Pour nous autres Russes, c'est justement l'heure de la grand-messe. Soyez assez aimable pour attendre une petite minute. » Là-dessus je tombe à genoux, et me voilà parti à prier dans la langue de Corneille et de Rocambole : « Dieu miséricordieux, sois généreux avec ton boyard et esclave pécheur, je veux dire avec le chevalier Hippolyte, donne-lui la joie de voir ces chiens de musulmans griller sur la poêle ! » Bref, j'ai rendu plus complexes encore les relations russo-turques qui n'étaient déjà pas bonnes. Haïrul n'a pas pris le pli, il nous a insultés d'une voix forte dans sa langue et nous a mis dehors, le drogman et moi. Nikolaï Pavlovitch m'a fait quelques reproches pour la forme, bien sûr, mais j'ai bien eu l'impression qu'il était plutôt content. Visiblement, il savait ce qu'il faisait en me chargeant de cette mission.

Sobolev marqua son approbation :

— Bravo, beau geste, digne de nos aventures communes au Turkestan !

— Pas très diplomatique cependant, intervint le capitaine Pérépelkine en considérant le hussard aux manières si dégagées d'un regard désapprobateur.

— Je ne suis d'ailleurs pas resté longtemps dans la branche diplomatique, fit Zourov avec un soupir avant d'ajouter, rêveur : Ce n'est visiblement pas ma voie.

Eraste Pétrovitch fit entendre un assez fort ricanement.

— Un jour, je me promenais sur le pont de Galata en faisant parade de mon uniforme russe et en jetant des petits regards aux jolies filles. Elles portent certes un tchador, mais les coquines choisissent une toile d'une transparence telle qu'elles n'en sont que plus séduisantes. Et voilà que je vois passer en calèche un être divin, avec, au-dessus de la voilette, des yeux de velours immenses qui scintillent. A ses côtés, un eunuque abyssin obèse, un vrai porc comme on n'en imagine pas de plus gras. Derrière, une autre calèche occupée par des servantes. Je m'arrête, je m'incline dignement comme il sied à un diplomate, quant à elle, enlevant son gant, de sa main blanche (Zourov mit ses doigts en sifflet), elle m'envoie un baiser.

— Elle a enlevé son gant ? fit répéter Paladin en prenant un air d'expert. C'est du sérieux, messieurs. Le prophète considérait que les mains étaient la partie la plus désirable du corps humain, et il a formellement interdit à toute musulmane pieuse de se promener sans gants pour éviter de tenter le cœur des hommes. Ce qui veut dire que le fait de se déganter, *c'est un grand signe*[*], c'est comme si une femme européenne enlevait... Non, je me dispenserai de donner un parallèle, fit-il gêné en regardant Varia.

Cette interruption servit le hussard qui reprit :

— Vous voyez bien ! Pouvais-je après cela offenser cette dame en ne lui prêtant pas attention ? Je prends donc le limonier par la bride, et je l'arrête avec l'intention de me présenter. A ce moment-là, cette baderne d'eunuque m'envoie un magistral coup de fouet en travers de la joue. Quelle solution me reste-t-il ? Je sors mon sabre, je lui traverse le corps, j'essuie ma lame à son caftan de soie et je rentre chez moi abattu. J'avais perdu tout intérêt pour la dame. Je sentais bien que l'affaire allait mal tourner. Et mes pressentiments étaient justes, la conclusion a été on ne peut plus fâcheuse.

— Pourquoi cela ? demanda Loukan, qui brûlait de curiosité. C'était la femme d'un pacha ?

— Pire, dit Zourov avec un soupir. Celle de Sa Grandeur musulmane Abdül-Hamid II. Et l'eunuque aussi, bien sûr, appartenait au sultan. Nikolaï Pavlovitch a fait tout son possible pour plaider ma cause, allant jusqu'à dire au padischah lui-même : « Si mon lieutenant avait supporté un coup de fouet de la part d'un esclave sans réagir, je lui aurais arraché ses épaulettes de mes propres mains pour avoir déshonoré le titre d'officier russe. » Mais que voulez-vous qu'ils comprennent à l'uniforme d'officier russe ? Ils m'ont expulsé dans les vingt-quatre heures. Premier paquebot, et direction Odessa. Heureusement que la guerre a éclaté peu de temps après. Quand je suis allé prendre congé, Nikolaï Pavlovitch m'a dit : « Remercie le Seigneur, Zourov, qu'il ne se soit pas agi de la première femme, mais simplement d'une « kutchum-kadine », d'une « petite madame ».

— « Kut-chuk » et non « kutchum », corrigea Fandorine qui rougit tout à coup, ce qui parut étrange à Varia.

Zourov émit un petit sifflement approbateur :

— Eh, eh ! mais comment sais-tu cela, toi ?

Eraste Pétrovitch gardait le silence, et il avait l'air profondément mécontent.

— Monsieur Fandorine a été l'hôte d'un pacha turc, glissa sournoisement Varia.

Cette information mit le comte en appétit :

— Et tu t'es fait cajoler par tout le harem ? Allez, raconte-nous, ne sois pas chien.

— Pas par tout le harem, simplement par la « kutchuk-hanun », marmonna le conseiller titulaire qui, visiblement, n'avait nulle envie d'entrer dans les détails. C'est une jeune fille très agréable et très sensible, et tout à fait moderne. Elle connaît le français et l'anglais, aime Byron et s'intéresse à la médecine.

L'agent découvrait là un côté nouveau et inattendu de sa personnalité qui, bizarrement, ne plut pas du tout à Varia :

— Une femme moderne ne saurait vivre dans un harem en qualité de quinzième épouse, dit-elle d'un ton sec. C'est humiliant, et, d'une manière générale, ce sont des mœurs de sauvages.

— Je vous demande pardon, mademoiselle, ce que vous dites n'est pas tout à fait juste, grasseya en russe Paladin avant de passer au français. Voyez-vous, mes années de pérégrinations à travers l'Orient m'ont permis d'étudier d'assez près le mode de vie musulman.

McLaughlin lui coupa la parole :

— Oh oui ! Charles, racontez-nous ! demanda-t-il. Je me souviens de la série de vos esquisses sur la vie de harem. Elles étaient excellentes.

Et, heureux de sa propre grandeur d'âme, l'Irlandais s'épanouit en un large sourire.

Paladin commença son récit sur un ton professoral :

— Toute institution sociale, y compris la polygamie, doit être envisagée dans son contexte historique.

Mais Zourov fit une telle grimace que le Français se reprit et parla désormais la langue de tout le monde :

— En réalité, les conditions de vie en Orient font que le harem est pour les femmes la seule façon de

106

survivre. Jugez-en vous-mêmes : depuis toujours, les musulmans ont été des peuples de guerriers et de prophètes. Les hommes vivaient de la guerre, étaient tués, et une très grande masse de femmes restaient veuves ou ne pouvaient tout simplement pas trouver de mari. Qui pouvait les nourrir, elles et leurs enfants ? Mahomet avait quinze femmes, et ce nullement à cause de son penchant pour la luxure, mais du fait de son humanité. Il prenait en charge les épouses de ses compagnons de combat, et, au sens occidental, ces femmes n'auraient même pas dû porter le titre d'épouse. Parce qu'en fait, messieurs, qu'est-ce que c'est qu'un harem ? Vous imaginez un jet d'eau bruissant, des odalisques à moitié dénudées savourant paresseusement des carrés de rahat-lokoum, le tintement de colliers de perles, l'odeur entêtante de parfums, le tout flottant dans une vapeur de volupté et de lascivité.

— Avec, au milieu de tout cela, le maître de cette volière, en robe ample, un narguilé dans la main et un sourire de félicité sur ses lèvres rouges, ajouta le hussard rêveur.

— Je dois vous décevoir, monsieur le capitaine de cavalerie. Un harem, outre les épouses, c'est toute une masse de parentes pauvres, des tas d'enfants, dont des enfants qui ne sont pas les vôtres, de très nombreuses servantes, des esclaves qui finissent là leurs jours, et que sais-je encore. Et c'est toute cette tribu que l'homme, le maître, doit nourrir et entretenir. Et plus il est riche et puissant, plus il a de femmes à sa charge et plus lourdes sont les responsabilités qui lui incombent. Le système du harem est non seulement humain, il est le seul possible dans les conditions de vie de l'Orient, autrement de très nombreuses femmes mourraient tout simplement de faim.

Varia ne put s'empêcher de réagir :

— On dirait que vous être en train de décrire un phalanstère, et votre mari turc fait figure d'une sorte de Charles Fourier. N'est-il pas préférable de donner à la femme le moyen de gagner sa propre vie que de la tenir en position d'esclave ?

— La société orientale est lente et peu portée aux changements, mademoiselle Barbara, répondit le Français avec déférence et en prononçant son prénom si gentiment qu'il était absolument impossible de lui en vouloir. Elle compte très peu de postes de travail, il faut lutter pour chacun d'entre eux, et dans cette lutte une femme ne saurait tenir la concurrence avec un homme. Cela dit, une épouse n'est pas du tout une esclave. Si son mari ne lui convient pas, elle peut toujours reprendre sa liberté. Pour cela, il lui suffit de rendre à son conjoint la vie suffisamment impossible pour qu'un jour il s'écrie en colère : « Je ne te considère plus comme ma femme ! » Avouez qu'il n'est pas bien difficile d'amener un mari à cette extrémité ! Après cela, elle peut ramasser ses affaires et s'en aller. En Orient, le divorce est une chose simple, ce n'est pas comme en Occident. De plus, la situation fait que l'homme est seul, tandis que les femmes constituent toute une collectivité. Faut-il s'étonner de voir que le vrai pouvoir est entre les mains du harem et non entre celles de son maître ? Les personnages principaux de l'Empire ottoman ne sont ni le sultan ni le grand vizir, ce sont la mère et l'épouse préférée du padischah. Et, bien sûr, le kizlar-aga, l'eunuque en chef du harem.

— Mais, finalement, combien d'épouses peut avoir le sultan ? demanda Pérépelkine en coulant un petit regard coupable en direction de Sobolev. Je demande ça comme ça, juste pour savoir.

— Quatre, comme tout croyant. Mais outre ses épouses légitimes, un padischah a également son *ikbal*, quelque chose comme des favorites, et de toutes jeunes *gedikli*, « jeunes filles agréables au regard », qui aspirent à une place dans l'*ikbal*.

— Bon, c'est déjà mieux, approuva Loukan qui se tortilla la moustache quand Varia le toisa d'un regard méprisant.

Sobolev (en voilà un autre qui se posait là !) demanda avec sensualité :

— Mais en plus de ses épouses et de ses favorites, le sultan a aussi ses esclaves ?

— Toutes les femmes du sultan sont des esclaves, mais seulement jusqu'à la naissance de leur premier enfant. Quand l'enfant naît, la mère reçoit le titre de princesse et jouit dès lors de tous les privilèges afférents. La toute-puissante sultane Besma, par exemple, mère du défunt Abdül-Aziz, était au départ une servante des bains, mais elle avait si habilement savonné la tête de Mehmed II qu'il la prit d'abord comme favorite avant d'en faire son épouse préférée. Les femmes ont en Orient des possibilités de carrière infinies.

— Cela dit, ça doit être terrible quand tu sais que tu as en charge une quantité pareille d'individus, fit l'un des journalistes d'un air pensif. Franchement, c'est quand même trop.

— Certains sultans en sont arrivés aux mêmes conclusions, dit Paladin avec un sourire. Ibrahim Ier par exemple en avait vraiment assez de ses épouses. Les choses étaient plus simples pour Ivan le Terrible et pour Henri VIII : il leur suffisait de faire exécuter leur vieille femme ou de l'enfermer dans un monastère, et ils n'avaient plus qu'à s'en choisir une nouvelle. Mais que faire quand tu as tout un harem ?

— Et qu'est-ce qu'il a fait ? s'écrièrent les auditeurs intéressés.

— Les Turcs, messieurs, ne sont pas des gens à reculer devant les difficultés. Le padischah a donné l'ordre de fourrer toutes ses femmes dans des sacs et de les noyer dans le Bosphore. Au matin, Sa Grandeur était célibataire, et il a pu se constituer un nouveau harem.

Les hommes partirent d'un grand rire, et Varia s'écria :

— Vous devriez avoir honte, messieurs, c'est tout simplement horrible !

Paladin la rassura :

— Voici cependant bientôt cent ans, mademoiselle Varia, que les mœurs des harems se sont adoucies, et ce grâce à une femme remarquable, qui est d'ailleurs l'une de mes compatriotes.

— Racontez-nous, demanda Varia.

— Les choses se sont passées de la façon suivante. Un paquebot français traversait la Méditerranée, portant à son bord, parmi les passagers, une jeune fille de dix-sept ans d'une rare beauté. Cette jeune fille s'appelait Aimée Dubuc de Rivery, et elle était originaire de l'île enchanteresse de la Martinique, qui avait déjà offert au monde bon nombre de beautés légendaires dont madame de Maintenon et Joséphine de Beauharnais. Notre jeune Aimée connaissait d'ailleurs fort bien cette dernière qui,

110

alors, s'appelait encore tout simplement Joséphine Tascher de La Pagerie, et les deux jeunes femmes étaient même liées d'amitié. L'histoire ne dit pas les raisons pour lesquelles la belle créole avait entrepris de naviguer sur des mers qui alors abondaient en pirates. On sait seulement qu'au large de la Sardaigne, le navire a été accosté par des corsaires, et la jeune Française s'est retrouvée sur le marché d'esclaves d'Alger où elle a été achetée par le dey en personne, celui-là même dont *monsieur Popristchine*[*] prétend qu'il a une verrue sous le nez. Le dey était âgé, et la beauté féminine ne présentait plus pour lui aucun attrait, en revanche il portait le plus grand intérêt aux relations à entretenir avec la Sublime Porte, aussi la pauvre Aimée est-elle partie pour Istanbul en qualité de cadeau vivant au sultan Abdül-Hamid Ier, grand-père de l'actuel Abdül-Hamid II. Le padischah a traité la jeune fille avec les plus grands égards, comme un trésor sans prix, ne la contraignant en rien et ne lui imposant même pas la conversion au mahométisme. Le sage souverain a su faire preuve d'une patience qu'Aimée a récompensée par de l'amour. En Turquie, la jeune femme est connue sous le nom de Nachedil-Sultan. Elle a donné le jour au prince Mehmed, qui devait régner et qui est entré dans l'histoire comme un grand réformateur. Sa mère lui avait appris le français et avait développé chez lui l'amour de la littérature et de la libre pensée françaises. C'est depuis son règne que la Turquie s'est tournée vers l'Occident.

— Vous êtes un vrai conteur, Paladin, grommela McLaughlin. Comme toujours, vous avez sans doute arrangé et embelli les choses.

Le Français eut un sourire malicieux et garda le silence, tandis que Zourov, qui depuis un certain temps déjà donnait des signes évidents d'impatience, s'écria tout à coup avec entrain :

— A propos, messieurs, si on faisait une petite banque ? Qu'est-ce qu'on a à discuter sans fin ? C'est vrai, ça fatigue !

Varia s'étonna du soupir profond que poussa Fandorine.

— Toi, Erasme, je ne t'invite pas, s'empressa d'ajouter le comte, toi, c'est le diable lui-même qui te donne tes jeux !

Pérépelkine était scandalisé :

— Excellence, j'espère que vous n'admettrez pas qu'un jeu de hasard se déroule en votre présence !

Mais Sobolev le fit taire d'un geste, comme s'il chassait une mouche importune.

— Laissez tomber, capitaine, ne soyez pas rabat-joie. Vous, ça vous est facile, dans votre département des Opérations vous faites au moins un peu quelque chose. Moi, je suis tout rouillé d'inactivité. Personnellement, je ne joue pas, je suis d'un naturel trop incontrôlable, mais je regarderai jouer avec plaisir.

Varia remarqua que Pérépelkine avait pour le beau général les yeux d'un chien battu.

— Avec une petite mise, pourquoi pas, fit Loukan sans grande conviction. Au nom de la consolidation de notre camaraderie guerrière.

— Pour consolider, cela va de soi, et rien qu'avec des petites mises, accepta Zourov qui déposa immédiatement sur la table des jeux non décachetés. Première partie à cent roubles. Qui en est, messieurs ?

La banque fut constituée en une minute, et bientôt, sous la tente, on entendit des mots magiques comme :

— Ça tourne du carreau.

— Et moi, je dis trèfle !

— L'as de carreau !

— Ha, ha, ha ! je coupe.

S'approchant d'Eraste Pétrovitch, Varia lui demanda :

— Pourquoi vous appelle-t-il Erasme ?

Mais Fandorine, décidément peu porté à la confidence, se contenta de lui répondre :

— C'est une vieille habitude.

— Oh là là ! gémit Sobolev à voix haute. Je parie que Krüdener approche de Plevna, et moi, je suis là telle une basse carte que les joueurs ont rejetée.

Pérépelkine restait à deux pas de son idole, faisant mine de s'intéresser lui aussi à la partie.

Furieux et orphelin avec son échiquier sous le bras, McLaughlin grommela quelque chose en anglais qu'il traduisit en russe :

— On avait un press-club, voilà maintenant qu'on a un tripot !

— Hé ! garçon, t'as du fort ? Apporte ! cria le hussard en tournant la tête vers le buffet. Tant qu'à faire la fête, faut ce qu'il faut !

La soirée s'annonçait en effet joyeuse.

Le lendemain, en revanche, le press-club était méconnaissable : sombres et abattus, les Russes ne bougeaient pas de leur chaise, tandis que les correspondants allaient et venaient, agités, échangeant sans arrêt des propos à mi-voix, et de temps à autre on en voyait un qui, venant d'apprendre quelque détail nouveau, partait en courant au télégraphe. Il s'était passé des choses.

Des bruits inquiétants avaient commencé à courir dans le camp aux alentours de la mi-journée, et vers cinq heures, sortant du polygone de tir (le conseiller titulaire enseignait à son aide l'usage du revolver du système « colt »), Varia et Fandorine rencontrèrent un Sobolev sombre et excité.

— On est dans de beaux draps ! Vous êtes au courant ? dit-il en se frottant les mains d'un geste nerveux.

— Plevna ? demanda Fandorine, certain de la catastrophe.

— C'est l'écrasement total. Le général Childer-Childner avait foncé tout droit, sans éclaireurs, voulant arriver avant Osman Pacha. Les nôtres étaient sept mille, mais les Turcs étaient beaucoup plus nombreux. Marchant de front, nos colonnes ont été prises sous leurs tirs croisés. Rozenbaum, le commandant du régiment d'Arkhangelsk, est tué ; Kleinhaus, celui du régiment de Kostroma, mortellement blessé ; le major général Knorring est revenu sur une civière. Nous avons perdu le tiers de nos hommes. Une vraie boucherie. Et voilà donc les trois-quatre hommes dont disposait Ali Bey ! Les Turcs eux-mêmes se sont montrés différents, autres que d'habitude. Ils se sont battus comme des diables.

— Et Paladin ? demanda brièvement Fandorine.

— Rien. Il est tout vert et bredouille des justifications. Kazanzakis l'a emmené pour l'interroger... Maintenant, ça va commencer. Peut-être que, moi aussi, je finirai par avoir une mission. Pérépelkine m'a fait comprendre que j'avais une chance.

Et de son pas souple, le général prit la direction de l'état-major.

Varia passa le reste de la journée à l'hôpital, aidant à stériliser les instruments. On avait amené tellement de blessés qu'il fallut installer deux nouvelles tentes. Les infirmières tombaient de fatigue. Partout régnait une odeur de sang et de souffrance, les blessés criaient et priaient.

Ce n'est qu'à la nuit qu'elle réussit à gagner le club des correspondants où, comme il a déjà été dit, l'atmosphère se distinguait radicalement de celle de la veille.

Seule la table de jeu, que les amateurs n'avaient pas quittée depuis plus de vingt-quatre heures, connaissait une animation extrême. Zourov, tout pâle, donnait les cartes d'un geste vif en tirant sur sa cigarette. Il n'avait rien mangé, en revanche il ne cessait pas de boire sans pour autant s'enivrer. A côté de lui s'était accumulé un gros tas de billets de banque, de pièces d'or et de reconnaissances de dettes. En face de lui, le commandant Loukan, les cheveux en bataille, donnait le sentiment d'avoir perdu la tête. Un autre officier dormait à proximité, sa tête blonde posée sur ses bras croisés. Le buffetier voletait tout autour d'eux, tel un papillon gras, attentif à attraper au vol les désirs du hussard chanceux.

Fandorine n'était pas là, Paladin non plus, McLaughlin jouait aux échecs ; quant à Sobolev, penché sur une immense carte de géographie qui accaparait toute son attention ainsi que celle des officiers qu'il avait rassemblés autour de lui, il n'eut même pas un regard pour Varia.

Regrettant déjà d'être venue, la jeune femme dit :

— Comte, vous n'avez pas honte ? Il y a eu tant de morts !

— Mais nous, nous sommes encore en vie, mademoiselle, répondit Zourov d'un air distrait, en tapotant son jeu de cartes. On va tout de même pas s'enterrer avant l'heure. Oh ! Lucas, tu bluffes ! Je double la mise.

Loukan s'arracha du doigt sa bague de diamant.

— Pour voir.

Et sa main tremblante se tendit avec une lenteur extrême vers les cartes de Zourov, posées négligemment sur la table, la face cachée.

C'est à ce moment précis que Varia vit entrer tout doucement dans la tente le lieutenant-colonel Kazanzakis. Il avait tout l'air d'un sinistre corbeau noir qui vient de flairer une délicieuse odeur de cadavre, et, se souvenant de la façon dont s'était terminée la précédente apparition du gendarme, elle eut un frisson.

McLaughlin se tourna vers le nouvel arrivant

— Monsieur Kazanzakis, où est Paladin ?

Le lieutenant-colonel eut un silence lourd de signification, puis, prenant le temps d'attendre que tout bruit cesse, il répondit brièvement :

— Chez moi, en train de rédiger un document explicatif, et, s'éclaircissant la voix, il ajouta : Après cela, on décidera.

Ce fut la voix de basse de Zourov qui vint mettre fin avec désinvolture à la pause qui s'était instaurée :

— Voici donc Kazanzakis, le célèbre gendarme ! Je vous salue, gueule brisée.

Et, ses yeux impertinents pétillant de bonne humeur, il considéra d'un air provocateur le lieutenant-colonel, devenu soudain rouge jusqu'aux oreilles.

— Moi aussi, j'ai des informations vous concernant, monsieur le bretteur, fit ce dernier d'une voix lente en fixant le hussard dans les yeux. Votre réputation n'est pas à faire, et je vous conseillerai de tenir votre langue, sinon j'appelle un garde, et je vous fais conduire au poste pour jeux de hasard dans le camp. Et je confisque la banque.

— On voit tout de suite l'homme sérieux, fit le comte avec un ricanement. Message compris ! Je serai muet comme une tombe.

Loukan découvrit enfin les cartes de Zourov, émit un long gémissement et se prit la tête à deux mains. Le comte considérait d'un air sceptique la bague qu'il venait de gagner.

Varia entendit soudain la voix irritée de Sobolev :

— Mais non, major, il ne s'agit pas d'une trahison ! Pérépelkine a raison, lui qui est une bête d'état-major. Simplement Osman est arrivé à marche forcée, et nos fanfarons ne s'attendaient pas à tant de célérité de la part des Turcs. A présent, la plaisanterie est finie. Nous avons un adversaire de taille, et la guerre va prendre un tour sérieux.

Chapitre sixième,
où l'on voit Plevna et Varia résister à un assaut

Wiener Zeitung (Vienne)

30 (18) juillet 1877

Notre correspondant à Chumen, où est cantonné actuellement le quartier général de l'armée turque des Balkans, nous communique :

Après leur défaite écrasante à Plevna, les Russes se trouvent dans une situation ridicule. Leurs colonnes sont étirées sur des dizaines et même des centaines de kilomètres du sud au nord, leurs communications sont mal protégées, leurs arrières sont à découvert. La manœuvre géniale d'Osman Pacha sur leur flanc a permis aux Turcs de gagner le temps nécessaire pour opérer un regroupement de leurs forces, et la petite ville bulgare est devenue pour l'ours russe une épine douloureuse dans son flanc velu.

Les milieux proches de la cour de Constantinople affichent un optimisme contenu.

D'un côté, les choses allaient mal, on pouvait même dire qu'elles allaient aussi mal que possible. Le pauvre Pétia était toujours sous les verrous.

Après la catastrophe de Plevna, l'horrible Kazanzakis avait autre chose en tête, mais la menace du tribunal tenait toujours. La fortune militaire elle-même avait tourné. Pour reprendre l'image des contes populaires, le petit poisson d'or s'était transformé en grémille aux écailles coupantes et s'était enfoncé dans les profondeurs, blessant la paume des mains jusqu'au sang.

D'un autre côté (et Varia avait honte de se l'avouer), elle n'avait jamais trouvé la vie si intéressante. C'est cela même : intéressante est le mot exact.

Quant à la raison de cette situation, si l'on accepte d'en parler honnêtement, elle était d'une simplicité quelque peu indigne. C'était la première fois de sa vie que la jeune femme se voyait courtisée par tant d'admirateurs à la fois, et quels admirateurs ! C'était autre chose que les compagnons de voyage qu'elle avait eus dans le train, autre chose que les étudiants boutonneux de Saint-Pétersbourg. Et le vilain naturel féminin, qu'elle essayait en vain d'étouffer de toutes les manières, se glissait dans son cœur stupide et vaniteux pour s'y épanouir en herbes folles. Ce n'était pas bien.

C'est ainsi par exemple qu'en ce matin du 18 juillet, jour important et mémorable, dont nous reparlerons ultérieurement, Varia se réveilla avec le sourire. Avant même de se réveiller, à peine ressentit-elle à travers ses paupières closes la lumière du soleil, à peine commença-t-elle à s'étirer qu'elle éprouva un sentiment de joie, de gaieté et de fête. Ce n'est qu'un peu plus tard, quand la raison se réveilla après son corps, qu'elle se souvint de la situation de Pétia et de la guerre. Par un effort de

119

sa volonté, Varia s'imposa de prendre un visage renfrogné et de penser à des choses tristes, mais, désobéissante parce que mal réveillée, sa tête ne pouvait pas s'empêcher d'être envahie par tout autre chose, de l'ordre de ce qu'aurait pu lui suggérer Agafia Tikhonovna, l'experte marieuse de Gogol : si l'on ajoutait à l'attachement vivant de Pétia la gloire de Sobolev, la nonchalance de Zourov et les talents de Charles, ainsi que le regard cligné de Fandorine... Cela dit, Eraste Pétrovitch n'avait pas sa place ici, car, même en forçant les choses, il était difficile de le compter parmi ses admirateurs.

Ses relations avec le conseiller titulaire n'étaient pas claires. Ce n'était toujours que formellement qu'elle faisait fonction auprès de lui de collaboratrice. Fandorine ne lui dévoilait pas ses secrets, et pourtant il était évident qu'il travaillait à quelque chose et à une chose qui, visiblement, n'était pas dénuée d'importance. Parfois il disparaissait durant de longues périodes, ou, au contraire, restait enfermé dans sa tente, et l'on voyait alors venir le visiter de mystérieux moujiks bulgares coiffés de bonnets de peau de mouton à l'odeur forte. Sans doute venaient-ils de Plevna, se disait Varia, mais l'orgueil l'empêchait de poser des questions. Vous parlez d'une affaire ! Les habitants de Plevna n'étaient pas des figures si exceptionnelles dans le camp russe. McLaughlin lui-même avait son propre informateur qui lui communiquait des renseignements uniques sur la vie de la garnison turque. Il est vrai que l'Irlandais ne faisait pas part au commandement russe des renseignements ainsi glanés, mettant en avant l'« éthique du journaliste », en

revanche les lecteurs du *Daily News* avaient connaissance aussi bien de l'emploi du temps d'Osman
Pacha que des puissantes redoutes qui non seulement de jour en jour, mais d'heure en heure, cein-
turaient d'une manière de plus en plus serrée la
ville assiégée.

Cependant cette fois le détachement occidental de
l'armée russe s'était, lui aussi, préparé sérieusement
au combat. L'assaut était prévu pour aujourd'hui, et
tout le monde affirmait que le « malentendu de Plevna » allait immanquablement être levé. La veille,
prenant un bâton, Eraste Pétrovitch avait dessiné
par terre à l'intention de Varia l'ensemble des fortifications turques en lui expliquant que, selon les informations absolument certaines qu'il possédait,
Osman Pacha disposait de vingt mille hommes et de
quarante-huit canons, tandis que le général Krüdener avait rassemblé autour de la ville trente-deux
mille soldats et cent soixante-seize canons, et puis
on attendait encore les Roumains. Une position
rusée, tenue sévèrement secrète, avait été élaborée,
comportant une manœuvre de contournement dissimulée et une fausse attaque. Les explications de
Fandorine étaient si claires qu'immédiatement con-
vaincue de la victoire de l'armée russe Varia ne
s'était même pas donné la peine d'écouter vraiment,
se bornant à examiner le conseiller secret en se
demandant qui était la jeune femme blonde enfer-
mée dans son médaillon. Kazanzakis avait dit des
choses étranges au sujet de son mariage. Etait-ce
donc sa femme ? Elle paraissait bien jeune pour
cette fonction, c'était une vraie gamine.

Les choses s'étaient passées de la manière suivante. Trois jours auparavant, venant voir Eraste

Pétrovitch dans sa tente après le petit déjeuner, Varia l'avait trouvé dormant d'un sommeil profond en travers du lit, tout habillé, les bottes couvertes de boue. Toute la journée précédente il avait été absent, et l'on voyait bien qu'il n'était rentré qu'au petit jour. Elle était sur le point de se retirer sans faire de bruit quand elle s'était aperçue que son col déboutonné laissait pendre sur sa poitrine son médaillon d'argent. La tentation avait été trop forte. Elle s'était approchée du lit à pas de loup sans quitter du regard le visage de Fandorine. L'homme avait une respiration régulière, sa bouche était entrouverte, et le conseiller titulaire ressemblait à un gamin qui, pour s'amuser, se serait blanchi les tempes avec de la poudre.

Prenant toutes les précautions possibles, Varia avait soulevé le médaillon avec deux doigts et, faisant jouer la fermeture, avait découvert un minuscule portrait. Une vraie petite poupée, Mädchen Gretchen : boucles dorées, petits yeux, petite bouche, joues mignonnes. Rien d'exceptionnel. Elle avait voulu lancer à l'homme qui dormait un regard de reproche quand elle s'était sentie devenir toute rouge : sous les longs cils, des yeux sérieux d'un bleu vif et aux pupilles très noires étaient fixés sur elle.

Il aurait été stupide de se lancer dans des explications, et Varia avait tout simplement pris la fuite, ce qui n'avait pas non plus été très malin, mais avait évité au moins une scène désagréable. Depuis, aussi étrange que cela puisse paraître, Fandorine se conduisait comme si cet épisode n'avait pas eu lieu.

Eraste Pétrovitch était un homme froid et désagréable qui évitait de prendre part aux conversations qu'il n'initiait pas, mais s'il lui arrivait de le faire, il en venait immanquablement à tenir des propos qui amenaient Varia à se cabrer avec violence. On pourrait citer par exemple le débat sur le Parlement et la démocratie qui s'était engagé lors d'un pique-nique (ils s'étaient rendus en bande sur les collines en entraînant Fandorine, bien qu'il ait essayé de résister et de rester enfermé dans sa tanière). Paladin avait parlé de la constitution introduite l'an passé en Turquie par l'ex-grand vizir Midhat Pacha. Varia avait été vivement intéressée. Voilà en effet un pays sauvage, asiatique, et qui pourtant avait un Parlement. C'était autre chose que la Russie.

De là on en était venu à comparer les systèmes parlementaires. McLaughlin était partisan du système britannique ; Paladin, bien que français, défendait la voie américaine ; Sobolev insistait sur un système particulier, proprement russe, qui saurait rassembler la noblesse et la paysannerie.

Quand Varia avait réclamé le droit de vote pour les femmes, le rire avait été général. Ce soudard de Sobolev s'était moqué d'elle :

— Oh ! là ! là ! Varvara Andréevna, vous, les femmes, si on vous laisse jouer aux suffragettes, vous n'enverrez au Parlement que des beaux garçons, des mignons et des minets. Si vous et vos consœurs aviez à choisir entre Fédor Mikhaïlovitch Dostoïevski et Zourov, notre capitaine de cavalerie, à qui donneriez-vous vos suffrages, avouez-le ! Vous voyez bien, je ne vous le fais pas dire !

— Messieurs, mais est-ce que c'est de force que l'on envoie les gens au Parlement ? s'était écrié le hussard inquiet.

La bonne humeur avait été générale.

Et Varia avait eu beau disserter sur l'égalité des droits et évoquer le territoire américain du Wyoming qui autorisait le vote des femmes sans s'en porter plus mal, personne n'avait accordé le moindre sérieux à ses propos.

Varia s'était alors tournée vers Fandorine :

— Et vous, pourquoi vous taisez-vous ?

Et ce dernier s'était distingué en exposant des positions si scandaleuses qu'il aurait mieux fait de les garder pour lui :

— Pour ma part, Varvara Andréevna, je suis un adversaire résolu de la d-d-démocratie, avait-il dit en rougissant. A sa naissance, un homme n'en vaut pas un autre, et on n'y fera rien. Le principe démocratique restreint les droits de ceux qui sont les plus intelligents, les plus talentueux et les plus travailleurs en les plaçant sous la dépendance de la volonté stupide des imbéciles, des gens dénués de talent et des paresseux qui sont toujours plus nombreux dans une société. Att-tt-tt-endons d'abord que nos compatriotes se défassent de leur caractère fruste et acquièrent le droit de porter le titre de citoyen, alors on pourra commencer à penser à un Parlement.

Une déclaration à ce point inouïe avait fait perdre pied à Varia, et c'est Paladin qui avait volé à son secours :

— Et cependant, avait susurré le journaliste français d'une voix douce, si un pays a déjà introduit le droit de vote (la conversation se déroulait bien sûr en français), il n'est pas juste d'humilier toute une moitié de la population, et qui plus est la meilleure.

Se souvenant de ces belles paroles, Varia sourit, se tourna sur le côté et se mit à penser à Paladin.

Heureusement que Kazanzakis avait fini par le laisser tranquille. Le général Krüdener n'avait pas à prendre de décisions stratégiques sur la base d'une interview ! Le pauvre Paladin en avait été tout retourné, et on l'avait vu aborder tout un chacun pour donner des explications et pour tenter de se justifier. Et cet air pris en faute et malheureux l'avait rendu encore plus attachant aux yeux de Varia. Si auparavant elle l'avait trouvé un peu imbu de sa personne, trop gâté par l'admiration générale, et si elle s'était appliquée à garder ses distances, à présent elle n'éprouvait plus ce besoin, et elle avait adopté à son égard une attitude simple et affectueuse. C'était un homme facile, gai, rien à voir avec Eraste Pétrovitch. En outre, il savait plein de choses sur la Turquie, l'Orient antique, l'histoire de France. Son goût de l'aventure l'avait d'ailleurs jeté dans tous les coins du monde. Et comme il relatait agréablement ses *récits drôles**, avec esprit, vivacité et sans la moindre affectation ! Varia adorait voir Paladin répondre à l'une de ses questions en faisant une pause particulière, en lui adressant un sourire énigmatique, et en lui disant d'un air mystérieux : « *Oh, c'est toute une histoire, mademoiselle**. » Après quoi, à la différence de Fandorine qui taisait tout, il racontait ladite histoire sur-le-champ.

Le plus souvent ses histoires étaient amusantes, parfois elles étaient terribles.

Varia en avait surtout retenu une : « Vous avez l'habitude, mademoiselle Varia, de reprocher aux Asiatiques le peu de respect qu'ils ont pour la vie humaine, et vous avez raison (la conversation avait porté sur les cruautés perpétrées par les Bachi-Bouzouks). Mais on sait bien que ce ne sont que des barbares, des sauvages, qui, par leur développement, ne se sont guère éloignés, disons, des tigres et des crocodiles. Moi, je vais vous décrire une scène que j'ai eu l'occasion d'observer dans le pays civilisé entre tous qu'est l'Angleterre. Oh ! C'est toute une histoire... Les Britanniques accordent un tel prix à la vie humaine qu'il n'est pas pire péché à leurs yeux que le suicide et que toute tentative dans ce sens est punie de mort. Dans l'Orient, on n'en est pas encore arrivé là ! Il y a quelques années, alors que je me trouvais à Londres, un condamné devait être pendu dans sa prison. Il avait commis un crime de la plus grande gravité : s'étant procuré par une voie quelconque un rasoir, il avait tenté de se trancher la gorge et y serait presque parvenu s'il n'avait été sauvé à temps par le médecin de l'établissement. Stupéfait de découvrir la logique développée par le juge, je me suis dit qu'il fallait absolument que j'assiste personnellement à cette exécution. Faisant jouer mes relations, j'ai obtenu un laissez-passer, et je vous assure que je n'ai pas été déçu par le spectacle.

» S'étant endommagé les cordes vocales et ne pouvant plus émettre que des sons inarticulés, le condamné avait été dispensé de prendre une dernière fois la parole. Il y avait eu en revanche de longs conciliabules avec le médecin qui affirmait que cet homme ne pouvait pas être pendu car sa blessure risquait de se rouvrir et qu'il pourrait respirer directement par la trachée. S'étant concertés, le procureur et le directeur de la prison avaient néanmoins donné l'ordre au bourreau de procéder à l'exécution. Il s'était trouvé cependant que le médecin avait raison : sous la pression de la corde, sa gorge s'était immédiatement ouverte et, accroché à sa potence, l'homme s'était mis à aspirer l'air avec un sifflement horrible. Il était resté ainsi cinq, dix, quinze minutes sans mourir, et seul son visage avait commencé à prendre des teintes bleuâtres.

» Il avait alors été décidé d'aller quérir le juge qui avait prononcé la sentence. Mais dans la mesure où l'exécution avait lieu à l'aube, il avait fallu un long moment pour le réveiller. Arrivant une heure plus tard, ce dernier avait adopté le jugement de Salomon : il avait donné l'ordre de dépendre l'homme et de le pendre de nouveau en passant cette fois la corde, non plus au-dessus de la blessure, mais en dessous. Ce qui avait été fait. Cette fois les choses s'étaient passées normalement. Et voici donc les fruits de la civilisation. »

La nuit suivante, Varia avait rêvé du pendu à la gorge qui riait. « La mort n'existe pas, disait la gorge avec la voix de Paladin avant de se mettre à saigner, il n'existe qu'un retour à la case départ. »

La case départ, elle, venait de Sobolev.

— Hélas, Varvara Andréevna, avait coutume de lui dire le jeune général en secouant avec amertume sa tête rasée, ma vie n'est qu'une course d'obstacles, mais le juge n'en finit pas de me disqualifier et de me ramener à la case départ. Voyez vous-même. J'ai débuté dans la cavalerie, et je me suis illustré dans la guerre contre les Polonais. Malheureusement, une histoire stupide avec une petite demoiselle du lieu m'a valu de perdre immédiatement tout mon avantage... Après cela, ayant fait des études à l'Académie du quartier général, j'ai été envoyé au Turkestan. Là, j'ai eu un duel stupide avec issue fatale, et de nouveau me voilà ramené à la base. J'ai épousé une princesse en me disant que j'allais connaître le bonheur... Belle illusion, et me voilà une fois encore tout seul, privé de toute perspective. J'ai demandé à retourner dans le désert où je n'ai ménagé ni mes forces ni celles de mes hommes, et c'est miracle si je suis encore en vie, et de nouveau me voilà sans rien. Je traîne ici en qualité de parasite, dans l'attente d'un nouveau départ et en me demandant si mon heure viendra un jour.

Mais si elle s'apitoyait facilement sur Paladin, Varia n'avait pas la même attitude à l'égard de Sobolev. D'abord parce que, en matière de case départ, Michel exagérait quelque peu et qu'il faisait le coquet : à trente-trois ans porter le titre de général, faire partie de la suite de l'empereur et avoir été gratifié de deux croix de Saint-Georges et de l'épée d'or, ce n'était tout de même pas rien ! Ensuite parce qu'il poussait un peu loin l'envie de se faire plaindre. Alors qu'il n'était encore qu'élève de l'école militaire, ses aînés avaient dû lui expliquer qu'en amour la victoire se conquiert de deux façons : soit par une attaque de cavalerie, soit par un long travail de sape pour approcher le cœur féminin porté à la commisération.

Dans ses travaux d'approche, Sobolev était assez maladroit, mais la cour qu'il faisait à Varia la flattait : c'était tout de même un véritable héros, malgré le toupet ridicule qu'il portait au milieu du visage. Quand elle faisait délicatement allusion à un éventuel changement de la forme de sa barbe, le général ouvrait des négociations : certes, il était prêt à faire le sacrifice, mais uniquement en échange de garanties précises. Or il n'entrait pas dans les intentions de Varia de lui donner des garanties.

Cinq jours auparavant, Sobolev était arrivé tout heureux. Il venait enfin d'obtenir un détachement à lui : deux régiments cosaques, et allait prendre part à l'assaut donné à Plevna avec pour mission la protection du flanc sud du corps d'armée. Varia lui avait souhaité un heureux nouveau départ. Comme chef d'état-major, Michel avait pris Pérépelkine, disant du sinistre capitaine les choses suivantes :

— Il était là à tourner autour de moi et à me faire des avances, alors je l'ai pris. Et puis vous savez, Varvara Andréevna, Erémeï Ionovitch est un homme pas drôle, mais il est compétent. Il vient quand même de l'état-major général. On le connaît au département des Opérations où on lui donne des renseignements précieux. En plus, je vois qu'il m'est personnellement attaché. Je n'ai pas oublié la façon dont il m'a sauvé des Bachi-Bouzouks. Et j'avoue que j'ai la faiblesse, pauvre pécheur, d'accorder chez mes subordonnés une importance particulière au dévouement.

A présent Sobolev ne manquait pas d'occupations, et pourtant, il y a deux jours, Serge Vérécht-chaguine, son ordonnance, était venu apporter de la part de Son Excellence un somptueux bouquet de roses rouges qui, aujourd'hui, étaient là dans leur vase, raides comme des preux de Borodine, ne dévoilant aucune velléité de s'effeuiller et imprégnant la tente entière d'un parfum suave et épais.

129

La brèche ouverte par le départ du général avait immédiatement été investie par Zourov, partisan convaincu pour sa part de l'attaque de cavalerie. Varia éclata de rire en repensant à la façon enlevée avec laquelle le capitaine avait conduit son opération de reconnaissance préalable.

— Quelle belle vue, mademoiselle ! Vive la nature ! avait-il lancé un soir en sortant du club de presse enfumé à la suite de Varia qui avait eu envie d'aller admirer le coucher de soleil.

Et sans perdre son rythme, il avait changé de sujet :

— C'est un homme bien, Erasme, n'est-ce pas ? Il a l'âme aussi propre qu'un drap. Et puis c'est un excellent camarade, bien qu'il soit, il faut bien le dire, d'un naturel quelque peu maussade.

Là, le hussard avait fait une pause, ses beaux yeux arrogants fixés sur la jeune fille pour voir sa réaction. Mais Varia attendait la suite.

— En plus il est bien de sa personne, brun et tout. En uniforme de hussard, il serait tout à fait séduisant, avait continué Zourov sur sa lancée. Maintenant, bien sûr, avec cet air de poule mouillée qu'il arbore, mais si vous l'aviez vu avant ! Un vrai geyser, un coursier d'Arabie !

Varia ne prêtait au beau parleur qu'une attention méfiante tellement il lui était impossible d'imaginer le conseiller titulaire en coursier d'Arabie.

— Et pourquoi un tel changement ? avait-elle demandé dans l'espoir d'apprendre quelque chose sur le passé si mystérieux d'Eraste Pétrovitch.

Mais Zourov s'était contenté de hausser les épaules.

— Dieu seul le sait. Je l'ai perdu de vue durant toute une année. Mais ce ne peut être autre chose qu'un amour malheureux. Vous autres, femmes, vous nous prenez tous pour des bûches privées de cœur, alors qu'en réalité nous possédons une âme ardente et fragile. (Il avait baissé les yeux avec amertume.) Quand on a le cœur brisé, on peut devenir vieux à vingt ans.

Varia avait pouffé de rire :

— Vingt ans, comme vous y allez ! Je ne suis pas sûre que cela vous aille de vous rajeunir de la sorte.

— Je ne parle pas de moi, je parle de Fandorine, avait expliqué le hussard. Savez-vous qu'il n'a que vingt et un ans ?

— Fandorine, vingt et un ans ? Allons, cessez ! Même moi, j'en ai vingt-deux.

— Et c'est bien ce que je dis, avait fait Zourov, ravi du tour que prenait la conversation. Il vous faudrait quelqu'un de plus sérieux, qui aurait la trentaine.

Mais Varia n'écoutait plus. Ce qu'elle venait d'apprendre l'avait plongée dans la stupéfaction la plus totale. Fandorine n'avait que vingt et un ans ! Vingt et un ans ! C'était incroyable. Voilà pourquoi Kazanzakis l'avait appelé « enfant prodige ». A vrai dire le conseiller titulaire avait bien un visage d'adolescent, mais sa façon de se tenir, son regard, ses tempes argentées ! Que vous est-il donc arrivé, Eraste Pétrovitch, pour que vous en soyez là ?

Interprétant la perplexité de la jeune fille à sa manière, le hussard s'était redressé de toute sa taille et avait déclaré :

— Voilà où je veux en venir, mademoiselle. Si ce fripon d'Erasme m'a devancé, je me retire sur-le-champ. Quoi qu'en disent ses ennemis, Zourov est un homme à principes. Il ne s'attaque jamais à ce qui appartient à un autre.

Varia avait fini par l'entendre :

— C'est de moi que vous parlez ? Si je suis « ce qui appartient à Fandorine », vous ne vous attaquerez pas à moi, mais si ce n'est pas le cas, vous allez y aller ? Vous ai-je bien compris ?

Zourov avait joué diplomatiquement de ses sourcils, sans toutefois se troubler le moins du monde.

— J'appartiens et n'appartiendrai jamais qu'à moi-même, mais j'ai un fiancé, avait dit Varia à l'audacieux d'un ton sévère.

— Je l'ai entendu dire. Mais je ne compte pas monsieur le prisonnier au nombre de mes amis, avait répondu le capitaine de cavalerie, retrouvant toute sa bonne humeur, et ainsi en avait-il été fait de ses travaux de reconnaissance.

Tout de suite après était venue l'attaque elle-même.

— Je vous propose un petit pari, mademoiselle. Si je devine la personne qui va sortir la première du club, vous me donnez un baiser. Si je me trompe, je me rase le crâne tout ras comme un Bachi-Bouzouk. Décidez-vous ! Il est vrai que vous ne prenez pas un grand risque, il y a bien vingt personnes en ce moment sous la tente.

Varia avait senti contre sa volonté ses lèvres s'ouvrir en un sourire.

— Bon ! Alors, qui va donc sortir le premier ?

Zourov avait fait mine de réfléchir et avait secoué la tête d'un air désespéré.

— Adieu, mes jolies boucles... Ce sera le colonel Sabline. Non, ce sera plutôt McLaughlin. Non... ce sera Simon, le garçon du buffet ! C'est sur lui que je parie !

Il s'était bruyamment raclé la gorge, et une seconde plus tard on avait vu le garçon jaillir du club. Il s'était essuyé les mains sur les côtés de son gilet de soie et, considérant avec beaucoup de sérieux le ciel clair, avait bredouillé : « Pourvu qu'il ne pleuve pas ! », puis il était retourné dans la tente sans même jeter un regard à Zourov.

— C'est un miracle, un signe d'en Haut ! s'était écrié le comte.

Et, caressant sa moustache, il s'était incliné devant une Varia qui riait à gorge déployée.

Elle pensait qu'il allait l'embrasser sur la joue comme le faisait chaque fois Pétia, mais Zourov avait visé ses lèvres et le baiser avait été long, inhabituel et vertigineux.

Au bout d'un moment, sentant qu'elle était sur le point de défaillir, Varia avait repoussé le cavalier et avait porté ses deux mains à son cœur.

— Attendez, je vais vous donner une de ces gifles, l'avait-elle menacé d'une voix faible. Des gens bien intentionnés m'avaient pourtant avertie, je savais que vous étiez un tricheur.

— Si vous me donnez une gifle, je vous provoque en duel, et je serai immanquablement vaincu, avait ronronné le comte, en écarquillant les yeux.

Il était positivement impossible de lui en vouloir...

Tout à coup la portière se souleva, et Varia vit apparaître le visage rond de Louchka, une souillon nigaude qui auprès des deux infirmières faisait fonction de bonne et de cuisinière, mais aussi d'aide-soignante en cas d'arrivée massive de blessés.

— Mademoiselle, il y a un militaire qui vous attend, fit-elle d'un trait. Un très brun avec une moustache et muni d'un bouquet. Qu'est-ce que je lui dis ?

Quand on parle du loup... se dit Varia, et elle sourit de nouveau. La façon dont Zourov menait son assaut l'amusait profondément.

— Qu'il m'attende. Je n'en ai pas pour long-temps, dit-elle en rejetant sa couverture.

Mais ce n'était pas du tout le hussard qui faisait les cent pas devant les tentes des infirmières où tout était fin près pour un nouvel accueil de bles-sés, c'était un autre prétendant, le colonel Loukan, fleurant bon le parfum.

Varia poussa un profond soupir, mais il était trop tard pour reculer.

— *Ravissante comme l'aurore* !* fit le soupirant qui était sur le point de se pencher sur sa main pour l'embrasser, mais qui se reprit en se souve-nant de ce qu'étaient les femmes modernes.

Varia eut un geste de la tête pour refuser le bou-quet, considéra l'uniforme galonné d'or de l'allié de la Russie et demanda sèchement :

— Pourquoi cette tenue de parade à une heure aussi matinale ?

— Je pars pour Bucarest où je dois assister à un conseil de guerre de Sa Majesté, annonça le colo-nel d'un air important. Je suis venu prendre congé, et j'aimerais en profiter pour vous inviter à un petit déjeuner.

Le colonel frappa dans ses mains, et l'on vit s'avancer, tournant le coin de la rue, une voiture d'une grande prétention à l'élégance, avec, sur le siège du cocher, un soldat à l'uniforme délavé mais ganté de blanc.

Loukan s'inclina devant Varia :

— Je vous en prie.

Intriguée malgré elle, la jeune fille prit place sur le siège magnifiquement suspendu.

— Où allons-nous ? A la cantine des officiers ?

Le Roumain se contenta de sourire mystérieuse-ment, comme si son intention avait été d'emmener sa passagère pour le moins au bout du monde.

D'une manière générale, le colonel avait ces der-niers temps une conduite bizarre. Il continuait à jouer aux cartes des nuits entières, mais si, lors de ses premiers affrontements avec Zourov, il avait eu l'air persécuté et malheureux, il s'était totalement repris et, tout en continuant à perdre des sommes non négligeables, il gardait le moral.

— Alors, comment s'est passée la partie d'hier soir ? demanda Varia, les yeux fixés sur les cernes bruns de Loukan.

Le visage de ce dernier s'illumina.

— La fortune m'a enfin fait bonne figure. C'en est fini de la chance insolente de votre Zourov. Connaissez-vous la loi des grands nombres ? Si jour après jour on joue de fortes sommes, tôt ou tard on prend sa revanche.

Pour autant qu'elle en avait gardé le souvenir, Pétia lui avait exposé cette théorie d'une manière quelque peu différente, mais elle n'allait tout de même pas se lancer dans une discussion !

— Le comte avait pour lui une chance aveugle, moi, j'avais le calcul mathématique et une fortune immense. Tenez, regardez, et il dressa son petit doigt, j'ai regagné ma bague de famille. C'est un diamant indien de onze carats. Mon ancêtre l'a rapporté d'une croisade.

— Je ne savais pas que les Roumains avaient pris part aux croisades ! dit imprudemment Varia, ce qui lui valut d'entendre toute une conférence sur la généalogie du colonel dont la famille remontait en fait au légat romain Lucanus Mauritius Tullus.

Cependant la voiture sortit des limites du camp pour s'arrêter dans un petit bois ombragé où, au pied d'un vieux chêne, le regard était attiré par une table couverte d'une nappe blanche amidonnée sur laquelle était présentée une telle diversité de nourritures délicieuses que Varia éprouva immédiatement une sensation de faim. Il y avait là à la fois des fromages français, des fruits, du saumon fumé, du jambon de couleur rose, des écrevisses pourpres ; en outre, dans un seau en argent, s'était confortablement calée une bouteille de château-lafite.

Il fallait bien reconnaître que Loukan possédait, lui aussi, un certain nombre de qualités.

Au moment de lever le premier verre, on entendit au loin un grondement sourd, et Varia sentit son cœur se serrer. Comment avait-elle pu se distraire de la sorte ? C'était l'assaut qui commençait. A ce même moment des hommes tombaient morts, des blessés gémissaient, et elle...

Repoussant d'un air fautif une coupe de raisin précoce couleur d'émeraude, elle dit :

— Seigneur, pourvu que tout se passe comme ils l'ont prévu.

Le colonel vida son verre d'un trait, se resservit sur-le-champ et, tout en mâchant, remarqua :

— Leur plan est bon, c'est sûr. En qualité de représentant personnel de Sa Majesté, j'en ai non seulement connaissance, mais j'ai même d'une certaine manière participé à son élaboration. La manœuvre de contournement sous la protection de la rangée de collines est particulièrement astucieuse. Les colonnes de Chakhovskoï et celles de

136

Véliaminov attaquent Plevna par l'est, tandis que le petit détachement de Sobolev détourne l'attention d'Osman Pacha vers le sud. Sur le papier, c'est séduisant. (Loukan vida un autre verre.) Malheureusement, la guerre, mademoiselle Varvara, ce n'est pas du papier. Et vos compatriotes n'arriveront à rien du tout.

— Mais pourquoi ? s'écria Varia, inquiète.

Le colonel eut un petit ricanement, puis il se frappa la tempe.

— Moi, mademoiselle, je suis un stratège, et je vois plus loin que vos chefs d'état-major. J'ai là (et il fit un signe de tête en direction de sa serviette) la copie du rapport que j'ai envoyé dès hier au prince Karl. J'y prédis un fiasco complet pour les armes russes, et je suis certain que Son Excellence saura apprécier ma clairvoyance. Vos chefs militaires sont trop suffisants, trop présomptueux, ils surestiment leurs soldats et sous-estiment les Turcs. Tout comme ils nous sous-estiment nous aussi, nous, leurs alliés roumains. Cela ne fait rien, après la leçon qu'ils vont recevoir aujourd'hui, c'est le tsar lui-même qui viendra nous demander de l'aide, vous verrez !

Le colonel se tailla un solide morceau de roquefort, tandis que Varia voyait sa bonne humeur se dissiper définitivement.

Les noires prédictions de Loukan se révélèrent exactes.

Le soir, Varia et Fandorine se tenaient sur le bord de la route de Plevna, tandis que défilaient sans fin devant eux des convois de blessés. Le calcul des pertes n'était pas encore achevé, mais à l'hôpital on leur dit que sept mille personnes au moins avaient été mises hors de combat. On racontait que Sobolev s'était distingué en attirant sur lui la contre-attaque turque, sans ses Cosaques l'écrasement aurait été cent fois pire. On s'étonnait aussi de la qualité des artilleurs turcs qui avaient fait preuve d'une habileté satanique, décimant les colonnes qui s'approchaient avant même que les bataillons aient eu le temps de prendre position pour l'attaque.

Varia rapporta ces renseignements à Eraste Pétrovitch qui ne dit pas un mot. Peut-être savait-il déjà tout cela, peut-être était-il sous le choc. Allez donc savoir, avec lui !

La colonne s'arrêta tout à coup, l'un des chariots venant de perdre une roue. Varia, qui s'appliquait à regarder le moins possible les mutilés, jeta un regard plus attentif à la télègue bancale et poussa un cri. Elle croyait reconnaître le visage d'un officier blessé que la pénombre légère du soir d'été faisait paraître tout blanc. En s'approchant, elle vit qu'elle ne s'était pas trompée : il s'agissait bien du colonel Sabline, l'un des habitués du club. L'homme était inconscient. Le manteau qui le recouvrait était tout maculé de sang, et son corps lui parut étrangement court.

— Vous le connaissez ? lui demanda l'infirmier qui l'accompagnait. Il a eu les deux jambes arrachées par un obus. Ce n'est pas de chance.

Varia recula pour se rapprocher de Fandorine et se mit à sangloter convulsivement.

Elle pleura longtemps, puis ses larmes séchèrent. Un peu plus tard elle eut froid, et les chariots de blessés n'en finissaient toujours pas d'affluer.

— Au club, on considère Loukan comme un imbécile, en fait il s'est révélé plus malin que Krüdener, dit-elle parce qu'elle ne pouvait plus garder le silence.

Fandorine la toisa d'un air interrogateur, et elle s'expliqua :

— Ce matin déjà il m'a dit que l'assaut ne donnerait rien, que le dispositif était bon, mais que les commandants étaient mauvais. Et que les soldats, eux aussi...

— Il vous a dit cela ? fit Fandorine d'un air étonné. Ah bon ! Cela change...

Mais il n'acheva pas, les sourcils froncés.

— Cela change quoi ?

Silence.

— Mais qu'est-ce que cela change ? Répondez-moi !

Varia commençait à s'énerver :

— Quelle sale habitude vous avez de dire « a » et de ne jamais dire « b » ! Qu'est-ce que cela signifie à la fin ?

Elle avait une envie folle d'attraper le conseiller titulaire par les épaules et de le secouer d'importance. Ce blanc-bec mal éduqué et imbu de sa personne ! Qui en plus jouait au chef indien Tchingatchgouk.

Mais Eraste Pétrovitch desserra brusquement les lèvres :

— Cela signifie, Varvara Andréevna, que nous avons affaire à une trahison.

— Une trahison ? Quelle trahison ?

— C'est ce que nous allons éclaircir. Ainsi donc (Fandorine se frotta le front), le colonel Loukan, un homme d'une intelligence nullement exceptionnelle, est le seul à prédire l'échec de l'armée russe. Et de un. Il avait été mis au courant du dispositif et, en tant que représentant du prince Karl, il en avait même reçu une copie. Et de deux. Le succès de l'opération dépendait de la manœuvre secrète à l'abri des collines. Et de trois. Nos colonnes ont été mises à mal par l'artillerie turque sans visibilité directe. Et de quatre. Conclusion ?

— Les Turcs savaient d'avance quand et où il fallait tirer, marmonna Varia.

— Quant à Loukan, il savait d'avance que l'assaut serait infructueux. Au fait, et de cinq : ces derniers jours ce personnage s'est tout à coup trouvé posséder beaucoup d'argent.

— C'est un homme riche. Il a des trésors de famille, des domaines. Il m'a raconté tout cela, mais je n'ai pas trop écouté.

— Il n'y a pas si longtemps, Varvara Andréevna, le colonel a essayé de m'emprunter trois cents roubles ; après cela, si l'on en croit Zourov, il a perdu jusqu'à quinze mille roubles en quelques jours. Hippolyte a pu exagérer, bien sûr...

— Certes, il en est capable, acquiesça Varia. Mais en l'occurrence, c'est vrai. Loukan a perdu une très grosse somme d'argent. Il me l'a dit lui-même ce matin avant de partir pour Bucarest.

— Il est parti ?

Eraste Pétrovitch se détourna et s'absorba dans ses pensées, se contentant de temps à autre de hocher la tête. Varia se plaça sur le côté pour essayer de voir son visage, mais elle ne remarqua rien de particulier : les yeux clignés, Fandorine considérait l'étoile Mars.

Puis il se mit à parler très lentement :

— Ecoutez-moi, m-ma chère Varvara Andréevna. (Varia se sentit immédiatement réconfortée. D'abord parce qu'il avait dit « ma chère », mais aussi parce qu'il avait recommencé à bégayer.) Je vais devoir vous demander de m-m-m'aider, alors que j'avais promis...

— Je ferai avec joie tout ce que vous me demanderez ! s'écria-t-elle un peu hâtivement, avant d'ajouter : Ne s'agit-il pas de sauver Pétia ?

— C'est parfait. (Fandorine la regarda droit dans les yeux en ayant l'air de la mettre à l'épreuve.) Mais la mission est t-t-très difficile, et elle n'a rien d'agréable. Je voudrais que vous vous rendiez, vous aussi, à Bucarest, que vous y recherchiez Loukan, et que vous vous fassiez une idée précise sur son compte. Essayez de savoir, par exemple, s'il est vraiment si riche que cela. Mettez à profit sa vanité, sa vantardise et sa b-b-bêtise. Il vous a déjà dit une fois ce qu'il n'aurait pas dû vous dire. Il ne manquera pas de faire le paon devant vous (Eraste Pétrovitch eut l'air gêné) car vous êtes une p-personne jeune, attirante...

Brusquement il perdit le fil et acheva son propos par un accès de toux, car, sous l'effet de la surprise, Varia venait d'émettre un petit sifflement. Elle avait fini par obtenir un compliment de la statue du commandeur. Un compliment certes bien modeste : « personne jeune et attirante », mais enfin, mais enfin...

Cependant Fandorine gâcha les choses sur-le-champ :

— Il va de soi qu'il ne faut pas que vous y alliez seule, d'ailleurs cela paraîtrait étrange. Je sais que Paladin a l'intention de se rendre à Bucarest. Il ne refusera sûrement pas de vous y emmener.

Non, décidément, ce n'est pas un homme, c'est un glaçon, pensa Varia. Essayez un peu de le dégeler ! Est-ce qu'il ne voit pas que le Français me tourne autour ? Mais si, il voit tout cela, mais il n'en a résolument rien à faire.

Eraste Pétrovitch eut l'air d'interpréter sa moue à sa façon :

— Pour l'argent, ne vous inquiétez pas. Vous savez que vous avez droit à un salaire, à des frais de déplacement et autres. Je vous donnerai tout cela. Là-bas, vous vous achèterez ce que vous voudrez, vous pourrez vous distraire.

— Oh ! avec Charles, je ne risque pas de m'ennuyer, dit-elle en manière de vengeance.

Chapitre septième,
où l'on voit Varia perdre
le titre d'honnête femme

Les Nouvelles du gouvernement de Moscou

22 juillet (3 août) 1877

Le billet du dimanche

En apprenant que cette ville, où nos habitués de l'arrière se sont si agréablement divertis au cours des derniers mois, avait été en son temps fondée par le prince Vlad surnommé « l'Empaleur » et connu également sous le nom de Dracula, votre fidèle serviteur a compris bien des choses. Il ne s'étonne plus de voir qu'un rouble s'y échange dans le meilleur des cas contre trois francs, que le plus modeste repas dans une mauvaise auberge revient aussi cher qu'un banquet au « Bazar slave », tandis qu'une chambre à l'hôtel coûte le prix de la location du palais de Buckingham. Ces maudits vampires sucent à pleine bouche le sang russe en se pourléchant avec délectation les babines et non sans faire les dégoûtés. Le plus désagréable, c'est qu'à la suite de l'élection d'un prince allemand de tout petit lignage par les autorités de la ville, une odeur de wurst et de moutarde s'est installée dans cette province danubienne, redevable à la Russie seule de son indépendance. Les hospodars tournent les yeux vers Herr Bismarck, tandis que nous autres Russes, nous nous

---

143

retrouvons dans la situation de la chèvre cousine germaine du conte : on nous tire le pis, mais on tourne le nez. On pourrait croire que ce n'est pas au nom de la liberté des Roumains que nous versons notre sang dans les plaines de Plevna...

Varia s'était trompée, elle s'était profondément trompée. Le voyage pour Bucarest ne fut pas du tout une partie de plaisir.

Outre Paladin, plusieurs autres correspondants de presse avaient eu l'idée d'aller prendre un peu de repos dans la capitale de la principauté roumaine. Sachant que, dans les journées, voire les semaines à venir, il n'allait rien se passer d'intéressant du côté des opérations militaires et qu'il allait falloir du temps aux Russes pour se remettre de la saignée de Plevna, la gent journalistique s'était en effet tournée vers les tentations de l'arrière.

Les préparatifs avaient été longs, et le départ n'eut lieu que le troisième jour. En tant que dame, Varia avait été installée dans la calèche de McLaughlin, alors que les autres partaient à cheval, aussi ne put-elle voir que de loin le Français qui trônait sur son Yatagan rendu mélancolique par la lenteur de la caravane, tandis qu'il lui fallait faire la conversation avec l'Irlandais. Ce dernier fit à Varia un point exhaustif sur les conditions climatiques des Balkans, celles de Londres et celles de l'Asie centrale, expliqua le fonctionnement des ressorts de sa voiture et lui décrivit dans le détail deux ou trois études d'échecs. Dans ces circonstances, l'humeur de Varia se gâta et, lors des étapes, elle n'eut pour leurs compagnons de route excités et joyeux, y compris pour

Paladin au visage tout animé par la course, que regards moroses.

Les choses allèrent mieux le second jour — on avait déjà passé Alexandria — car la caravane fut rejointe par Zourov. Le capitaine de cavalerie s'était distingué au combat et, pour sa bravoure, Sobolev venait d'en faire son ordonnance. Le général avait même eu la velléité de le proposer pour une croix de Sainte-Anne, mais le hussard avait préféré une petite semaine de congé, soi-disant pour se détendre les membres.

Il commença par distraire Varia en faisant démonstration de ses talents de djiguit : il cueillait des petites fleurs bleues en plein galop, jonglait avec des pièces d'or, se mettait debout sur sa selle. Puis il essaya de changer de place avec McLaughlin. Ayant essuyé un refus flegmatique, mais définitif, il installa sur sa jument rousse le malheureux cocher, dont il prit le siège, et entreprit, en tournant la tête toutes les deux minutes, de faire rire la jeune femme en lui narrant ses exploits héroïques ainsi que les menées jalouses de Jérôme Pérépelkine avec lequel la toute nouvelle ordonnance entretenait les rapports les plus conflictuels. Et le voyage se passa ainsi.

Comme l'avait prévu Eraste Pétrovitch, Varia n'eut aucune difficulté à retrouver Loukan. Conformément aux instructions reçues, elle descendit à l'hôtel *Royal*, le plus cher de la ville, et, demandant au portier s'il connaissait le capitaine, apprit que *Son Excellence* * était fort connue dans la place, que la veille et l'avant-veille il était venu faire la fête au restaurant, et que, selon toutes probabilités, on l'y reverrait le soir.

145

Il restait encore beaucoup de temps avant le soir, et Varia décida de faire un tour sur l'artère centrale de la ville qui, après le village de tentes, faisait figure de perspective Nevski : équipages d'une grande élégance, marquises rayées au-dessus des vitrines des magasins, jeunes Méridionales belles à vous couper le souffle, jeunes gens semblant descendre d'un tableau avec leur chevelure brune et leurs redingotes bleu pâle, blanches ou même roses, et surtout des uniformes, des uniformes partout, des uniformes en masse. On parlait russe, on parlait français et presque pas le roumain. S'installant dans un véritable café, Varia s'offrit deux tasses de chocolat et quatre pâtisseries et elle était sur le point de fondre de félicité quand, passant devant une chapellerie, elle glissa par hasard un regard à la vitrine de verre et poussa un cri. Voilà pourquoi les hommes la regardaient sans avoir l'air de la voir.

Cette horreur en robe d'un bleu délavé, coiffée d'un chapeau de paille défraîchi déshonorait la femme russe. Et ce tandis qu'allaient et venaient sur les trottoirs des messalines vêtues à la toute dernière mode parisienne.

Varia arriva au restaurant avec un grand retard. Ayant donné rendez-vous à McLaughlin à sept heures, elle ne fit son entrée dans la salle qu'après huit heures. En véritable gentleman, le correspondant du *Daily Post* avait tout de suite accepté sa proposition (elle ne pouvait tout de même pas aller au restaurant toute seule, on aurait risqué de la prendre pour une cocote !), il ne lui fit pas non plus le moindre reproche pour son retard, se contentant de prendre un air profondément malheureux. Tant pis, ce n'était qu'un prêté pour un rendu. Il l'avait torturée durant tout le trajet avec ses connaissances météorologiques, à présent il fallait qu'il lui serve à quelque chose !

Loukan n'était pas encore là, et, par charité, Varia demanda à son partenaire de lui réexpliquer les coups de la défense persane. L'Irlandais, qui n'avait rien remarqué du changement survenu chez la jeune femme (elle y avait pourtant consacré six heures de son temps et six cent quatre-vingt-cinq francs, soit presque tout son argent), lui répondit sèchement qu'il ignorait l'existence de pareille étude. Elle en fut donc réduite à lui demander si une telle chaleur fin juillet était habituelle à cette latitude. Il se trouva qu'elle l'était, mais que tout cela n'était rien par rapport à la chaleur humide de Bangalore.

A dix heures et demie, quand les portes dorées du restaurant s'ouvrirent de toute leur largeur pour livrer passage au descendant un peu pris de vin du légat romain, Varia, on ne peut plus heureuse de le revoir, sauta de sa chaise et commença à lui faire des signes avec une joie nullement affectée.

A dire vrai une complication imprévue surgit en la personne d'une petite brunette rondouillarde qui était accrochée au coude du colonel. Ladite complication coula à Varia un regard de haine non dissimulée, et celle-ci se troubla. Bizarrement, elle n'arrivait pas imaginer que Loukan puisse être marié.

Mais le colonel fit preuve dans le règlement du problème d'une force de décision toute militaire :

il donna une légère tape à sa compagne, juste au départ de la traîne de sa robe, et la petite brunette se retira indignée en proférant quelques paroles venimeuses. Ce n'était sans doute pas sa femme, se dit Varia en se troublant plus encore.

— Notre fleur des champs a ouvert ses pétales et s'est révélée être une rose somptueuse ! hurla Loukan en traversant la salle pour rejoindre Varia. Quelle belle robe ! Et ce chapeau ! Seigneur, serais-je sur les Champs-Elysées ?

C'était un fat et un goujat, bien sûr, mais ses propos étaient tout de même plaisants à entendre. Aussi Varia lui permit-elle de lui embrasser la main, faisant fi de ses principes pour les besoins de la cause. Le colonel fit à l'Irlandais un petit signe de tête d'une bienveillance condescendante (ce n'était pas un rival) et s'assit à leur table sans demander leur avis. Varia eut l'impression que McLaughlin était, lui aussi, content de retrouver le Roumain. Etait-il fatigué de disserter sur le climat ? Non, sûrement pas !

Les serveurs emportaient déjà la cafetière et le cake commandés par le parcimonieux correspondant et apportaient en quantité des sucreries, des fruits, des fromages.

— Vous garderez un grand souvenir de Bucarest ! promit Loukan. Dans cette ville, tout m'appartient !

— En quel sens ? demanda l'Irlandais. Voulez-vous dire que vous possédez dans la ville des biens immeubles en quantité ?

Le Roumain ne daigna pas lui répondre.

— Vous pouvez me féliciter, mademoiselle. Mon rapport a été apprécié à sa juste valeur, et je dois m'attendre à une promotion dans les plus brefs délais !

— Quel rapport ? demanda encore l'Irlandais. Quelle promotion ?

— C'est toute la Roumanie qui est sur le point de recevoir une promotion, déclara le colonel d'un air grave. A présent il est absolument évident que l'empereur russe a surestimé les forces de son armée. Je sais de source sûre (il baissa la voix avec superbe et se pencha en avant jusqu'à chatouiller la joue de Varia du bout de sa moustache frisée) que le général Krüdener va être démis de son commandement et que les forces qui assiègent Plevna vont être placées sous les ordres de notre prince Karl.

McLaughlin sortit un carnet de sa poche et entreprit de noter.

— N'auriez-vous pas envie de faire un petit tour dans Bucarest la nuit, mademoiselle Varvara ? glissa Loukan à l'oreille de Varia en profitant d'un silence. Je vous montrerai des choses que vous n'avez jamais eu l'occasion de voir dans votre triste capitale nordique. Je vous jure que vous aurez de quoi vous souvenir !

— Il s'agit d'une décision de l'empereur de Russie ou d'un simple vœu du prince Karl ? demanda le journaliste vétilleux.

— Le souhait de Sa Majesté est amplement suffisant, coupa le colonel. Sans la Roumanie et sans sa valeureuse armée de dix mille hommes, les Russes sont impuissants. Sachez, monsieur le journaliste, qu'un grand avenir attend mon pays. Dans un délai très bref le prince Karl sera roi. Quant à votre serviteur, ajouta-t-il en se tournant vers Varia, il va devenir un personnage très important. Peut-être sera-t-il même sénateur. L'intransigeance dont j'ai fait preuve a été appréciée à sa juste valeur. Alors, qu'en est-il de notre promenade romantique ? J'insiste.

— Je vais y réfléchir, promit Varia en essayant de rester dans le vague et occupée surtout à savoir comment elle allait s'y prendre pour orienter la conversation dans la direction nécessaire.

A ce moment précis on vit arriver au restaurant Zourov et Paladin. Du point de vue des affaires, ils tombaient mal, mais Varia fut tout de même heureuse de les voir : en leur présence, Loukan allait en rabattre un peu.

En suivant le regard de la jeune femme, le colonel marmonna d'un air mécontent :

— Voilà maintenant que *Le Royal* est en train de devenir un hall de gare. On aurait dû passer dans un cabinet particulier.

— Bonsoir, messieurs, lança joyeusement Varia pour accueillir ses amis. Bucarest est une petite ville, n'est-ce pas ? Le colonel vient justement de nous vanter sa perspicacité. Il avait prédit que l'assaut de Plevna se solderait par un échec.

— C'est vrai ? demanda Paladin en considérant Loukan d'un regard attentif.

— Vous êtes ravissante, Varvara Andréevna, dit Zourov. Qu'est-ce que vous buvez ? Du Martel ? Garçon, des verres !

Le Roumain vida un verre de cognac et mesura les deux arrivants d'un regard sombre.

— Vous l'aviez prédit à qui ? Quand cela ? demanda McLaughlin.

— Dans un rapport adressé à son souverain, expliqua Varia. Et aujourd'hui la sagacité du colonel est appréciée à sa juste valeur.

— Servez-vous, messieurs, buvez ! (Loukan accompagna son invitation d'un geste généreux, puis il bondit de sa chaise.) Tout sera mis sur mon compte. Quant à mademoiselle Souvorova et à moi-même, nous allons faire un tour. Elle me l'a promis.

Paladin haussa les sourcils d'un air étonné tandis que Zourov, méfiant, s'écriait :

— Qu'est-ce que j'entends, Varvara Andréevna ? Vous allez faire un tour avec Lucas ?

Varia était à deux doigts de la panique. Partir avec Loukan, c'était perdre à jamais sa réputation, en plus on ne savait pas comment cela pouvait se terminer. Refuser revenait à compromettre sa mission.

— Je reviens tout de suite, messieurs, bredouilla-t-elle d'une voix blanche.

Et elle se dirigea d'un pas pressé vers la sortie. Il fallait qu'elle reprenne ses esprits.

S'arrêtant au milieu du foyer, devant la grande glace ornée de volutes de bronze, elle porta la main à son front brûlant. Que faire à présent ? Remonter dans sa chambre, s'enfermer à clé et ne pas ouvrir si l'on frappe. Pardon, Pétia ! Ne me jugez pas trop sévèrement, monsieur le conseiller titulaire ! Varia Souvorova ne vaut rien comme espionne.

La porte émit un grincement de mise en garde et, dans le miroir, juste dans son dos, apparut le visage rouge et furibond du colonel.

— Excusez-moi, mademoiselle, mais Mikhaïl Loukan ne se laisse pas traiter de la sorte. On peut dire que vous m'avez fait des avances, maintenant il vous a plu de me déshonorer publiquement. Vous vous êtes trompée de personnage ! Ici, vous n'êtes pas au press-club ! Ici, je suis chez moi.

Il n'y avait plus trace de la galanterie du futur sénateur. Les yeux bruns de Loukan jetaient des éclairs.

— Venez, mademoiselle, ma voiture est avancée.

Et une main brune, couverte de poils, aux doigts d'une force soudain surprenante, comme forgés en fer, se posa sur son épaule.

— Vous êtes fou, colonel ! Je ne suis pas une courtisane ! s'écria Varia en jetant des regards éperdus autour d'elle.

Il y avait pas mal de monde dans le foyer, essentiellement des hommes en veston d'été et des officiers roumains. Ils observaient avec curiosité la scène piquante mais ne donnaient nullement le sentiment d'être prêts à prendre la défense de la dame (d'ailleurs était-ce une dame ?).

Loukan dit quelques mots en roumain, et les spectateurs eurent un rire qui montrait qu'ils comprenaient.

— Tu as beaucoup bu, Maroussia ? demanda l'un d'entre eux en russe, et tous de rire de plus belle.

Le colonel prit fermement Varia par la taille et la conduisit si habilement vers la sortie qu'elle n'eut même pas la possibilité de résister.

— Vous êtes un malappris ! s'écria-t-elle en essayant de frapper Loukan.

Mais il eut le temps d'emprisonner son poignet. Son visage soudain tout proche du sien lui envoya une odeur mêlée de tabac et d'eau de Cologne. Je vais vomir, se dit Varia, paniquée.

Pourtant, à la seconde suivante, les bras du colonel relâchèrent d'eux-mêmes leur étreinte. Elle entendit un claquement sonore suivi d'un craquement épais, et son offenseur vola contre le mur. L'une de ses joues était rouge pour avoir reçu une gifle, l'autre blanche d'avoir essuyé un solide coup de poing. A deux pas de lui, épaule contre épaule, se tenaient Paladin et Zourov. Le correspondant se dégourdissait les doigts de la main droite, le hussard se frottait le poing de la main gauche.

— Un chat noir vient de passer entre les alliés, constata Hippolyte. Et ce n'est que le début. Tu ne t'en tireras pas avec ces deux coups sur la gueule, Lucas. Un comportement pareil avec une femme, ça finit avec des trous dans la peau.

Paladin, lui, ne dit rien, mais il ôta l'un de ses gants blancs qu'il lança au visage du colonel.

Loukan s'ébroua, se redressa, passa sa main sur sa pommette et regarda successivement les deux personnages, et Varia fut surtout frappée de constater que les trois hommes avaient l'air d'avoir complètement oublié son existence.

— Je suis provoqué en duel ? (Le Roumain parlait d'une voix sifflante, en ayant l'air d'articuler avec difficulté les mots français.) Dois-je me battre contre vous deux à la fois ou puis-je tout de même vous affronter successivement ?

— Choisissez celui que vous préférez, fit sèchement Paladin. Et si vous avez de la chance avec le premier, vous aurez affaire au second.

— Non, s'indigna le comte. Ce n'est pas correct. C'est moi le premier qui ai parlé de trous dans la peau, c'est sur moi que vous devez tirer.

— Tirer ? fit Loukan avec un vilain rire. Excusez-moi, monsieur le tricheur, mais c'est à moi que revient le choix des armes ! Je sais parfaitement que vous et monsieur le scribouillard, vous êtes des

153

tireurs d'élite. Mais ici, nous sommes en Roumanie, et nous nous battrons à la valaque.

Il cria quelque chose en s'adressant aux spectateurs, et l'on vit immédiatement plusieurs officiers
roumains sortir leur sabre de leur fourreau et le
leur tendre, pommeau en avant.

— Je choisis monsieur le journaliste, déclara le
colonel en faisant craquer ses doigts et en posant
la main sur la poignée de son arme. (De minute en
minute on le voyait qui retrouvait ses esprits et qui
devenait de plus en plus gai.) Prenez n'importe
laquelle de ces armes et venez me rejoindre dans
la cour. Je vais d'abord vous transpercer, vous,
après quoi je couperai les oreilles de monsieur le
bretteur.

Ses propos furent chaleureusement accueillis
par la foule, et il se trouva même quelqu'un pour
crier « hourrah ! ».

Paladin haussa les épaules et prit le sabre le plus
proche.

Mais les curieux furent tout à coup écartés par
McLaughlin :

— Arrêtez ! Charles, ne faites pas l'imbécile ! C'est
de la folie ! Il va vous tuer ! Le duel au sabre est un
sport des Balkans, vous ne le pratiquez pas !

— On m'a appris à faire de l'escrime au sabre,
et c'est presque la même chose, répondit le Français sans se troubler et tout en soupesant l'arme
qu'il venait de choisir.

Mais Varia retrouva enfin la parole :

— Messieurs, il ne faut pas ! Tout cela est ma
faute. Le colonel a un peu bu, mais il n'a pas voulu
m'offenser, j'en suis sûre. Mais arrêtez donc, ça
devient stupide à la fin ! Dans quelle situation vous
me placez ?

Mais sa voix eut beau vibrer d'accents plaintifs, sa demande n'eut pas le moindre effet. Sans même jeter un regard à la dame dont l'honneur était tout de même à l'origine de l'incident, le groupe d'hommes emprunta d'un pas ferme le couloir qui menait à la cour intérieure en échangeant force exclamations. Seul McLaughlin resta avec Varia.

— C'est idiot ! dit-il avec humeur. Monsieur a fait de l'escrime au sabre ! Moi, je connais l'usage que font les Roumains de leur arme. Ils ne se placent pas en tierce et ne commencent pas par inviter leur adversaire à se mettre en garde. Ils le découpent en rondelles comme du saucisson. Seigneur, une plume pareille qui disparaît, et aussi bêtement. Toujours cet orgueil démesuré des Français. Ce dindon de Loukan ne s'en tirera pas non plus. On va l'enfermer en prison où il restera jusqu'à l'amnistie qui fera suite à la victoire. Nous, en Grande-Bretagne...

— Mon dieu, mon dieu ! Que faire ? bredouillait Varia éperdue sans l'écouter. Je suis la seule coupable !

— La coquetterie, gente dame, est un bien vilain défaut, acquiesça soudain l'Irlandais avec légèreté. Déjà la guerre de Troie...

Un hurlement poussé en même temps par de nombreuses voix masculines parvint de la cour.

— Que se passe-t-il ? Ce n'est pas possible que ce soit déjà fini ! (Varia serra sa main contre son cœur.) Si vite ! Essayez d'aller voir, Seamus, je vous en conjure !

McLaughlin se tut. Il écoutait. Une angoisse se peignit sur son visage débonnaire. Il n'avait visiblement nulle envie d'aller voir dans la cour.

Mais Varia le pressa :

— Allez-y, qu'est-ce que vous attendez ? Il a peut-être besoin de soins médicaux. Comme vous êtes !

Elle se précipita dans le couloir, mais Zourov venait à sa rencontre, faisant sonner ses éperons.

— Quel malheur, Varvara Andréevna ! lui criat-il de loin. Quelle perte irréparable !

Certaine du pire, la jeune femme se laissa aller contre le mur, et son menton se mit à trembler.

— Comment avons-nous pu, nous les Russes, perdre la tradition du duel au sabre ! continuait à se lamenter Hippolyte. C'est beau, grandiose, impressionnant ! Ce n'est pas simplement pan-pan, et voilà l'affaire réglée. On assiste à un véritable ballet, à la récitation d'un poème, *La Fontaine de Bakhtchi Saraï*.

— Cessez de bêtifier, Zourov, fit Varia dans un sanglot. Dites-moi clairement ce qui s'est passé.

Le capitaine de cavalerie la regarda et regarda McLaughlin. Il était tout excité.

— Oh ! vous auriez dû voir cela ! Tout s'est joué en dix secondes. Je vous raconte : petite cour ombragée, sol carrelé, lumière des becs de gaz. Nous autres spectateurs tassés sur la galerie, en bas deux hommes seulement, Paladin et Lucas. Notre allié se livre à des exercices de voltige, il agite son sabre, dessine des huit dans le ciel, fait voler en l'air et fend en deux une feuille de chêne. La foule, enthousiaste, applaudit. Le Français est là qui attend sans bouger que notre paon ait fini sa parade. Soudain Lucas bondit en avant et dessine une clé de sol sur fond d'atmosphère, Paladin, lui, sans même bouger, juste en basculant légèrement son corps en arrière pour esquiver l'attaque,

156

donne un tout petit coup de sabre droit dans la gorge du Roumain, avec la pointe, je n'ai même pas eu le temps de voir. L'autre a fait un bruit de bulles et s'est affalé en avant, ses jambes ont eu plusieurs soubresauts, et c'est tout, et le voilà à la retraite sans pension. Fin du duel.

— Vous avez vérifié ? Il est vraiment mort ? demanda hâtivement l'Irlandais.

— Tout ce qu'il y a de plus mort ! confirma le hussard. Il y a tellement de sang qu'on dirait le lac Ladoga. Varvara Andréevna, ça ne va pas ? Vous êtes toute pâle ! Appuyez-vous sur moi.

Et il passa son bras autour des hanches de Varia, ce qui en l'occurrence venait à point nommé.

— Et Paladin ? arriva-t-elle à articuler.

L'air de rien, Zourov remonta son bras et répondit avec insouciance.

— Que voulez-vous qu'il lui arrive ? Il est parti se rendre à la kommandantur. Il est sûr qu'on ne va pas le féliciter. Ce n'est pas un élève d'une école militaire qu'il a raccourci, mais un colonel. On va le renvoyer en France, et ça dans le meilleur des cas. Attendez, je vais vous défaire un bouton, vous respirerez mieux.

Varia ne voyait rien, n'entendait rien. Elle se disait qu'elle était couverte de honte. Qu'elle avait perdu à jamais le titre de femme honnête. Voilà où cela l'avait conduite de jouer avec le feu, de faire l'espionne. Elle n'était qu'une imbécile sans cervelle, et les hommes étaient des brutes. Un être humain venait d'être tué par sa faute, et elle ne verrait plus jamais Paladin. Mais le pire était que le fil qui menait à la toile d'araignée ennemie était rompu.

Qu'allait dire Eraste Pétrovitch ?

Chapitre huitième,

où Varia rencontre l'ange de la mort

Le *Messager du gouvernement*

(Saint-Pétersbourg)
30 juillet (11 août) 1877

Bien que victime de l'épidémie d'entérite et souffrant douloureusement de dysenterie, le souverain a passé ces derniers jours à visiter les hôpitaux qui regorgent de blessés et de soldats malades du typhus. Sa Majesté impériale montre à l'égard des hommes une sympathie si sincère qu'on ne peut qu'être ému. Les jeunes soldats se jettent sur les cadeaux qu'il apporte comme des enfants, manifestant leur joie de la manière la plus ingénue, et l'auteur de ces lignes a eu à maintes reprises l'occasion de voir les beaux yeux bleus du souverain s'embuer de larmes. On ne saurait assister à ces visites sans se sentir envahi par une vénération attendrie.

Voici ce que dit Eraste Pétrovitch :

— Vous en av-v-vez mis du temps à revenir, Varvara Andréevna. Que de choses intéressantes vous avez manquées ! Dès réception de v-v-votre télégramme, j'ai donné l'ordre de fouiller soigneusement la tente et les affaires du mort. Cette fouille n'a rien donné d'intéressant. En revanche, avant-hier nous avons reçu de Bucarest les documents que Loukan portait sur lui. Là...

Varia leva craintivement les yeux pour regarder pour la première fois en face le conseiller titulaire. Dans le regard de Fandorine, elle ne lut ni pitié ni, ce qui aurait été pire, mépris ; rien que de la concentration et, peut-être, un certain entrain. Son soulagement fit immédiatement place à de la honte : elle avait tardé, craignant de revenir au camp, pleurnichant sur sa précieuse réputation et oubliant totalement de penser aux affaires, pauvre égoïste !

— Parlez, mais parlez donc, fit-elle, impatiente, alors que Fandorine observait avec intérêt la larme qui glissait lentement le long de sa joue.

— P-p-pardonnez-moi vraiment de vous avoir entraînée dans une histoire pareille, dit-il d'un air coupable. Je m'attendais à t-t-tout, sauf à cela...

Sentant que si la conversation ne prenait pas sur-le-champ un tour sérieux, elle n'allait pas manquer de fondre en sanglots, Varia lui coupa la parole avec humeur :

— Qu'avez-vous découvert dans les papiers de Loukan ?

Soit parce que l'éventualité d'une crise de larmes lui était aussi apparue, soit parce qu'il considérait le sujet comme épuisé, Fandorine ne revint pas sur l'épisode de Bucarest.

— Des notes intéressantes dans son carnet. Regardez.

Il sortit de sa poche un joli petit carnet relié en brocart qu'il ouvrit à une page marquée, et Varia put parcourir des yeux une colonne de chiffres et de lettres :

$$19 = Z - 1500$$
$$20 = Z - 3400 - i$$
$$21 = J + 5000 \, Z - 800$$
$$22 = Z - 2900$$
$$23 = J + 5000 \, Z - 700$$
$$24 = Z - 1100$$
$$25 = J + 5000 \, Z - 1000$$
$$26 = Z - 300$$
$$27 = J + 5000 \, Z - 2200$$
$$28 = Z - 1900$$
$$29 = J + 15000 \, Z + i$$

Elle relut la page plus lentement, puis une nouvelle fois encore. Elle avait terriblement envie de faire preuve d'acuité d'esprit.

— C'est codé ? Non, les chiffres se suivent... Est-ce une liste ? Des numéros de régiments ? Un nombre de soldats ? Ou alors les pertes et les renforts obtenus ? Le front froncé, elle ne s'arrêtait plus. Loukan était donc tout de même un espion. Mais que signifient les lettres « Z », « J » et « i » ? Ce sont peut-être des formules ou des équations ?

— Vous flattez le mort, Varvara Andréevna. C'est beaucoup plus simple. Si ce sont des équations, elles sont des plus élémentaires. Des équations à une seule inconnue !

— Une seule inconnue ? s'étonna Varia.

— Regardez plus soigneusement. La première colonne comporte des chiffres, et Loukan les fait suivre de deux traits. Du 19 au 29 juillet selon le calendrier occidental. A quoi s'est occupé le colonel durant ces dix jours ?

— Comment voulez-vous que je le sache ? Je ne l'ai pas surveillé. (Varia réfléchit.) Il a dû se rendre à l'état-major, circuler sur la ligne du front.

— Je n'ai pas vu une seule fois Loukan se rendre sur la l-l-l-igne du front. En fait je ne l'ai jamais rencontré qu'en un seul lieu.

— Le club ?

— Très précisément. Et qu'y faisait-il ?

— Rien, il jouait aux cartes.

— B-b-bravo, Varvara Andréevna.

Elle regarda la liste une nouvelle fois.

— Ainsi il aurait noté ses gains et ses pertes. Le « Z » est toujours suivi d'un moins, le « J » d'un plus. Il notait donc après le « Z » ses pertes, après le « J » ses gains. C'est tout ? (Déçue, Varia haussa les épaules.) Mais où voit-on son travail d'espion ?

— Il n'y a pas de travail d'espion. L'espionnage est un art savant, ici nous n'avons affaire qu'à une corruption de bas étage et à une trahison. Le 19 juillet, à la veille de la première bataille de Plevna, le club s'est enrichi du bretteur Zourov, et Loukan s'est piqué au jeu.

— Ainsi donc « Z » c'est Zourov ? s'écria Varia. Attendez... (Les yeux fixés sur les chiffres, elle calcula à mi-voix :) Quarante-neuf... et je retiens sept... cent quatre... (Elle fit la somme :) En tout, il aurait perdu face à Zourov quinze mille huit cents roubles. Ça a l'air de coller. Hippolyte aussi, souvenez-vous, parlait de quinze mille roubles. Mais que signifie le « i » ?

— Je sup-pose qu'il s'agit de sa célèbre bague, *inel* en roumain. Le 20, Loukan l'a perdue, le 29, il l'a récupérée.

— Alors, que représente le « J » ? dit Varia en se frottant le front. Je n'ai pas le souvenir d'avoir vu de joueur dont le nom commençait par un « J ». Cet homme aurait perdu au bénéfice de Loukan... Oh ! là ! là ! trente-cinq mille roubles ! Je ne me souviens pas que le colonel ait fait un gain semblable. Il s'en serait certainement vanté.

— En l'occurrence il n'y avait pas de quoi se vanter. Il s'agit là non pas d'un gain, mais d'honoraires venant payer une trahison. La première fois, c'est le 21 juillet, le jour où le colonel s'est fait battre à plate couture par Zourov, que le mystérieux « J » lui a remis de l'argent. Par la suite, le défunt a reçu de son protecteur inconnu cinq mille roubles le 23, le 25 et le 27. Soit un jour sur deux. Et c'est ce qui lui a permis de continuer à jouer contre Hippolyte. Le 29, Loukan a reçu quinze mille roubles d'un coup. On se demande pourquoi une si grosse somme, et pourquoi précisément le 29 ?

Varia poussa un petit cri, elle avait compris :

— Il a vendu le dispositif de la seconde attaque de Plevna ! L'assaut malheureux a eu lieu le 30 juillet, soit le lendemain !

— Bravo de nouveau ! Vous avez là le secret à la fois de la p-p-perspicacité de Loukan et de la surprenante précision de tir des Turcs qui ont décimé nos colonnes avant même qu'elles ne prennent position.

— Mais qui est ce « J » ? Est-ce que vous ne soupçonnez personne ?

— Bien sûr que si, marmonna Fandorine d'une voix à peine audible, je soupçonne bien quelqu'un... Mais pour le moment, ça ne colle pas.

— Autrement dit, il suffit d'identifier ce « J », Pétia retrouvera sa liberté, Plevna sera prise et la guerre finie ?

Eraste Pétrovitch réfléchit une minute, plissa son front lisse et répondit avec le plus grand sérieux :

— Votre chaîne logique n'est pas tout à fait correcte, mais en principe elle est exacte.

Ce premier soir, Varia n'osait pas se rendre au press-club. Il était certain que tout le monde l'accusait de la mort de Loukan (personne n'était au courant de sa trahison) ainsi que de l'exil du Français qui était unanimement apprécié. Après Bucarest, le journaliste n'était pas revenu au camp. Selon Eraste Pétrovitch, il avait commencé par faire de la prison, puis on lui avait donné vingt-quatre heures pour quitter le territoire de la principauté roumaine.

Dans l'espoir de rencontrer Zourov ou, au moins McLaughlin, et d'essayer de savoir par eux le degré de sévérité de l'opinion à son égard, la pauvre coupable tournait en rond autour de la tente décorée de petits drapeaux de toutes les couleurs, observant une distance de cent pas. Il n'y avait absolument aucun autre lieu de promenade, et elle n'avait pas du tout envie de retourner sous sa tente. Les deux infirmières, créatures délicieuses mais un peu limitées, allaient encore débattre sans fin pour savoir lesquels des médecins étaient adorables et lesquels étaient des peaux de vache, puis se demander si c'était pour de bon que le lieutenant Strumpf de la chambre seize qui venait de perdre un bras avait fait sa demande à Nastia Prianichnikova.

La portière de la tente se souleva, Varia aperçut une silhouette trapue vêtue de l'uniforme bleu des gendarmes et se détourna précipitamment, faisant mine d'admirer la vue devenue depuis fort longtemps odieuse du petit village de Bogot qui accueillait à présent l'état-major du commandement suprême. Quelle injustice ! Ce sale intrigant et cet opritchnik de Kazanzakis entre au club sans difficultés, tandis qu'elle, qui n'est jamais qu'une victime innocente des circonstances, erre dans la poussière du chemin comme un chien bâtard ! Varia secoua la tête d'indignation et prit la ferme décision de rentrer chez elle quand la voix pateline du Grec honni résonna dans son dos :

— Mademoiselle Souvorova ! Quelle heureuse rencontre !

Varia se retourna et fit la grimace, persuadée de voir l'inhabituelle amabilité du lieutenant-colonel laisser place immédiatement à une morsure de serpent.

Kazanzakis la regardait, ses grosses lèvres étirées en un sourire, et son regard était incompréhensible, presque à la limite de la sollicitation.

— Au club, on ne parle plus que de vous. On vous attend avec impatience. Ce n'est pas tous les jours, savez-vous, que des épées se croisent au nom d'une belle dame, et qui plus est avec une issue fatale.

Renfrognée et sur ses gardes, Varia attendait le piège, mais le gendarme lui souriait avec de plus en plus de douceur.

— Hier déjà le comte Zourov nous a dépeint l'épisode dans les couleurs les plus savoureuses, aujourd'hui, il y a cet article...

— Quel article ? interrogea Varia, qui commençait sérieusement à prendre peur.

— Mais c'est Paladin, notre ami banni, qui y est allé de toute une colonne dans *La Revue parisienne*.

Il y raconte son duel. C'est romantique en diable. On ne vous appelle plus que « *la belle mlle S** » .

— Mais alors (et la voix de Varia eut un léger tremblement), personne ne m'en veut ?

Kazanzakis fronça ses sourcils épais :

— Sauf peut-être McLaughlin et Erémeï Ionovitch. Mais le premier est connu pour son humeur bougonne ; quant au second, il vient rarement, si ce n'est en compagnie de Sobolev. Au fait, Pérépelkine a été décoré de la croix de Saint-Georges pour le dernier combat. On se demande quel mérite particulier il y a eu ? Voilà ce que c'est que de se trouver là où il faut quand il le faut.

Le lieutenant-colonel eut un claquement des lèvres rempli d'envie et passa prudemment à l'essentiel :

— Tout le monde se demande ce qu'est devenue notre héroïne, et voilà que la chère dame se consacre à d'importantes affaires d'Etat. Alors, qu'en dit notre si rusé monsieur Fandorine ? Quelles sont ses hypothèses concernant les mystérieuses inscriptions de Loukan ? Ne vous étonnez pas, Varvara Andréevna, je suis au courant. On a beau dire, je dirige tout de même la Section spéciale.

Ah ! voilà donc ce qu'il a en tête, se dit Varia en regardant le lieutenant-colonel par en dessous. Compte sur moi pour te lâcher le morceau, bonhomme ! Voyez-moi cette belle humeur, tout cela pour tirer les marrons du feu !

— Eraste Pétrovitch m'a bien expliqué quelque chose, mais je n'ai pas très bien compris, dit-elle avec un battement naïf des cils. Il est question d'un certain « Z » et d'un certain « J ». Mais demandez-le plutôt vous-même au conseiller titulaire. En tout

165

cas, Petr Afanassiévitch Iablokov n'est pas coupable, à présent c'est évident.

— Peut-être n'est-il pas coupable de trahison, mais il a certainement fait preuve d'une imprudence répréhensible. (Varia retrouva dans la voix du gendarme un cliquetis métallique qu'elle connaissait bien.) Qu'il reste encore un peu en prison, votre fiancé, cela ne lui fera aucun mal ! (Mais Kazanzakis changea immédiatement de ton, se souvenant sans doute qu'aujourd'hui il se produisait dans un autre emploi.) Tout cela va s'arranger ! Soyez assurée, Varvara Andréevna, que je n'ai pas d'orgueil mal placé et que je suis toujours prêt à reconnaître une erreur. Prenez par exemple l'incomparable monsieur Paladin. Oui, c'est vrai, je lui ai fait subir un interrogatoire, je l'ai soupçonné, et j'avais des motifs de le faire. Sa fameuse interview du colonel turc a poussé notre commandement à commettre un faux pas, des hommes sont morts. J'avais fait l'hypothèse que le colonel Ali Bey était un personnage mythique, inventé par le Français soit par vantardise de journaliste reporter, soit pour d'autres raisons moins innocentes. Maintenant je vois que j'ai été injuste. (Il baissa la voix et continua sur le ton de la confidence.) Nous avons reçu des informations de nos agents à Plevna. Osman Pacha a en effet auprès de lui un certain Ali Bey qui est son aide ou son conseiller. Cet homme ne se montre pratiquement jamais en public. Notre agent n'a pu l'apercevoir que de loin et n'a distingué qu'une barbe noire très épaisse et des lunettes teintées. D'ailleurs Paladin avait lui aussi mentionné sa barbe.

— Une barbe, des lunettes ? (Varia baissa elle aussi la voix.) Ne serait-ce pas, comment s'appelle-t-il, le fameux Anvar Effendi ?

— Chut !

Kazanzakis jeta alentour des regards nerveux et parla plus bas encore :

— Je suis certain que c'est lui. C'est un personnage très retors. Il s'est joué de notre correspondant dans les grandes largeurs en lui parlant des trois-quatre hommes qu'il avait à sa disposition alors que les forces essentielles n'allaient pas arriver de sitôt. Ce n'était pas un montage très compliqué, mais c'était intelligemment ficelé. Et nous, pauvres crétins, nous avons mordu à l'hameçon.

— Cela dit, si Paladin n'est pour rien dans la première défaite de Plevna et si Loukan qu'il a tué était un traître, c'est à tort que le journaliste a été renvoyé, n'est-ce pas ? demanda Varia.

— En effet, vous avez raison. Le malheureux n'a simplement pas eu de chance, conclut le lieutenant-colonel avec un geste de la main qui marqua son indifférence. Vous voyez, Varvara Andréevna, comme je suis franc avec vous. Je vous ai entre autres mise au courant d'une information secrète. Et vous, vous ne voulez pas me confier une simple bêtise. J'ai recopié la page du carnet de Loukan, et cela fait trois jours que je me creuse la tête sans parvenir à rien. J'avais d'abord pensé que c'était codé, mais cela n'en a pas l'air. Est-ce une énumération de corps de troupe ou l'indication de leurs mouvements ? Le chiffre de pertes ou de renforts ? Soyez gentille, dites-moi les résultats auxquels est parvenu Fandorine.

— Je ne vous dirai qu'une chose. C'est beaucoup plus simple que cela, lâcha Varia avec condescendance.

Et, réajustant son chapeau, elle prit d'une démarche légère la direction du press-club.

Les préparatifs du troisième et dernier assaut de la forteresse de Plevna occupèrent tout le mois d'août qui, cette année-là, fut particulièrement torride. Ils se déroulèrent dans le plus grand secret, ce qui n'empêcha pas tout le camp d'affirmer ouvertement que le combat aurait certainement lieu le 30, jour de la fête du souverain. Du matin au soir, l'infanterie et la cavalerie travaillaient dans les plaines et les collines avoisinantes à des manœuvres communes. Les routes étaient jour et nuit encombrées par des convois d'armes d'assaut et de campagne. Les jeunes soldats épuisés, avec leur vareuse mouillée de transpiration, leur képi gris de poussière et leur mouchoir dans le cou pour se protéger du soleil faisaient peine à voir, mais l'humeur générale était à la vengeance et à la gaieté : cette fois c'était la fin, notre patience était à bout. Les Russes mettent du temps à atteler, mais ils roulent vite, et cette sale petite mouche de Plevna allait voir s'abattre sur elle notre puissante poigne d'ours.

Au club comme au mess des officiers où Varia prenait ses repas, tout le monde était soudain devenu stratège : chacun dessinait des plans, faisait parade de sa connaissance des pachas turcs, se demandait où serait porté le coup essentiel. Sobolev était passé plusieurs fois, mais il ne se départait pas d'un air mystérieux et important, il ne jouait plus aux échecs, considérait Varia avec dignité et ne se plaignait plus de son triste destin. Un ami de l'état-major avait laissé entendre que, dans l'assaut qui se préparait, le major général allait être amené à jouer un rôle si ce n'est décisif, du moins d'une très grande importance et qu'il avait désormais sous ses ordres deux brigades et un régiment. Les mérites de Mikhaïl Dmitriévitch avaient donc fini par être reconnus.

Une grande animation régnait dans le camp, et Varia essayait de toutes ses forces de se pénétrer de cet entrain général. Bizarrement, elle n'y parvenait pas. A vrai dire, elle n'en pouvait résolument plus de toutes ces conversations sur les réserves, les dislocations et les communications. On ne la laissait toujours pas aller voir Pétia ; Fandorine était plus sombre que la nuit et ne répondait plus aux questions que par des sons inarticulés et inintelligibles ; Zourov n'apparaissait plus que dans le sillage de son patron, coulait à Varia les regards d'un loup emprisonné, adressait des grimaces pitoyables au garçon du club, mais ne jouait pas aux cartes et ne demandait rien à boire : une discipline de fer régnait dans le détachement de Sobolev. A mi-voix, le hussard avait confié à l'assemblée que « le gars Jérôme » avait pris en main « les choses et les gens » et qu'il ne laissait personne respirer. Quant à Mikhaïl Dmitriévitch, il le protégeait et l'empêchait de recevoir la bonne leçon qu'il méritait. Vivement l'assaut !

Le seul événement heureux de toutes ces journées avait été le retour de Paladin qui, finalement, avait attendu à Kichinev que les choses se tassent et, apprenant sa complète réhabilitation, s'était hâté de regagner le théâtre des opérations. Mais le Français lui-même, que Varia avait été si heureuse de retrouver, n'était plus comme avant. Il ne lui racontait plus d'histoires amusantes pour la distraire, évitait de parler de l'incident de Bucarest et passait son temps à courir dans le camp pour rattraper son mois d'absence, rédigeant article sur article pour sa revue. Bref, Varia avait sensiblement le même sentiment qu'au restaurant de l'hôtel *Royal* quand, sentant une odeur de sang, les hommes s'étaient déchaînés, oubliant totalement son existence. Cela ne faisait que confirmer une fois de plus que l'homme était par son être proche du monde animal, le principe animal s'exprimait en lui d'une manière plus évidente que chez la femme, c'est pourquoi c'est justement cette dernière qui, étant un être plus développé, plus fin et plus complexe, était la variante la plus authentique de l'*Homo sapiens*. Malheureusement, elle n'avait personne à qui faire part de ses réflexions. A l'écouter, les deux infirmières ne faisaient que pouffer en mettant leur main devant leur bouche ; quant à Fandorine, il hochait la tête d'un air distrait et en pensant à autre chose.

En un mot, ce fut pour elle une période d'ennui, morne et sans intérêt.

A l'aube du 30 août, Varia fut réveillée par un grondement terrible. C'était la première canonnade qui commençait. La veille, Eraste Pétrovitch lui avait expliqué qu'outre l'habituelle préparation d'artillerie, les Turcs allaient être soumis à une action psychologique — c'était dans l'art militaire un terme nouveau. Au premier rayon du soleil, au moment précis où le croyant doit adresser sa première prière à Allah, trois cents canons russes et roumains allaient ouvrir un feu roulant sur les fortifications turques. A neuf heures précises la canonnade devait cesser. Prévoyant une attaque, Osman Pacha allait faire monter en première ligne des forces neuves, mais voilà : les alliés n'allaient pas bouger, et le silence allait s'instaurer sur la plaine de Plevna. A onze heures zéro zéro, les Turcs perplexes allaient voir fondre sur eux une nouvelle rafale d'artillerie qui allait durer jusqu'à une heure de l'après-midi. Puis nouveau calme. L'ennemi emporte ses blessés et ses morts, répare à la va-vite les dégâts subis, fait avancer de nouveaux canons pour remplacer les anciens, mais l'attaque ne survient toujours pas. Les Turcs, qui n'ont pas les nerfs solides et qui, comme on le sait, sont capables d'une action forte et brève, mais ne résistent pas à un effort prolongé, commencent à s'affoler, la panique s'installe peut-être dans leurs rangs. Selon toute vraisemblance, la totalité de leur haut commandement se rassemble sur la ligne du front, braque les lunettes et n'y comprend rien. Et c'est à ce moment-là, à quatorze heures trente, qu'une troisième salve de canonnade assaille l'ennemi, après quoi, une heure après, les colonnes montent à l'assaut des Turcs épuisés par l'attente.

Varia se recroquevilla entre ses draps en imaginant les malheureux défenseurs de Plevna. Ce doit être affreux d'attendre un événement décisif une heure, deux heures, trois heures, toujours sans rien voir venir. Elle, elle n'y aurait pas tenu, elle en était sûre. C'était bien pensé, il n'y avait pas à dire, on ne pouvait pas ne pas leur reconnaître cela, à ces génies de l'état-major !

Ba-an ! Ba-an ! ban ! ban ! Il y en a pour un moment, se dit Varia. Il faudrait aller déjeuner.

Non avertis du plan subtil de la préparation d'artillerie, les journalistes étaient partis au front avant le lever du jour. Pour la position du point presse, il convenait de se mettre d'accord au préalable avec le commandement, et, au terme de longues discussions, il avait été décidé en majorité de demander à être placés sur une hauteur située entre Grivitsa, où se trouvait le centre des positions russes, et la route de Lovtcha, au-delà de laquelle s'étendait le flanc gauche. Dans un premier temps, la plupart des correspondants avaient demandé à être plus proches du flanc droit, car, de toute évidence, c'est là qu'allait être portée l'attaque essentielle, mais Paladin et McLaughlin avaient amené leurs collègues à changer d'avis, leur argument majeur étant que, même si le flanc gauche était destiné à ne jouer qu'un rôle secondaire, c'est là qu'était Sobolev, et les choses n'allaient donc pas s'y passer sans incidents pittoresques.

Ayant pris son petit déjeuner en compagnie des deux infirmières qui étaient toute pâles et qui sursautaient au moindre coup de feu, Varia partit à la recherche d'Eraste Pétrovitch. Il n'était pas à l'état-major, il n'était pas non plus à la Section spéciale, et ce n'est qu'en jetant à tout hasard un coup d'œil chez lui qu'elle le trouva installé bien tranquillement dans son fauteuil pliant, un livre à la main, en train de prendre son café en balançant au bout de son pied une mule en maroquin au bout redressé.

— Quand allez-vous sur la ligne de front ? demanda Varia en s'asseyant sur le lit parce que c'était le seul endroit où l'on pouvait s'asseoir.

Eraste Pétrovitch haussa les épaules. Il avait le visage tout rayonnant de belles couleurs. La vie du camp convenait parfaitement à l'ex-engagé volontaire.

— Vous n'allez tout de même pas rester ici toute la journée ? Paladin a dit que la bataille d'aujourd'hui allait être le plus grand assaut donné à une position forte de toute l'histoire mondiale. Plus grandiose que la prise du tertre de Malakoff.

— Votre Paladin aime à enj-j-joliver les choses, répondit le conseiller titulaire. Waterloo et Borodino ont été plus importants, sans parler de la Bataille des peuples de Leipzig.

— Vous êtes vraiment quelqu'un de pas comme les autres ! Le destin de la Russie se joue, des milliers d'hommes meurent. Lui, il reste là à lire un livre ! Pour finir, c'est immoral !

— Parce que vous t-t-trouvez qu'observer à distance et sans courir de risques la façon dont les gens s'entretuent est moral ? (O miracle ! un sentiment humain, de l'irritation, venait de se faire entendre dans la voix d'Eraste Pétrovitch !) M-m-merci bien, j'ai déjà eu l'occasion d'assister à pareil spectacle et même d'y prendre part. Et cela ne m'a pas plu. Je préfère rester en compagnie de Tacite.

Et il se plongea ostensiblement dans sa lecture. Varia bondit du lit, tapa du pied et prit la direction de la porte quand elle entendit Fandorine lui dire :

— Faites un peu att-ttention, d'accord ? Ne vous éloignez pas du poste des journalistes. On ne sait jamais.

Etonnée, elle s'arrêta et se retourna pour considérer Eraste Pétrovitch :

— Vous vous souciez de moi ?

— C'est vrai, Varvara Andréevna, quel besoin avez-vous d'y aller ? D'abord il y aura de longs tirs au canon, puis des hommes se précipiteront en avant et il y aura de tels nuages de poussière que vous ne verrez rien, vous entendrez seulement les uns crier « hourra ! » tandis que d'autres hurleront de douleur. Vous pensez comme c'est intéressant ! Notre travail à nous n'est pas là-bas, il est ici, à l'arrière.

Varia se souvint soudain d'un terme qui lui parut convenir à la situation :

— Planqué ! jeta-t-elle à Fandorine en le laissant seul avec son Tacite.

Elle n'eut aucune difficulté à trouver la petite hauteur sur laquelle avaient pris place les correspondants de guerre ainsi que les observateurs des pays neutres. De la route entièrement occupée par des chariots lourdement chargés de munitions, elle aperçut au loin le grand drapeau blanc qui se balançait mollement au vent et, à ses pieds, une grande concentration de gens : une centaine de personnes sans doute, si ce n'est plus. Le responsable du secteur, un capitaine à la voix cassée à force de crier, qui portait un brassard rouge et dont la fonction était de diriger les convois de munitions dans les différentes directions, eut un sourire rapide et un petit geste de la main en direction de la jolie jeune fille en chapeau de dentelle :

— Par là, mademoiselle, par là ! Et surtout ne vous écartez pas de ce chemin. L'artillerie ennemie respecte le drapeau blanc, mais partout ailleurs on n'est jamais à l'abri d'un mauvais coup. Allons, allons, où vas-tu, bougre de crétin ! J'ai dit les obus de quatre livres au sixième !

Varia toucha les rênes du gentil petit cheval roux emprunté à l'infirmerie et prit la direction du drapeau tout en jetant autour d'elle des regards curieux.

Au pied de la chaîne de collines derrière lesquelles s'étendaient les abords de Plevna, toute la
plaine était parsemée de petits îlots. C'était l'infanterie qui, déployée en compagnies, attendait dans
l'herbe l'ordre d'attaquer. Les soldats échangeaient
quelques mots à voix basse, de loin en loin se faisait entendre un rire plus fort qui sonnait faux. Les
officiers, regroupés à plusieurs, fumaient. Les uns
et les autres accompagnaient Varia qui passait en
amazone sous les regards étonnés et méfiants,
comme si elle avait été un être d'un monde diffé-
rent et irréel. Devant cette campagne tout en mouvements et en bruissements, la jeune fille ressentit
un malaise. Elle vit très distinctement l'ange de la
mort voler au-dessus de l'herbe poussiéreuse, examinant les hommes et marquant certains visages
de son sceau invisible.

Donnant du talon à son cheval, elle traversa au
plus vite cette sinistre salle d'attente.

Au poste d'observation, en revanche, chacun
était excité et rempli d'une attente joyeuse. Il
régnait une atmosphère de pique-nique, et certains
d'ailleurs, ayant pris place autour de nappes blanches posées par terre, étaient occupés à manger de
bon appétit.

Elle fut accueillie par Paladin qui venait de regagner le camp et qui était aussi émoustillé que les
autres :

— Je commençais à me demander si vous alliez
venir !

Varia remarqua qu'il avait aux pieds ses célèbres
bottes rousses.

— Nous sommes là comme des imbéciles depuis
le lever du soleil, tandis que les officiers russes

n'ont commencé à arriver que vers midi. Monsieur Kazanzakis nous a fait la grâce de venir nous rejoindre il y a un quart d'heure, et c'est lui qui nous a appris que l'attaque n'allait commencer qu'à trois heures. (Le journaliste était d'excellente humeur et n'avait visiblement nulle envie de se taire.) Je vois que vous aussi, vous connaissiez ces dispositions d'avance. Ce n'est pas bien, mademoiselle Barbara, vous auriez pu m'avertir en ami. Savez-vous que je me suis levé à quatre heures du matin et que, pour moi, c'est pire que la mort ?

Le Français aida la jeune fille à descendre de son cheval, l'installa sur une chaise pliante et se lança dans des explications.

— Tenez, là-bas, sur la hauteur qui nous fait face, ce sont les positions fortes des Turcs. Vous voyez les obus qui éclatent et qui font comme des fontaines. C'est là le point central de leur position. L'armée russo-roumaine s'est étirée en une ligne droite d'une quinzaine de kilomètres, mais d'ici nous ne pouvons voir qu'une partie de cet énorme dispositif. Regardez cette colline arrondie. Non, pas celle-là, l'autre sur laquelle vous voyez une tente blanche. C'est le point de commandement, le quartier général provisoire. C'est là que se tiennent le prince Karl de Roumanie, commandant du détachement occidental, le grand-duc Nikolaï, commandant en chef, et l'empereur Alexandre lui-même. Oh ! ça y est, ils lancent des fusées ! Quel beau spectacle, non !

Au-dessus de la plaine vide qui séparait les armées ennemies, des bandes de fumée dessinèrent des arcs pointus, comme si quelqu'un avait découpé le ciel en tranches, comme une pastèque

176

ou une brioche. Varia leva la tête et vit très haut en l'air trois ballons de couleur. Le premier était tout proche, le second plus loin, au-dessus du quartier général de l'empereur, le troisième, lui, était à la ligne d'horizon.

— Ce sont des ballons grâce auxquels on corrige le tir de l'artillerie par le moyen de petits fanions qui servent de repères, expliqua Kazanzakis qui venait de s'approcher.

Le gendarme était encore plus désagréable à regarder que d'habitude. D'excitation, il faisait craquer ses doigts, ses narines se dilataient nerveusement. Le vampire percevait une odeur de sang humain ! Varia tira ostensiblement sa chaise plus loin, mais le lieutenant-colonel fit mine de ne pas remarquer sa manœuvre et revint vers elle, le doigt pointé dans la direction où, derrière la rangée de collines, le fracas des armes était le plus fort.

— Notre ami commun Sobolev a fait des siennes comme d'habitude. Selon le plan, son rôle était de retenir l'attention de la redoute de Krichine, pendant que l'essentiel des troupes allaient frapper au centre. Mais le vaniteux n'a pas eu la patience d'attendre. Faisant fi des instructions, il s'est lancé dès le matin dans une attaque frontale. Non seulement il a perdu contact avec le reste de l'armée dont il est coupé par la cavalerie turque, mais il risque d'avoir compromis toute l'opération. Qu'est-ce qu'il va prendre !

Kazanzakis tira de sa poche sa montre en or, arracha son képi d'un geste qui dénotait l'émotion et fit le signe de croix.

— Il est trois heures. Ils vont monter à l'attaque.

En se retournant, Varia vit que toute la plaine s'était mise en mouvement : les petits îlots de

177

vareuses blanches s'agitaient, se regroupant rapidement sur une ligne. Au pied de la colline passaient en courant des hommes pâles précédés d'un officier d'un certain âge portant une longue moustache et dont le boitillement ne ralentissait pas l'allure.

— Ne traînez pas ! Plus haut les sabres ! cria-t-il d'une voix perçante en se retournant. Sémentsov, gare à toi ! Je t'arracherai la tête !

De nouvelles colonnes passaient déjà à proximité, mais Varia continuait à accompagner du regard la première, avec son commandant d'un certain âge et ce Sémentsov qu'elle ne connaissait pas.

La compagnie se déploya en une ligne et courut lentement en direction de la lointaine redoute au sommet de laquelle des fontaines de terre se cabraient de plus belle.

— Qu'est-ce qu'il va leur mettre ! dit une voix à côté d'elle.

Au loin dans la plaine, les obus éclataient de plus en plus nombreux, une fumée qui couvrait le sol empêchait de voir, mais la compagnie de Varia courait pour le moment sans obstacles, et personne n'avait l'air de lui tirer dessus.

— Vas-y, Sémentsov, vas-y ! murmurait la jeune femme en serrant les poings.

Bientôt l'ensemble des colonnes déployées dans la plaine l'empêchèrent de voir la « sienne ». Mais quand l'espace vide jusque-là qui s'étendait devant la redoute fut occupé jusqu'à la moitié par des vareuses blanches, juste au milieu de la masse humaine, tels des petits buissons bien rangés, des obus éclatèrent : un premier, un deuxième, un troisième, un quatrième. Puis, un peu plus près, une nouvelle fois : un premier, un deuxième, un troisième, un quatrième. Puis d'autres, puis d'autres encore.

— Ils ont un feu nourri ! entendit-elle. Voilà ce qu'a donné la préparation d'artillerie. Ils auraient mieux fait de ne pas faire les malins avec ces nouvelles idées psychologiques, mais de taper sans relâche !

— Ils battent en retraite ! Ils reculent !

Kazanzakis attrapa l'épaule de Varia qu'il serra très fort.

Indignée, elle le toisa de bas en haut, mais comprit bien vite qu'il n'avait plus sa tête. Se libérant tant bien que mal, elle regarda en direction de la plaine.

Celle-ci était dissimulée par une couche de fumée dans laquelle scintillaient des taches blanches et volaient des mottes de terre noire.

Sur la hauteur, ce fut le silence. Emergeant du brouillard bleuâtre, une foule silencieuse courait, passant des deux côtés du poste d'observation. Varia vit du rouge sur les vareuses blanches et rentra la tête dans ses épaules.

La fumée se dispersait peu à peu. Bientôt on put découvrir la plaine couverte des trous noirs des explosions et des points blancs des vareuses. En regardant plus soigneusement, Varia s'aperçut que les points blancs bougeaient, et elle entendit une plainte sourde qui avait l'air de monter de la terre elle-même. Les canons venaient justement de se taire.

— La première phase de l'opération est achevée, dit l'officier qui avait été attaché aux journalistes

179

par l'état-major général. Osman est solidement implanté. Il faudra se donner du mal. On va reprendre la préparation d'artillerie, après quoi on remonte.

Varia fut prise d'une nausée.

Chapitre neuvième,
où Fandorine se fait lancer par ses supérieurs

Les Nouvelles russes (Saint-Pétersbourg)

31 août (12 septembre) 1877

... Ayant en tête les propos paternels que venait de lui prodiguer son commandant aimé, le valeureux soldat s'écria : « Mikhaïl Dmitriévitch, je mourrai, mais le message sera transmis ! » Ce jeune héros de dix-neuf ans sauta sur son coursier et partit au galop sur la plaine caressée par des vents de plomb, en direction des forces centrales de l'armée dont le séparaient les Bachi-Bouzouks, tapis dans un pli du terrain. Les balles sifflaient au-dessus de sa tête, mais il n'en finissait pas d'éperonner sa monture bouillonnante en murmurant : « Plus vite ! Plus vite ! C'est de moi que dépend l'issue du combat ! »

Le destin fatal est hélas plus puissant que la bravoure. Des coups de feu nourris claquèrent, et le vaillant messager s'effondra sur le sol. Couvert de sang, il sauta sur ses jambes et courut vers l'ennemi, brandissant son épée, mais déjà les Bachi-Bouzouks l'assaillaient en grand nombre, tels des milans noirs. Ils le jetèrent à terre et durant un long moment, avec une cruauté sans nom, s'employèrent à hacher de leurs sabres le corps privé de vie.

Ainsi mourut Serge Véréchtchaguine, le frère du célèbre peintre.

Ainsi disparut un talent très prometteur dont le destin était de ne pas se déployer dans toute sa force.

Ainsi périt le troisième messager dépêché par Sobolev au souverain...

Vers sept heures du soir, Varia se retrouva au fameux croisement où, cette fois, à la place du capitaine à la voix enrouée, c'était un lieutenant à la voix tout aussi cassée qui dirigeait les opérations. Sa tâche était encore plus malaisée car il s'agissait à présent de coordonner deux flux contraires : comme la première fois des chariots de munitions étaient acheminés au front, mais en même temps, du front, on évacuait les blessés.

Ayant assisté à la première attaque, la jeune fille avait flanché, comprenant qu'elle ne supporterait pas une seconde fois un spectacle pareil, et elle avait voulu regagner l'arrière. En route, elle avait d'ailleurs versé quelques larmes, heureuse de n'avoir personne à proximité pour la voir pleurer. Elle hésitait cependant à retourner au camp. Elle avait honte.

La malheureuse ne se ménageait pas les reproches : pauvre mimosa fragile, petite mijaurée, sexe faible. Tu savais pourtant bien que tu allais à la guerre et non pas à la parade de Pavlovsk. En même temps, elle ne voulait surtout pas faire plaisir au conseiller titulaire qui, finalement, avait eu raison une fois de plus.

182

En fin de compte, elle rebroussa chemin.

Elle allait au pas et, au fur et à mesure que les bruits du combat se rapprochaient, elle avait le cœur qui se serrait. Au centre de la ligne de front, les coups de feu avaient pratiquement cessé, et on n'entendait plus que le grondement des canons. En revanche, sur la route de Lovtcha où, coupé des autres, se battait le détachement de Sobolev, les salves se succédaient et, bien que faiblement audible à cette distance, un hurlement incessant de voix humaines nombreuses se faisait entendre. Le général Michel rencontrait visiblement de sérieuses difficultés.

Soudain Varia tressaillit : McLaughlin, tout éclaboussé de boue, sortait des buissons. Son chapeau était parti sur le côté, il avait le visage tout rouge et le front inondé de sueur.

— Alors ? Comment ça se passe ? demanda Varia en attrapant le cheval de l'Irlandais par la bride.

— Je crois que ça va, répondit-il en s'essuyant les joues avec son mouchoir. Ouf ! je me suis enfoncé dans des broussailles, et j'ai bien cru que je ne m'en sortirais jamais !

— Comment ça, ça va ? Les redoutes sont prises ?

— Non, au centre les Turcs ont résisté, mais il y a une vingtaine de minutes, le comte Zourov est passé à proximité de notre poste d'observation. Pressé de rejoindre l'état-major de l'empereur, il s'est contenté de nous lancer : « Victoire ! Nous sommes entrés dans Plevna ! Je n'ai pas le temps de m'arrêter, messieurs, car je suis porteur d'un message de la plus grande urgence ! » Monsieur

Kazanzakis lui a emboîté le pas. Ce monsieur est un grand vaniteux, et il veut certainement être aux côtés de celui qui va annoncer une bonne nouvelle, on ne sait jamais, il pourrait toujours en retirer un petit bénéfice. (McLaughlin hocha la tête avec désapprobation.) Recueillant l'information, ces messieurs les journalistes sont partis en courant — vous savez bien que, pour ces cas-là, chacun a son homme parmi les télégraphistes — et je vous assure qu'à cette minute même des télégrammes annonçant la prise de Plevna volent en direction des diverses rédactions.

— Et vous, pourquoi êtes-vous ici ?

Le correspondant répondit avec dignité :

— Moi, mademoiselle Souvorova, je ne me précipite jamais. Je prends toujours mon temps. Il faut commencer par se renseigner en détail. Aussi, au lieu d'une annonce brève, j'enverrai tout un article qui passera dans la même livraison du matin que leurs petits télégrammes.

— On peut donc retourner au camp ? demanda Varia, soulagée.

— Je suppose que oui. Nous en apprendrons plus à l'état-major que dans cette savane. D'ailleurs il va bientôt faire nuit.

Malheureusement, à l'état-major, on ne savait rien de précis. Aucune information sur la prise de Plevna n'était parvenue du quartier général, et il apparaissait au contraire que l'attaque avait été repoussée sur tous les points essentiels et que les pertes étaient colossales, vingt mille hommes au moins. On racontait que le souverain était on ne peut plus abattu et, interrogés sur une éventuelle victoire de Sobolev, les officiers se contentaient de faire un geste de dénégation : comment ce général, qui ne disposait que de deux brigades, aurait-il pu prendre Plevna, quand les soixante bataillons du centre et du flanc droit n'avaient même pas réussi à occuper la première ligne des redoutes ?

Personne n'y comprenait rien. McLaughlin triomphait, fier de sa prudence ; quant à Varia, elle en voulait à Zourov qui n'était qu'un vantard, un menteur, et qui avait raconté n'importe quoi en semant la confusion générale.

La nuit tomba, et les généraux, maussades, rallièrent l'état-major. Varia aperçut Nikolaï Nicolaévitch qui se rendait dans la tente du département des Opérations avec ses officiers d'ordonnance. Son visage chevalin, encadré par d'épais favoris, était dévoré de tics.

A voix basse, on échangeait des informations sur les énormes pertes subies : c'était le quart de l'armée qui était tombé, mais à voix haute on ne parlait que de la conduite héroïque des soldats et des officiers.

Il était plus de minuit quand Fandorine retrouva Varia. Il avait un air très sombre.

— Venez, Varvara Andréevna. Le haut commandement désire nous voir, dit-il.

— Moi aussi ?

— Oui. Ils veulent voir la Section spéciale au grand complet, y compris nous deux.

Et ils gagnèrent d'un pas pressé la maisonnette en terre battue dans laquelle était localisé le service du lieutenant-colonel Kazanzakis.

Dans la pièce que Varia connaissait bien se trouvaient rassemblés tous les officiers collaborateurs de la Section spéciale du détachement occidental, mais leur supérieur n'était pas là.

En revanche, renfrogné d'une manière menaçante, trônait à la table Lavrenty Arkadiévitch Mizinov en personne.

— Ha ! ha ! monsieur le conseiller titulaire nous fait l'honneur d'être là avec madame sa secrétaire, fit-il avec fiel. Bon, c'est parfait, il ne nous reste plus qu'à attendre Son Excellence monsieur le lieutenant-colonel, et on pourra commencer. Où est Kazanzakis ? tonna-t-il.

— Personne n'a vu Ivan Kharitonovitch ce soir, répondit timidement l'aîné des officiers.

— Bravo ! Ah ! ils sont bons, les défenseurs des secrets d'Etat !

Mizinov bondit de sa chaise et fit quelques pas dans la pièce en faisant claquer ses bottes.

— Ce n'est pas une armée, c'est un campement de foire ! Un cirque ambulant ! Dès qu'on a besoin de voir quelqu'un, on vous répond qu'il n'est pas là. Tout le monde a disparu ! On ne trouve jamais personne !

— Votre Excellence, v-v-vous parlez par énigmes. De quoi s'agit-il ? demanda Fandorine d'une voix basse.

— Je n'en sais rien, Eraste Pétrovitch, je n'en sais rien ! s'écria Mizinov. J'espérais que monsieur Kazanzakis et vous-même pourriez me donner une explication. (Il se tut un moment puis, faisant un effort pour se reprendre, continua plus calmement.) Bon, nous n'attendons plus personne. Je sors de chez le souverain où j'ai assisté à une scène des plus curieuses : le major général Sobolev le second, de la suite de Sa Majesté le tsar, s'en est

186

pris en hurlant à Sa Majesté impériale ainsi qu'à Son Excellence le frère du tsar, et le souverain et le commandant en chef ont fait de leur mieux pour essayer de se justifier devant lui.

— Ce n'est pas possible ! fit l'un des gendarmes, au comble de l'ahurissement.

— Silence ! vociféra le général. Taisez-vous, et écoutez-moi. On sait maintenant que, peu après trois heures, s'étant emparé de la redoute de Krichinsk à la suite d'une attaque frontale, le détachement de Sobolev a effectué une percée dans la région sud de Plevna, pénétrant dans les arrières du gros des troupes turques. Malheureusement il a été obligé de s'arrêter, ne disposant ni d'assez de sabres ni d'une artillerie suffisante. Sobolev a à plusieurs reprises envoyé des messagers pour exiger des renforts immédiats, mais les Bachi-Bouzouks les ont chaque fois interceptés. Finalement, sur les coups de six heures, son officier d'ordonnance Zourov, accompagné d'une cinquantaine de Cosaques, a réussi à passer. Les Cosaques sont retournés auprès de Sobolev, où chaque homme comptait, et Zourov a continué seul en direction du quartier général. Ils attendaient des renforts d'une minute à l'autre, mais en vain. Et il n'y a là rien d'étonnant puisque Zourov n'a jamais atteint le quartier général et que la nouvelle de la victoire du flanc gauche ne nous est jamais parvenue. Le soir, les Turcs ont effectué une dislocation et se sont jetés sur Sobolev avec toute la force de leurs armes, ce qui fait que, vers minuit, ayant perdu une bonne partie de ses hommes, Sobolev a dû battre en retraite pour reprendre sa position de départ. Et pourtant on tenait Plevna ! J'adresse donc ici une question à tous les présents : où a pu passer l'officier d'ordonnance Zourov, qui a disparu en plein jour au centre même de notre dispositif ? Qui peut m'apporter une réponse ?

— Le lieutenant-colonel Kazanzakis, sans doute, dit Varia.

Et toute l'assistance se tourna vers elle. Emue, elle rapporta ce que lui avait dit McLaughlin.

Après une longue pause, le chef des gendarmes s'adressa à Fandorine :

— Vos conclusions, Eraste Pétrovitch ?

— La bataille est perdue, et il est trop tard pour s'arracher les cheveux. Ce genre d'émotions handicape l'instruction, répondit sèchement le conseiller titulaire. Et voilà ce qu'il faut f-f-faire. Diviser le territoire qui sépare le poste d'observation des journalistes du quartier général en carrés. Et de un. Passer au peigne fin chacun de ces carrés dès les premiers rayons du soleil. Et de deux. En cas de découverte des cadavres de Zourov ou de Kazanzakis, ne rien toucher et ne pas piétiner le sol autour. Et de trois. A tout hasard, rechercher les deux hommes dans les hôpitaux parmi les blessés graves. Et de quatre. P-p-pour le moment, Lavrenty Arkadiévitch, il n'y a rien d'autre à faire.

— Et quelles sont vos hypothèses ? Que dois-je rapporter au souverain ? S'agit-il d'une trahison ?

Eraste Pétrovitch eut un soupir :

— Il s'agirait plutôt d'une d-d-diversion. Cela dit, c'est demain matin que l'on y verra clair.

Cette nuit-là, personne ne dormit. Les tâches étaient nombreuses. Penchés sur une carte, les collaborateurs de la Section spéciale divisèrent le territoire en carrés d'une demi-verste de côté et composèrent les équipes d'investigation ; quant à Varia, elle se rendit dans les six hôpitaux et infirmeries pour faire le point sur les officiers qui avaient été amenés sans connaissance. Durant cette nuit, elle se trouva confrontée à tant de choses horribles qu'au matin elle était plongée dans un étrange état d'insensibilité hébétée. Mais elle ne retrouva ni Zourov ni Kazanzakis. En revanche elle eut l'occasion de voir bien des visages connus, parmi lesquels Pérépelkine. Le capitaine avait, lui aussi, tenté de franchir les lignes ennemies pour aller chercher des renforts, mais il avait reçu un coup de yatagan dans la clavicule. Il n'avait pas de chance avec les Bachi-Bouzouks. Il était dans un lit, pâle, malheureux, et ses yeux bruns, enfoncés dans leur orbite, avaient un regard presque aussi triste que le jour de leur première et inoubliable rencontre. Varia se précipita vers lui, mais il se détourna sans rien dire. Pourquoi cette inimitié ?

Le premier rayon du soleil trouva Varia assise sur un banc devant la Section spéciale. Fandorine l'avait installée là presque de force, lui intimant l'ordre de se reposer, et, son corps lourd et engourdi collé au mur, elle s'était abandonnée à un demi-sommeil trouble et douloureux. Ses membres lui faisaient mal, elle avait le cœur au bord des lèvres. C'étaient les nerfs et cette nuit blanche, il n'y avait pas de quoi s'étonner.

Il faisait encore nuit quand les équipes de recherche se dispersèrent, chacune gagnant son carré, et à sept heures un quart un envoyé se présenta au galop, venant du territoire quatorze. Il pénétra au pas de course dans la maisonnette, et Fandorine en sortit immédiatement, boutonnant sa tunique en marchant.

— Venez, Varvara Andréevna, on a retrouvé Zourov, lui lança-t-il brièvement.

— Il a été tué ? fit-elle dans un sanglot.

Eraste Pétrovitch ne répondit pas.

Le hussard était couché à plat ventre, la tête tournée sur le côté. De loin déjà, Varia aperçut le manche en argent d'un couteau cosaque enfoncé dans son omoplate gauche et ayant causé sa mort. Mettant pied à terre, elle vit l'homme de profil : son œil ouvert qui exprimait l'étonnement avait un bel éclat de verre, sa tempe, déchiquetée par un coup de feu, était noircie par la brûlure de la poudre.

Varia eut un nouveau sanglot sans larmes et se détourna pour ne plus voir ce spectacle.

— Nous n'avons touché à rien, comme vous en aviez donné l'ordre, monsieur Fandorine, rapporta le gendarme qui dirigeait l'équipe. Il ne lui restait plus qu'une verste à parcourir pour atteindre le poste de commandement. Il y a là un repli du terrain, et c'est pour cela que personne n'a rien vu. Quant au coup de feu, comment voulez-vous qu'on l'entende au milieu de la canonnade... Les choses sont claires : on l'a surpris à l'improviste, et on lui a donné un coup de poignard dans le dos alors qu'il ne s'y attendait pas. Puis on l'a achevé d'une balle dans la tempe gauche. Le coup de feu a été tiré à bout portant.

— Eh bien ! eh bien ! répondit d'une manière vague Eraste Pétrovitch penché sur le corps.

L'officier baissa la voix :

— Le poignard appartenait à Ivan Kharitono-vitch, je l'ai tout de suite reconnu. Il nous l'avait montré en nous disant que c'était un cadeau d'un prince géorgien...

Ce à quoi Eraste Pétrovitch répondit :

— Il ne manquait plus que cela !

Varia, elle, se sentit encore plus mal, et elle plissa les yeux pour chasser la nausée qui la gagnait.

— Est-ce qu'il y a des t-t-traces de cheval ? demanda Fandorine en s'accroupissant.

— Hélas ! Comme vous le voyez, le long du ruisseau ce ne sont que de menus galets, et plus haut, c'est tout piétiné. Hier, des escadrons ont dû passer par là.

Le conseiller titulaire se redressa et resta une minute sans bouger à côté du corps affalé. Son visage était immobile, gris, en accord avec ses tempes blanchies. Et dire qu'il a à peine plus de vingt ans, se dit Varia en frémissant.

— Merci, lieutenant. Ra-a-menez le mort au camp. On rentre, Varvara Andréevna.

En chemin elle demanda :

— Serait-il possible que Kazanzakis soit un agent turc ? C'est invraisemblable ! Il est désagréable, bien sûr, mais tout de même...

Fandorine eut un ricanement privé de toute gaieté :

— Mais pas à ce point-là, n'est-ce pas ?

C'est presque à la mi-journée que fut retrouvé également le lieutenant-colonel, après qu'Eraste Pétrovitch eut donné l'ordre de revoir de nouveau et plus soigneusement le petit bois et les broussailles situés à proximité du lieu où avait été abattu le pauvre Hippolyte.

A en juger par les récits qui étaient faits (Varia n'alla pas voir elle-même), Kazanzakis avait été

191

retrouvé mi-assis, mi-couché derrière un buisson épais, le corps effondré sur un rocher. Dans sa main droite il tenait un revolver, et il avait un trou dans la tête.

Ce fut Mizinov lui-même qui conduisit la concertation sur les résultats de l'enquête.

— Avant toute chose, je tiens à dire que je suis on ne peut plus mécontent des résultats du travail du conseiller titulaire Fandorine, fit-il pour commencer d'une voix qui ne présageait rien de bon. Eraste Pétrovitch, un ennemi dangereux et d'une grande expérience, qui a causé le plus grand tort à notre cause et risqué de compromettre l'issue de toute notre campagne, a opéré ici, sous votre nez, et vous n'avez pas réussi à l'identifier. Je reconnais que la tâche était ardue, mais vous n'êtes pas non plus un débutant. Que peut-on attendre des collaborateurs ordinaires de la Section spéciale ? Ils ont été recrutés dans diverses directions de gouvernement où ils n'avaient été chargés jusque-là que de travaux d'instruction ordinaires, mais vous, avec vos talents, vous êtes impardonnable !

Pressant sa main sur sa tempe douloureuse, Varia jeta un regard en biais à Fandorine. Celui-ci donnait le sentiment de rester absolument imperturbable ; pourtant, d'une manière à peine perceptible (en dehors de Varia il est presque certain que personne ne s'aperçut de rien), ses pommettes avaient légèrement rosi, visiblement les propos du chef l'avaient atteint au plus profond de lui-même.

— En conclusion, messieurs, que s'est-il passé ? Un scandale sans précédent dans l'histoire mondiale. Le département secret du détachement occidental, le détachement le plus important de notre armée du Danube, était dirigé par un traître.

— Peut-on considérer les faits comme établis, Excellence ? demanda timidement l'aîné des officiers.

— Jugez-en vous-même, commandant. Je reconnais que le fait que Kazanzakis ait été d'origine grecque et que l'on compte un grand nombre d'agents turcs parmi les Grecs n'est pas encore une preuve, bien sûr. Mais souvenez-vous que figure dans le carnet de Loukan un mystérieux « J ». Maintenant on comprend ce que c'est que ce « J », cela voulait dire « gendarme ».

Le commandant à la moustache poivre et sel intervint :

— Mais gendarme s'écrit avec un « G », « gendarme ».

— C'est en français que l'on écrit « gendarme » avec un « g », en roumain, c'est « jandarm » avec un « j », expliqua avec condescendance le haut responsable. C'est Kazanzakis qui tirait les ficelles du colonel roumain. Je continue. Qui s'est précipité pour accompagner Zourov porteur d'un message dont dépendait l'issue du combat et peut-être celle de la guerre ? Kazanzakis. Je continue. A qui appartenait le poignard avec lequel Zourov a été assassiné ? A votre chef. Je continue. Mais à vrai dire, pourquoi continuer ? Incapable d'extraire la lame coincée dans le dos de sa victime, le meurtrier a compris qu'il ne réussirait pas à détourner les soupçons, et il s'est suicidé. D'ailleurs il manque très précisément deux balles dans le barillet de son revolver.

— Mais un espion étranger n'avait aucune raison de se suicider, il aurait essayé de se cacher, continua le commandant de sa même voix timide.

— Se cacher où, s'il vous plaît ? Il ne pouvait pas franchir la ligne de feu, et, dans nos arrières, dès aujourd'hui il aurait été l'objet de recherches. Il n'aurait pas pu trouver refuge chez les Bulgares, il n'avait pas la possibilité de rejoindre les Turcs. Plutôt une balle que la potence, là il a raisonné sainement. En outre Kazanzakis n'était pas un espion, c'était très précisément un traître. Novgorodtsev, où est la lettre ? dit-il en se tournant vers son officier d'ordonnance.

Ce dernier sortit d'une chemise un feuillet d'une blancheur de neige plié en quatre.

— On a trouvé cette missive dans la poche du suicidé, expliqua Mizinov. Lisez-la à haute voix, Novgorodtsev.

L'officier d'ordonnance jeta à Varia un regard troublé.

Mais le général le pressa :

— Lisez ! lisez ! nous ne sommes pas ici au pensionnat pour jeunes filles nobles, et mademoiselle Souvorova est membre du groupe d'enquête.

Novgorodtsev s'éclaircit la voix et, tout rougissant, se mit à lire.

— « *Cher petit Vania, cher Kharitontchik, mon ceur...* » L'orthographe, messieurs, est plus que fantaisiste, ajouta l'officier. Je lis comme c'est écrit. Et puis quelles pattes de mouche ! « *mon ceur. La vi sans toi va être si triste que ça donne envi d'en finir, ce sera mieu. Tu m'a embrasé, caressé, et moi aussi j'ai fai la même chose, mais le destin salaud a regardé sa, son couteau derrier le do, et il a été pris d'envi. San toit je sui poussiere, boue. Je te le demande, revien vite ! Et si tu trouve quelqu'un d'otre que Besso dans ton Kichinov pourri, je vien et* »

194

je jure par ma mère que je lui met les tripes à l'air. A toi pour mille an. Ton Polisson. »

— « Ton » au sens de « ta » ? demanda l'officier d'ordonnance.

— Non, ce n'est pas « ta », mais bien « ton », ricana Mizinov. Tout est là. Avant de faire partie de la direction du corps de gendarmerie de Kichinev, Kazanzakis a servi à Tiflis. Nous les avons immédiatement interrogés, et la réponse nous est déjà parvenue. Lisez leur télégramme, Novgorodtsev.

Et le jeune officier lut ce nouveau document avec visiblement plus de plaisir que le premier.

— *A Son Excellence le général L. A. Mizinov, en réponse à son interrogation du 31 août parvenue à une heure cinquante-deux minutes de l'après-midi. Top urgent. Top secret.*

J'ai l'honneur de vous faire savoir que durant sa présence à la direction de la gendarmerie de Tiflis, de janvier 1872 à septembre 1876, le lieutenant-colonel Ivan Kazanzakis s'est montré un travailleur sérieux et énergique et qu'il n'a fait l'objet d'aucune sanction officielle. Il s'est au contraire rendu digne de l'ordre de Saint-Stanislas du troisième degré et s'est vu gratifié à deux reprises de remerciements de la part de Son Excellence le gouverneur général du Caucase. Cependant, des informations de nos agents, parvenues durant l'été 1876, ont fait mention de sa part de goûts particuliers dont il aurait fait preuve ainsi que de relations contre nature qu'il aurait même entretenues avec le prince Vissarion Chalikov, surnommé le Polisson Besso, un pédéraste bien connu de Tiflis. J'étais porté à ne pas prêter attention à ces rumeurs qu'aucun fait ne confirmait, cependant, compte tenu du fait que, malgré son âge avancé, le lieutenant-colonel Kazanzakis était célibataire, qu'on ne lui connaissait pas de liaison avec des femmes, j'ai décidé de faire une petite enquête intérieure secrète. J'ai réussi à établir le fait que le lieutenant-colonel Kazanzakis connaissait effectivement le Polisson, mais l'existence de relations intimes entre eux n'a pu être prouvée. J'ai néanmoins jugé bon de demander le transfert du lieutenant-colonel Kazanzakis dans une autre direction sans aucune conséquence sur ses états de service.

Colonel Pantchulidzé, chef de la direction de la gendarmerie de Tiflis.

— Et voilà, fit avec amertume Mizinov pour résumer la situation. Il a renvoyé à d'autres un collaborateur douteux, tout en dissimulant ses raisons à ses supérieurs. Et aujourd'hui, c'est toute l'armée qui paye. A cause de la trahison de Kazanzakis, cela fait trois mois que l'on piétine aux portes de cette maudite Plevna, et l'on ne sait pas encore le temps qu'on va y rester ! L'anniversaire du souverain a été gâché ! Aujourd'hui Sa Majesté a été jusqu'à envisager l'idée de battre en retraite, vous imaginez un peu ! (Il avala nerveusement sa salive.) Trois assauts infructueux, messieurs, trois ! Vous vous souvenez, Eraste Pétrovitch, que c'est Kazanzakis qui a porté le premier ordre de prendre Plevna aux chiffreurs. Je ne sais pas comment il s'y est pris pour remplacer « Plevna » par « Nikopol », ce qui est clair, c'est que les choses ne se sont pas faites sans ce Judas !

Varia sursauta et se dit que, pour Pétia, la situation avait des chances de commencer à s'arranger. Cependant, après quelques mouvements mal coordonnés des lèvres, le général continua :

— Il va sans dire que, pour servir d'exemple à tous ceux qui aiment bien garder le silence, je déférerai le colonel Pantchulidzé au tribunal en essayant d'obtenir sa destitution totale. En attendant, son télégramme nous permet, par déduction, de rétablir toute la chaîne. Les choses sont finalement assez simples. Les agents turcs, dont tout le Caucase regorge, avaient sans doute découvert le vice secret d'Ivan Kazanzakis, et le lieutenant-colonel avait été recruté à la suite d'un chantage. L'histoire est vieille comme le monde. « Petit Vania, petit Kharitontchik » ! Pff ! quelle saleté ! Si encore il avait fait cela pour de l'argent !

Varia était sur le point d'ouvrir la bouche pour prendre la défense des tenants de l'amour dans le même sexe qui, finalement, ne sont pas responsables de ce que la nature les a créés différents des autres, mais Fandorine la devança :

— Vous permettez que je regarde la lettre ? dit-il.

Il tourna le feuillet dans tous les sens, passa le doigt sur la pliure et demanda :

— Et où est l'enveloppe ?

— Eraste Pétrovitch, vous m'étonnez, fit le général avec un geste d'impatience. De quelle enveloppe peut-il bien s'agir ? Ce n'est tout de même pas par la poste que l'on fait parvenir des messages pareils.

— Cette lettre était tout sim-simplement dans sa poche intérieure ? Bon ! bon !

Fandorine se rassit. Lavrenty Arkadiévitch haussa les épaules.

— Voilà ce que vous feriez mieux de faire, Eraste Pétrovitch. Il n'est pas exclu que le traître ait eu le temps d'enrôler d'autres officiers en dehors du colonel Loukan. Votre tâche est d'essayer de savoir s'il ne reste pas dans l'état-major ou dans son environnement d'autres dents de dragon. Commandant, dit-il à l'aîné des officiers qui bondit de son siège et se mit au garde-à-vous. Je vous désigne pour diriger provisoirement la Section spéciale. La tâche est la même. Avec assistance totale au conseiller titulaire.

— A vos ordres !

On frappa à la porte, et un homme aux lunettes bleues passa la tête :

— Vous permettez, Excellence ?

Varia reconnut le secrétaire de Mizinov, un petit homme portant un nom difficile à retenir que bizarrement personne n'aimait et dont tout le monde avait peur.

— Qu'y a-t-il ? fit le chef des gendarmes, sur ses gardes.

— Il s'est passé quelque chose de grave au poste de police. Le commandant de la prison est venu nous annoncer que l'un de ses prisonniers venait de se suicider.

— Allons, Pchébychevski, vous avez perdu la tête ! Je conduis une réunion importante, et voilà que vous venez me bassiner les oreilles avec des bêtises !

Varia serra ses deux mains contre son cœur, et la seconde suivante le secrétaire prononça les mots mêmes qu'elle avait si peur d'entendre :

— Mais c'est que c'est Iablokov, le chiffreur, qui s'est pendu. Et il a laissé une lettre qui a un rapport direct... C'est pour cela que j'ai pris sur moi... Mais si je tombe mal, veuillez m'excuser, je me retire.

Le fonctionnaire renifla d'un air vexé et fit mine de vouloir disparaître derrière la porte.

— La lettre, tout de suite ! rugit le général. Et que le commandant se présente immédiatement !

Tout flottait devant les yeux de Varia. Elle essayait de se mettre debout, mais n'y parvenait pas, raidie dans une torpeur invincible. Elle vit Fandorine penché sur elle, voulut lui dire quelque chose, mais ne réussit à produire qu'un misérable bredouillement.

— Maintenant il est évident que c'est Kazanzakis qui a modifié l'ordre ! s'écria Mizinov en parcourant la lettre du regard. Ecoutez cela : « *Encore des milliers de morts, et tout cela est le résultat de ma bêtise. Oui, je suis mortellement coupable, et je ne le nierai plus. J'ai commis une erreur impardonnable en laissant sur ma table le télégramme chiffré donnant l'ordre d'occuper Plevna et en m'écartant pour une affaire personnelle. En mon absence quelqu'un a changé un mot dans la dépêche, et moi je l'ai emportée sans même vérifier ! Ha ! ha ! le véritable sauveur de la Turquie n'est pas Osman Pacha, c'est moi, Pétia Iablokov. Messieurs les juges, ne prenez pas la peine d'étudier mon cas, je formule moi-même ma condamnation.* » Mon dieu, comme tout cela tombe sous le sens. Pendant que le gamin s'est occupé de ses affaires personnelles, Kazanzakis a rapidement effectué la correction. Il lui a suffi pour cela d'une minute !

Le général froissa la lettre qu'il jeta par terre d'un geste nerveux et qui alla rouler sous les pieds du commandant de la prison, glacé dans un garde-à-vous sans faute.

— Er... Eraste Pet...rovitch, comment cela, finit par bredouiller à grand-peine Varia. Pétia ?

— Capitaine, qu'en est-il de Iablokov ? Il est mort ?

— Pensez donc, ils ne sont même pas capables de faire un vrai nœud coulant ! glapit-il. On l'a décroché, et on est en train de le ramener à la vie.

Varia repoussa Fandorine et courut à la porte. Là elle se heurta au chambranle et, sortant sur le perron, fut obligée de s'arrêter, aveuglée par le soleil. Le conseiller titulaire était de nouveau à ses côtés.

— Varvara Andréevna, calmez-vous, c'est fini. On va y aller tout de suite tous les deux. Reprenez seulement votre souffle, vous êtes pâle comme un linceul.

Il prit très précautionneusement la jeune fille par le coude, mais, d'une manière étrange, ce contact pourtant si délicat provoqua chez Varia une bouffée de dégoût incoercible. Elle se plia en deux et vomit d'abondance juste sur les chaussures d'Eraste Pétrovitch. Après cela elle s'assit sur les marches et essaya de comprendre pourquoi la terre se tenait à la diagonale sans que personne n'en dévale.

Quelque chose d'agréable vint se poser sur son front, quelque chose de glacé, Varia en mugit de plaisir.

— Il ne manquait plus que cela, fit la voix sonore de Fandorine. Elle a le typhus.

Chapitre dixième,
où l'on voit le souverain se faire offrir un sabre en or

Daily Post (Londres)

9 décembre (27 novembre)

Ces deux derniers mois, c'est en fait le vieux général Totleben, dont on connaît la grande expérience et dont les Britanniques ont retenu le nom après la campagne de Sébastopol, qui dirige le siège de Plevna. Ingénieur plutôt que meneur d'hommes, Totleben a abandonné la tactique des attaques frontales, préférant soumettre l'armée d'Osman Pacha à un blocus en règle. Les Russes ont perdu énormément de temps, et Totleben s'est trouvé à ce sujet l'objet de violentes critiques, mais aujourd'hui il faut reconnaître que le prudent technicien a eu raison. Il y a un mois, les Turcs ont été définitivement coupés de Sofia, et, depuis, à Plevna, c'est la famine et les munitions manquent. On parle de plus en plus souvent de Totleben comme d'un second Koutouzov (feld-maréchal russe ayant, en 1812, épuisé les forces de Napoléon en se repliant sans cesse. Note de la rédaction). On s'attend d'un jour à l'autre à une capitulation d'Osman avec son armée de cinquante mille hommes.

Par une journée froide et désagréable (ciel gris, bruine glacée, boue gluante), Varia revenait à l'armée dans une voiture de louage. Elle était restée un mois entier à l'hôpital épidémiologique de Tyrnovsk où elle aurait tout aussi bien pu mourir, car nombreux étaient ceux qui mouraient du typhus, mais bon, tout s'était bien passé. Après cela elle était restée deux mois à se morfondre d'ennui en attendant que ses cheveux repoussent : elle ne pouvait tout de même pas revenir tondue comme une Tatare. Mais ses maudits cheveux y avaient mis le temps, maintenant encore ils ne se laissaient pas coiffer et se dressaient en brosse. Cela lui faisait une tête pas possible, mais sa patience était à bout – encore une semaine d'inaction, et elle serait tout simplement devenue folle à déambuler dans les ruelles pentues de la petite ville qu'elle ne supportait plus.

Pétia avait tout de même réussi à venir la voir une fois. L'instruction de son affaire n'était pas terminée, mais il n'était plus en prison, il travaillait. L'armée avait grossi, et l'on manquait de chiffreurs. Il avait beaucoup changé : devenu très maigre, il portait maintenant une large barbe rare qui ne lui allait pas du tout, et tous les trois mots il mentionnait Dieu ou le service du peuple. Varia avait surtout été bouleversée de voir qu'en arrivant, son fiancé l'avait embrassée sur le front. Pourquoi ce geste qu'on a pour un mort dans son cercueil ? Etait-elle vraiment devenue si laide ?

La route de Tyrnovsk était encombrée de convois, et la voiture n'avançait pas, c'est pourquoi Varia, en qualité d'habituée de la région, demanda au cocher de prendre par le sud en contournant le camp. C'était plus long, le chemin était mauvais, mais on allait pouvoir aller plus vite.

La voie étant libre, le petit cheval trotta plus allègrement. La pluie aussi avait presque cessé. Encore une heure ou deux, et je serai à la maison. Varia eut un ricanement. Tu parles d'une maison ! Une tente humide, exposée à tous les vents !

Passé Lovtcha, ils commencèrent à rencontrer des cavaliers solitaires qui étaient surtout des fourrageurs ou des ordonnances, mais bientôt Varia aperçut une première connaissance.

Une silhouette dégingandée en haut-de-forme et en redingote, juchée tant bien que mal sur une pauvre jument rousse toute tristounette, il n'y avait pas à s'y méprendre, c'était McLaughlin ! Varia eut un sentiment de déjà-vu : le jour de la troisième bataille de Plevna, elle revenait de la même façon vers le camp quand elle avait rencontré l'Irlandais. La différence, c'est qu'alors il faisait chaud, en plus elle devait certainement avoir meilleure allure.

Finalement, c'était une bonne chose que de se montrer à McLaughlin en premier. L'Irlandais était un homme direct, sans ruses ni faux-fuyants, et sa réaction lui ferait tout de suite comprendre si elle pouvait aller dans le monde avec des cheveux pareils ou s'il valait mieux faire demi-tour. En outre, il allait pouvoir lui donner des nouvelles...

Varia arracha courageusement son chapeau, laissant apparaître sa brosse qui lui faisait tellement honte. Tant qu'à vérifier, mieux valait le faire correctement.

— Monsieur McLaughlin ! lança-t-elle d'une voix forte en se soulevant sur son siège quand sa voiture parvint à la hauteur du correspondant. C'est moi ! Où dirigez-vous vos pas ?

L'Irlandais tourna la tête et souleva son haut-de-forme.

— Oh, mademoiselle Varia ! Je suis heureux de vous voir en bonne santé. Ce sont des considérations d'hygiène qui les ont amenés à vous tailler les cheveux de la sorte ? Vous êtes méconnaissable !

Varia eut l'impression que tout en elle se déchirait.

— C'est horrible ? demanda-t-elle d'une voix étranglée.

McLaughlin s'empressa de la rassurer :

— Pas du tout ! Mais comme ça vous ressemblez beaucoup plus à un jeune garçon que lors de notre première rencontre.

— Nous allons dans la même direction ? demanda-t-elle. Alors montez avec moi, on pourra bavarder. En plus votre cheval n'est pas ce que l'on fait de mieux !

— C'est une horrible haridelle. Ma Bessy n'a rien trouvé de mieux que de se faire engrosser par le poulain d'un dragon, et aujourd'hui elle est ronde comme une barrique. Par-dessus le marché, Frolka, le palefrenier de l'état-major, ne m'aime pas parce que, pour des raisons de principe, je ne lui donne jamais de pots-de-vin (*na tchaï*, « pour prendre le thé », comme vous dites), alors il me refile de ces rosses ! On se demande où il va les chercher ! Pourtant j'ai une mission secrète de la plus haute importance à remplir.

McLaughlin se tut d'un air significatif, mais on voyait bien qu'il n'en pouvait plus de garder son secret.

Etant donné l'habituelle réserve de l'Irlandais, c'était surprenant, et on avait l'impression que le journaliste venait en effet d'apprendre quelque chose de capital.

— Mais venez donc vous asseoir une minute, fit Varia d'une manière cauteleuse. Laissez le pauvre animal se reposer un peu. Et puis j'ai là des petits pâtés à la confiture et une bouteille thermos qui contient du café avec du rhum...

McLaughlin tira de sa poche une montre à chaîne en argent.

— *Half past seven... another forty minutes to get there... All right, an hour. It'll be half past eight...* marmonna-t-il dans sa langue impossible avant de soupirer : Bon, d'accord, mais juste une minute. Je vais avec vous jusqu'à la bifurcation, après je prends le chemin de Pétyrnitsy.

Attachant ses rênes à la voiture, il s'installa aux côtés de Varia. Le premier petit pâté fut avalé tout rond, et la moitié du second, croquée d'un coup, fut accompagnée d'une délicieuse gorgée de café bien chaud.

— Qu'est-ce que vous allez faire à Pétyrnitsy ? demanda négligemment Varia. Retrouver une fois de plus votre informateur de Plevna, c'est cela ?

McLaughlin la regarda comme pour la mettre à l'épreuve et rectifia la position de ses lunettes couvertes de buée.

— Jurez-moi que vous n'en parlerez à personne, du moins avant dix heures du soir, exigea-t-il.

— Je le jure, dit Varia avec empressement. Quelle est donc cette nouvelle ?

Ebranlé par la légèreté avec laquelle la jeune femme venait de donner sa parole, McLaughlin était sur le point d'hésiter, mais il était trop tard, · d'ailleurs il avait visiblement très envie de se confier.

— Aujourd'hui, le 10 décembre, soit le 28 novembre 1877 selon votre calendrier, est une journée historique, dit-il très solennellement pour commencer et avant de baisser la voix. Mais cela, dans tout le camp russe, seul un homme le sait pour le moment, votre serviteur. Certes, MacLaughlin ne donne pas de pourboires à ceux qui ne font que remplir leurs obligations professionnelles les plus strictes, en revanche il sait récompenser un bon travail, vous pouvez me croire. Bon, bon, plus un mot là-dessus ! fit-il en levant la main pour prévenir la question qui était prête à s'arracher des lèvres de Varia. Je ne vous nommerai pas ma source d'information. Je vous dirai simplement que j'ai eu maintes fois l'occasion de vérifier ses dires et qu'il ne m'a jamais induit en erreur.

Varia se rappela qu'un journaliste avait dit un jour avec envie que le correspondant du *Daily Post* recueillait des renseignements sur la vie à Plevna non pas d'un vague Bulgare, mais peut-être même d'un officier turc. Rares étaient ceux qui le croyaient, à vrai dire. Et si jamais c'était vrai ?

— Mais parlez donc, ne me faites pas languir !

— N'oubliez pas, rien à personne avant dix heures. Vous l'avez juré.

Impatiente, Varia acquiesça d'un signe de tête. Oh ! ces hommes avec leurs rituels stupides ! Bien sûr qu'elle ne dirait rien à personne.

McLaughlin se pencha jusqu'à son oreille :

— Ce soir Osman Pacha va se rendre.

— Allons donc ! s'écria Varia.

— Chut ! Ce soir, à dix heures précises, des parlementaires vont se présenter auprès du lieutenant général Ganetski, commandant du corps de grenadiers dont les forces occupent la rive droite du Vid. Je serai le seul journaliste à être témoin de ce grand événement. Et par la même occasion j'avertirai le général, à neuf heures trente, pas avant, de façon que ses sentinelles ne tirent pas par erreur. Vous imaginez l'article que je vais écrire !

— J'imagine, approuva Varia, enthousiaste. Et alors, je ne peux le dire à personne personne ?

— Vous me perdriez ! s'écria McLaughlin pris de panique. Vous m'avez donné votre parole !

La jeune femme le rassura :

— D'accord, d'accord ! Jusqu'à dix heures, je serai muette comme une carpe.

— Nous voilà au croisement. Arrêtez-vous ! (Le correspondant donna un coup dans le dos du cocher.) Vous, vous allez à droite, mademoiselle Varia, moi, je prends à gauche. Je goûte d'avance l'effet produit. Nous sommes là avec le général à prendre le thé, à bavarder de choses et d'autres, et à neuf heures trente je sors ma montre et je lâche, mine de rien : « Au fait, Ivan Stépanovitch, dans une demi-heure se présenteront chez vous des envoyés d'Osman Pacha. » Pas mal, n'est-ce pas ?

McLaughlin éclata d'un rire excité et glissa son pied dans l'étrier.

Une minute plus tard, Varia l'avait perdu de vue, dissimulé qu'il était par le rideau gris de la pluie qui repartait de plus belle.

En trois mois, le camp avait changé à en être méconnaissable. Il n'y avait plus une seule tente, et seules des baraques en planches s'alignaient en files bien droites. Les routes étaient toutes pavées, et il y avait partout des poteaux télégraphiques et des indications soignées. C'est tout de même une bonne chose quand c'est un ingénieur qui est à la tête d'une armée, se dit Varia.

A la Section spéciale, qui maintenant n'occupait pas moins de trois bâtiments, on lui dit que monsieur Fandorine avait désormais à sa disposition tout un « cottage », et l'homme de garde prit un plaisir évident à prononcer le mot nouveau et à lui indiquer comment s'y rendre.

Le « cottage » n° 158 se trouva être une modeste isba en planches d'une seule pièce, située tout au bout du petit ensemble attribué à l'état-major. Le maître de maison était chez lui, il ouvrit la porte lui-même et regarda Varia d'une façon qui lui fit chaud au cœur.

— Bonjour, Eraste Pétrovitch, me voici revenue, dit-elle en éprouvant soudain une émotion intense.

— Heureux de vous revoir, dit Fandorine brièvement.

Il s'effaça pour la laisser entrer. La pièce était ce qu'il y avait de plus simple, avec seulement un mur de gymnastique et tout un arsenal d'agrès. Une carte à grande échelle était accrochée au mur.

— J'ai laissé mes affaires chez les infirmières. Pétia est au travail, alors je viens tout de suite vous voir, expliqua-t-elle.

— Je vois que vous êtes guérie. (Eraste Pétrovitch l'examina des pieds à la tête et eut un geste approbateur.) Vous avez changé de c-c-coiffure. C'est la nouvelle mode ?

— Oui, c'est très pratique. Et ici, que se passe-t-il ?

— Rien. Nous restons là à ass-ss-ss-iéger le Turc. (De la colère se fit entendre dans la voix du conseiller titulaire.) Nous attendons depuis un mois, depuis deux mois, depuis trois mois. Les officiers s'enivrent d'ennui, les intendants volent, le trésor s'appauvrit. Bref, tout va bien. C'est la guerre à la russe. L'Europe soupire de soulagement à voir les forces vives déserter notre pays. Si Osman Pacha tient encore quinze jours, nous aurons p-p-perdu la guerre.

Eraste Pétrovitch avait un ton à ce point désabusé que Varia eut pitié et qu'elle murmura :

— Il ne tiendra pas.

Fandorine s'anima et plongea un regard scrutateur dans les yeux de la jeune femme.

— Vous savez quelque chose ? Qu'est-ce que vous savez ? Qui vous a dit quoi ?

Et bien sûr, elle raconta tout. Avec Eraste Pétrovitch, c'était permis : il n'allait tout de même pas se précipiter pour clamer la nouvelle à droite et à gauche !

Après l'avoir écoutée jusqu'au bout, le conseiller titulaire se renfrogna.

— A Ganetski ? P-p-pourquoi Ganetski ?

Il s'approcha de la carte et marmonna dans sa barbe :

— Ganetski, c'est l-l-loin, G-G-Ganetski. Il est à l'extrême flanc. Pourquoi ne viennent-ils pas au quartier général ? Attendez, attendez !

Les traits soudain altérés, le conseiller titulaire arracha son manteau qui pendait à un clou et se rua vers la porte.

— Qu'y a-t-il ? Que se passe-t-il ? hurla Varia en se jetant à sa poursuite.

— C'est une provocation, lui jeta chemin faisant Fandorine d'une voix à peine perceptible. Ganetski a une défense particulièrement fragile. Et derrière, c'est la route de Sofia. Ce n'est pas une capitulation. C'est une tentative de percée. Ils veulent endormir Ganetski pour qu'il ne tire pas.

— Mon Dieu ! fit Varia, qui venait de comprendre. Et ce ne seront pas des parlementaires. Où courez-vous ? A l'état-major ?

Eraste Pétrovitch s'arrêta.

— Il est neuf heures moins vingt. A l'état-major, ça va traîner. On nous renverra d'un responsable à un autre, et le temps va passer. Allons trouver Sobolev ! Il est à une demi-heure de galop. Lui, il ne va pas commencer par consulter le commandement. Je suis sûr qu'il saura prendre le risque. Il frappera le premier. S'il ne parvient pas à sauver Ganetski, il pénétrera au moins dans le flanc de leur armée. Tryphon, mon cheval !

Regardez-moi cela, voilà qu'il a une ordonnance maintenant, se dit Varia, déconcertée.

Durant toute la nuit on entendit parler les armes, et au matin on apprit que, blessé au combat, Osman venait de capituler avec toute son armée : dix pachas et quarante-deux mille hommes déposaient les armes.

C'était terminé. Le siège de Plevna venait de prendre fin.

Les morts étaient en très grand nombre. Le corps d'armée de Ganetski, pris au dépourvu par une attaque surprise, était pratiquement décimé. Et tout le monde avait à la bouche le nom du général blanc, Sobolev le second, cet Achille invulnérable qui, au moment décisif, avait, à ses risques et périls, passant par une Plevna désertée par les

Turcs, frappé Osman sur le flanc que celui-ci avait laissé sans protection.

Cinq jours plus tard, le 3 décembre, le souverain, qui quittait le théâtre des opérations, organisait à Paradime une parade d'adieu de sa garde. Etaient invités les hauts dignitaires et les héros qui s'étaient particulièrement distingués lors du dernier combat. Varia put s'y rendre dans la voiture personnelle du lieutenant général Sobolev lui-même, dont l'étoile venait de monter droit au zénith. Ainsi donc le brillant Achille n'avait pas oublié sa vieille amie.

La jeune femme ne s'était encore jamais trouvée dans une société aussi choisie. Il y avait de quoi perdre la vue à voir scintiller tant d'épaulettes et tant de décorations. A dire vrai, elle n'avait jamais imaginé qu'il y eût une telle abondance de généraux dans l'armée russe. Au premier rang, attendant l'arrivée des personnalités suprêmes, se tenaient les plus gradés et parmi eux Michel, d'une jeunesse indécente, vêtu comme toujours de sa tunique blanche et sans capote, bien que la journée, quoique ensoleillée, fût très froide. Tous les regards étaient braqués sur le sauveur de la patrie qui, selon l'impression qu'en eut Varia, était devenu plus grand de taille, plus large d'épaules et plus majestueux de visage. Les Français ont sans doute raison de dire que la gloire est le meilleur des levains.

A côté de Varia, deux officiers d'ordonnance au visage hâlé bavardaient à voix basse. L'un des deux jetait sans cesse des regards à Varia de son œil noir et onctueux, et c'était agréable.

— ... et le tsar lui dit : « en signe de respect pour votre bravoure, Muchir, je vous rends votre sabre que vous pourrez porter chez nous en Russie, où, je l'espère, vous n'aurez aucun motif d'insatisfaction. » Voilà la scène, c'est dommage que tu n'aies pas été là.

En revanche, j'étais de garde lors du conseil du 29, répondit le second, jaloux. Et j'ai entendu de mes propres oreilles le tsar dire à Mililoutine : « Dimitri Alexandrovitch, je vous demande à vous en tant qu'aîné des chevaliers de la croix de Saint-Georges ici présents l'autorisation de passer la dragonne de l'ordre sur mon sabre. Je pense l'avoir mérité... » « Je vous demande » ! Tu entends cela ?

— Oui, ce n'est pas bien, approuva l'officier aux yeux noirs. Ils auraient pu y penser d'eux-mêmes. Ce n'est pas un ministre, c'est tout juste un petit adjudant-chef ! Alors que le tsar, lui, a été d'une si grande générosité ! Une croix de Saint-Georges du deuxième degré à Totleben et à Népokoïtchitski, une du troisième degré à Ganetski. Et là, pour une dragonne !

— Et qu'a-t-il donné à Sobolev ? demanda Varia avec vivacité alors qu'elle ne connaissait pas ses deux voisins.

Mais cela ne faisait rien, c'étaient les conditions de la guerre, et puis les circonstances étaient particulières.

— Oh ! notre Ak Pacha aura certainement quelque chose d'exceptionnel ! répondit de bon cœur l'officier aux yeux noirs, puisqu'on sait déjà que Pérépelkine, son chef d'état-major, vient de sauter un grade ! Et ça se comprend : on ne peut tout de même pas voir un pauvre capitaine occuper un poste de cette importance ! Quant à Sobolev, il voit aujourd'hui s'ouvrir devant lui des horizons à vous couper le souffle. C'est un homme chanceux, il n'y a pas à dire. Si seulement il n'avait pas ce vilain penchant pour le vulgaire et pour les effets faciles...

— Chut ! fit le second. Les voilà !

Quatre militaires venaient d'apparaître sur le perron de la méchante maisonnette pompeusement dénommée « palais de campagne ». C'étaient l'empereur, le commandant en chef, le fils du tsar et le prince de Roumanie. Alexandre Nicolaévitch portait une capote militaire d'hiver, et Varia aperçut sur la poignée de son sabre une toute petite tache d'un orange vif, c'était sûrement la fameuse dragonne.

L'orchestre attaqua la marche solennelle du régiment de Préobrajenski.

On vit alors jaillir des rangs un colonel de la garde qui salua puis lança d'une voix de baryton sonore qui frémissait d'émotion :

— Majesté ! Permettez-moi, au nom des officiers de votre garde personnelle, de vous offrir un sabre en or portant l'inscription « en hommage à votre bravoure » ! Qu'il soit pour vous un souvenir de la campagne menée ensemble. Il a été acheté avec l'argent personnel des officiers.

L'un de ses voisins glissa à Varia :

— Voilà qui est bien ! Bravo, messieurs les officiers !

Le souverain prit le cadeau et, de son gant, essuya une larme.

— Je vous remercie, messieurs, je vous remercie. Je suis touché. A mon tour, je ferai parvenir

213

un sabre à chacun de vous. Cela fait six mois en effet que nous partageons...

Il n'acheva pas et se borna à faire un geste de la main.

Tout autour de lui on entendit des hommes se moucher d'émotion, quelqu'un eut même un sanglot, quant à Varia elle aperçut soudain, dans le groupe de fonctionnaires qui se tenaient tout près du perron, Fandorine. Comment se faisait-il qu'il soit là, celui-là ? Ce n'était pourtant pas une figure importante, il n'était que conseiller titulaire. Cependant, elle reconnut immédiatement, à côté d'Eraste Pétrovitch, le chef des gendarmes, et tout s'éclaira. Finalement, le véritable héros de la prise de l'armée turque, c'était Fandorine. Sans lui, on n'en serait pas en ce moment à organiser des parades. Il allait sans doute lui aussi avoir une distinction.

Le regard d'Eraste Pétrovitch croisa le sien, et le conseiller titulaire fit une moue chagrine. Il ne partageait visiblement pas la liesse générale.

Après la parade, alors qu'elle s'amusait à remettre à sa place l'officier aux yeux noirs qui s'acharnait à leur chercher à Saint-Pétersbourg des amis communs, elle fut rejointe par Fandorine qui dit en s'inclinant légèrement :

— Je vous prie de m'excuser, monsieur le colonel. Varvara Andréevna, l'empereur désire nous voir.

Chapitre onzième,
où l'on voit Varia pénétrer dans les hautes
sphères de la politique

The Times (Londres) le 16 (4) décembre 1877

Derby et Carnarvon menacent de démissionner

Lors de la réunion du cabinet des ministres d'hier, le comte Beaconsfield a proposé que soit demandé au Parlement un crédit exceptionnel de six millions de livres sterling pour la mise sur pied d'un corps expéditionnaire qui pourrait, dans les plus brefs délais, être envoyé dans les Balkans afin d'y défendre les intérêts de l'Empire contre les prétentions excessives de l'empereur Alexandre. La proposition a été adoptée malgré l'opposition de lord Derby, ministre des Affaires étrangères, et de lord Carnarvon, ministre des Colonies, qui se sont déclarés adversaires d'une confrontation directe avec la Russie. Mis en minorité, les deux ministres ont présenté leur démission à Sa Majesté la reine dont on ne connaît pas encore la réaction.

Pour assister à la grande parade, Varia avait mis ce qu'elle possédait de plus élégant, aussi n'allait-elle pas avoir à rougir de sa tenue devant le souverain (compte tenu en outre des circonstances particulières). Voici la première idée qui lui vint. Chapeau mauve pâle avec ruban et voilette de moire, robe de voyage mauve avec broderies sur le corselet et traîne de dimensions modestes, chaussures noires à boutons de nacre. C'était discret, sans affectation, mais de bon goût, merci les magasins de Bucarest.

— On va nous donner une décoration ? demanda-t-elle à Eraste Pétrovitch en lui emboîtant le pas.

Lui aussi avait une mise recherchée : pantalon à plis, bottes lustrées à briller comme un miroir, vague petite décoration à la boutonnière de sa redingote soigneusement repassée. Il n'y avait pas à dire, le conseiller titulaire avait de l'allure, simplement il faisait vraiment très jeune.

— Je ne le pense pas.

— Pourquoi ? dit-elle, étonnée.

— Ce serait trop d'honneur, répondit-il, pensif. Tous les g-g-généraux n'ont même pas encore été décorés, et nous n'avons que le numéro seize.

— Et pourtant, sans nous... Je veux dire, sans vous, Osman Pacha aurait certainement réussi sa percée. Vous imaginez ce que cela aurait fait ?

— J-j-j'imagine. Mais après une victoire, d'ordinaire on ne pense plus à cela. Non, ça sent la politique, croyez-en mon expérience.

Le « palais de campagne » ne comptait que six pièces, et c'était le perron qui servait de salle d'accueil. Une bonne dizaine de généraux et d'officiers supérieurs s'y pressaient déjà, attendant leur tour d'audience. Ils avaient tous un air à la fois benêt et ravi ; cela sentait les décorations et la promotion. Varia fut immédiatement l'objet de leurs regards chargés d'une curiosité facile à comprendre. Elle, dans un mouvement d'orgueil, porta par-dessus leurs têtes son attention sur le soleil d'hiver très bas dans le ciel. Qu'ils se cassent un peu la tête en se demandant qui pouvait bien être cette jeune personne en voilette et pourquoi elle allait être reçue par Sa Majesté.

L'attente se prolongeait, mais Varia ne s'ennuyait pas du tout.

— Qui est en train d'être reçu si longuement, général ? demanda-t-elle très dignement à un vieil homme aux favoris ébouriffés.

— Sobolev, répondit le général en prenant une mine importante. Cela fait une demi-heure qu'il est entré. (Il se redressa, caressa sur sa poitrine une décoration toute neuve accrochée à un ruban orange et noir et ajouta :) Excusez-moi, madame, je ne me suis pas présenté. Ivan Stépanovitch Ganetski, commandant du corps de grenadiers.

Et il se tut en ayant l'air d'attendre. La jeune femme lui fit un petit salut de la tête :

— Varvara Andréevna Souvorova. Je suis heureuse de faire votre connaissance.

C'est alors que s'avança Fandorine, qui, avec une absence de manières dont il n'était pas coutumier en pareilles circonstances, mit fin à leur conversation.

— Dites-moi, g-g-général, avez-vous reçu juste avant l'attaque McLaughlin, le correspondant du *Daily Post* ?

Ganetski toisa ce gamin en civil d'un regard mécontent mais, se disant sans doute qu'on ne trouvait pas n'importe qui dans l'antichambre de l'empereur, il répondit respectueusement :

— Oui, bien sûr, je l'ai reçu. Et tout ce qui est arrivé est de sa faute.

— Tout quoi ? demanda Eraste Pétrovitch d'un air obtus.

— Comment, vous ne le savez pas encore ? (On voyait que ce n'était pas la première fois que le général se lançait dans des explications.) Je connais McLaughlin depuis Saint-Pétersbourg. C'est un homme sérieux et un ami de la Russie, bien que sujet de la reine Victoria. Quand il m'a annoncé que, d'une minute à l'autre, j'allais recevoir la visite d'Osman Pacha en personne qui venait se rendre, j'ai immédiatement envoyé des messagers sur mon avant-ligne pour dire à mes hommes de ne pas tirer. Pour ma part, vieil imbécile, j'ai couru enfiler ma tunique de parade. (Le général eut un sourire confus, et Varia se dit qu'il était terriblement sympathique.) Et voilà comment les Turcs ont pris tous mes postes de garde sans un coup de feu. Heureusement que mes gars ont été à la hauteur, ils ont réussi à tenir jusqu'à ce que Mikhaïl Dmitriévitch prenne Osman de revers.

— Et où est passé McLaughlin ? demanda le conseiller titulaire en regardant Ganetski bien en face de ses yeux bleus et froids.

Le général haussa les épaules.

— Je n'en ai pas la moindre idée. J'ai eu bien autre chose à penser. La pagaille a tout de suite été telle, vous ne pouvez pas imaginer ! Les Bachi-Bouzouks ont pénétré jusqu'à mon état-major, et c'est tout juste si j'ai réussi à sauver ma peau, avec ma tenue de parade !

La porte s'ouvrit toute grande, et l'on vit paraître sur le perron un Sobolev au visage illuminé et dont les yeux brûlaient d'un éclat particulier.

— Alors, quelle est votre récompense ? demanda un général au type caucasien vêtu d'un manteau circassien.

L'assemblée retint son souffle, mais Sobolev, nullement pressé de répondre, garda un silence du plus grand effet. Il embrassa tout le monde du regard et adressa un clin d'œil jovial à Varia.

La jeune fille resta cependant dans l'ignorance de ce dont l'empereur avait gratifié le héros de Plevna car, derrière l'épaule de celui qui était au ciel, jaillit le visage bien quotidien de Lavrenty Arkadiévitch Mizinov. D'un geste du doigt, le gendarme en chef de l'Empire fit signe à Fandorine et à Varia de le suivre, et le cœur de celle-ci battit très fort.

Quand elle passa devant Sobolev, le général lui glissa dans l'oreille :

— Varvara Andréevna, je vous attendrai sans faute.

Le vestibule conduisait directement à la salle des officiers de permanence, et Varia y vit un général et deux autres gradés installés devant des bureaux. A droite, c'était l'appartement privé du souverain, à gauche son cabinet de travail.

Chemin faisant, Mizinov délivrait ses instructions :

— Répondez aux questions d'une voix forte, nette et d'une manière circonstanciée. Donnez des détails, mais ne vous perdez pas dans des digressions.

Deux hommes se tenaient dans la petite pièce toute simple, aux meubles sommaires en bouleau de Carélie. L'un était assis dans un fauteuil, l'autre, debout, tournait le dos à la fenêtre. Varia commença, bien sûr, par regarder celui qui était assis, mais ce n'était pas Alexandre, c'était un petit vieillard tout sec, à lunettes à monture en or, qui avait un visage intelligent, des lèvres fines et des yeux glacés qui ne se laissaient pas pénétrer. Elle reconnut le prince Kortchakov, chancelier d'Etat en personne, tout pareil à ses portraits, avec peut-être simplement un peu plus de finesse. C'était une figure en quelque sorte légendaire. Il devait déjà être ministre des Affaires étrangères alors que Varia n'était pas encore au monde. Mais surtout, il avait fait ses études au lycée de Tsarskoïe Sélo avec le grand poète Pouchkine, et c'est en parlant de lui que celui-ci avait écrit : « Enfant des modes, ami du beau grand monde, observateur brillant des us. » Cependant, à quatre-vingts ans, l'« enfant des modes » faisait plutôt naître en mémoire un autre poème de ce même poète que Varia avait eu à son programme :

> Quel est celui de nous qui, au déclin de son âge,
> Se trouvera tout seul fêtant notre lycée ?
> Pauvre et cher ami ! Des générations nouvelles,
> Hôte étranger, honni et mal aimé,
> Il pensera à nous tous et à notre jeunesse
> En s'essuyant les yeux d'une main qui tremblera.

Le chancelier avait en effet la main qui tremblait un peu. Il tira de sa poche un mouchoir de batiste et se moucha, ce qui ne l'empêcha nullement d'examiner de la manière la plus minutieuse Varia d'abord, puis Eraste Pétrovitch sur lequel le regard de sa légendaire personne resta attaché fort longtemps.

Cependant, fascinée par l'auguste lycéen, Varia en avait complètement oublié le personnage principal. Confuse, elle se tourna vers la fenêtre, réfléchit un instant et fit la petite révérence qu'elle faisait au lycée quand la directrice pénétrait dans sa classe.

A la différence de Kortchakov, le souverain porta à sa personne un intérêt plus grand qu'à Fandorine. Les célèbres yeux des Romanov, attentifs, observateurs et sensiblement à fleur de tête la regardaient avec sévérité et exigence. Ils vous pénètrent jusqu'au tréfonds de l'âme, c'est en ces termes qu'on en parle, pensa Varia, légèrement mal à l'aise. Psychologie d'esclave et préjugés. Il essaie simplement d'imiter le « regard du basilic » dont s'enorgueillissait tant son père de sinistre mémoire. Et elle se mit, elle aussi, à examiner ostensiblement celui qui imprimait sa volonté à cet immense empire de quatre-vingts millions d'habitants.

Première observation : mais c'est un véritable vieillard ! Paupières gonflées, favoris et moustache effilée fortement marqués de gris, doigts noueux, déformés par les rhumatismes. C'est vrai, après tout, l'an prochain il aura soixante ans. Il a presque l'âge de ma grand-mère.

Seconde observation : il n'est pas aussi bon que le dit le journal. Il serait plutôt indifférent, fatigué. Le monde n'a plus de secrets pour lui, et rien ne peut plus l'étonner, rien ne peut plus lui faire vraiment plaisir.

Troisième observation, la plus intéressante : malgré son âge et sa position, il n'est pas indifférent aux femmes. Sinon, Votre Majesté, pourquoi promener votre regard sur ma poitrine et sur ma taille ? Ce que l'on raconte sur lui et sur la princesse Dolgorouky qui est deux fois plus jeune que lui doit être vrai. Et Varia cessa tout à fait d'avoir peur du tsar libérateur.

— Votre Majesté, voici le conseiller titulaire Fandorine. Il est accompagné de sa collaboratrice, la demoiselle Souvorova.

C'est en ces termes que les présenta le chef des gendarmes.

Le tsar ne dit pas « bonjour » et ne fit même pas un signe de tête. Il acheva sans se presser l'examen de la personne de Varia, puis tourna la tête vers Eraste Pétrovitch et déclara d'une voix douce et bien posée qui aurait pu être celle d'un acteur :

— Je me souviens de l'affaire Azazel. Et Sobolev vient également de me parler de vous.

Il s'assit à son bureau et fit un signe de tête à Mizinov :

— Explique-toi ! Mikhaïl Alexandrovitch et moi, nous allons écouter.

Bien qu'empereur, il aurait pu offrir une chaise à la dame que je suis, se dit Varia, défavorablement impressionnée et perdant définitivement toute foi dans le principe monarchique.

— Je dispose de combien de temps ? demanda respectueusement le général. Je sais, Majesté, combien vous êtes occupé aujourd'hui. Et il y a aussi les héros de Plevna qui attendent.

— Prenez le temps qui vous sera nécessaire. Le problème est en effet non seulement stratégique, mais diplomatique, répondit l'empereur, qui ajouta en adressant à Kortchakov un sourire rempli d'affection : Mikhaïl Alexandrovitch que vous voyez là est venu exprès de Bucarest. Il n'a pas hésité à secouer ses vieux os sur les mauvaises routes !

Le prince étira d'une manière machinale ses lèvres dans un sourire dont était absent tout signe de gaieté, et Varia se souvint que l'année précédente le chancelier avait vécu une tragédie personnelle. Il avait perdu quelqu'un, un fils ou un petit-fils.

— Je vous prie de ne pas m'en tenir rigueur, Lavrenty Arkadiévitch, dit le chancelier d'une voix mélancolique. Je ne peux pas m'empêcher d'avoir des doutes. Ce serait vraiment d'une audace trop folle, même pour monsieur Disraeli. Quant aux héros, ils attendront. L'attente d'une récompense est une occupation agréable entre toutes. Aussi, exposez-nous les choses, et nous allons vous écouter.

Mizinov se redressa d'un air avantageux et, contre toute attente, s'adressa non pas à Fandorine, mais à Varia.

— Mademoiselle Souvorova, racontez-nous par le menu vos deux rencontres avec Seamus MacLaughlin, le correspondant du *Daily Post*, lors du troisième assaut de Plevna et la veille de la tentative de percée d'Osman Pacha.

Puisqu'on le lui demandait, pourquoi pas ? Varia raconta.

Et il se trouva que tous les deux, le tsar et le chancelier, savaient très bien écouter. Kortchakov ne lui coupa la parole qu'à deux reprises. La première fois pour lui demander :

— De quel comte Zourov s'agit-il ? Ne serait-ce pas le fils d'Alexandre Platonovitch ?

La seconde fois pour remarquer :

— McLaughlin et Ganetski se connaissent donc bien, puisqu'il l'a appelé par son nom et par son patronyme.

Quant au souverain, il se contenta de frapper la table du plat de la main d'un geste irrité quand Varia parla des informateurs que possédaient à Plevna un grand nombre de journalistes.

— Tu ne m'as pas encore expliqué, Mizinov, comment il se fait qu'Osman a réussi à regrouper toute son armée pour tenter sa percée sans que tes espions ne nous avertissent à temps.

Le chef des gendarmes commença à s'agiter et était sur le point de se lancer dans des justifications quand Alexandre l'arrêta d'un geste :

— On verra cela après. Continue, Souvorova.

« Continue » ! Voyez-moi cela ! Dès la première année d'école, on nous a dit « vous ». Varia fit ostensiblement une pause, mais acheva néanmoins son récit.

— Il me semble que les choses sont claires, dit le tsar en regardant Kortchakov, il faut demander à Chouvalov de faire une note.

— Moi, je ne suis pas convaincu, répondit le chancelier. Ecoutons les conclusions du respectable Lavrenty Arkadiévitch.

Varia essayait en vain de comprendre où se situait la divergence entre l'empereur et son principal conseiller diplomatique, et ce fut Mizinov qui l'éclaira.

Sortant du revers de sa manche plusieurs feuillets et s'éclaircissant la voix, celui-ci prit la parole du ton d'un premier de la classe qui récite une leçon qu'il connaît par cœur :

— Si vous permettez, je vais passer du particulier au général. Ainsi donc voilà ce qu'il en est. Avant toute chose, je dois battre ma coulpe. Tout au long du siège de Plevna, un ennemi rusé et cruel a agi contre nous, et mes services se sont montrés incapables de l'identifier à temps. Ce sont précisément les menées de cet ennemi habilement camouflé qui nous ont fait perdre tant de temps et tant d'hommes, et qui, le 30 novembre, ont failli nous priver totalement des fruits de nos efforts de plusieurs mois.

A ces mots, l'empereur fit le signe de croix.

— Le Seigneur a bien voulu épargner la Russie.

— Après le troisième assaut, nous avons — ou plus exactement j'ai, puisque les conclusions étaient les miennes — commis une grave erreur. Nous avons cru voir le principal agent turc en la personne du lieutenant-colonel Kazanzakis, laissant par là même au véritable coupable une liberté de manœuvre totale. Aujourd'hui, il n'est plus permis de douter : celui qui nous nuit depuis le tout début, c'est le citoyen britannique McLaughlin. McLaughlin est incontestablement un agent de premier ordre, un acteur sans pareil qui s'est préparé à sa mission longuement et sérieusement.

— Comment ce personnage a-t-il pu être accepté auprès de l'armée active ? Vous n'avez tout de même pas attribué de visa aux correspondants sans vérifications ?

— Bien sûr que non, je dirai même que nous avons procédé à des vérifications extrêmement minutieuses. (Le chef des gendarmes eut un geste d'impuissance.) Pour chacun des journalistes étrangers, nous avons fait venir de leur rédaction la liste de leurs écrits et nous avons consulté nos ambassades. Chacun des correspondants est un homme connu, une plume, et aucun n'a jamais été soupçonné d'hostilité envers la Russie. Et McLaughlin tout particulièrement. Je le répète, c'est un homme très sérieux. Il a su se lier d'amitié avec de nombreux généraux et officiers russes dès la campagne d'Asie centrale, et ses reportages de l'an dernier sur les atrocités commises par les Turcs en Bulgarie lui ont valu la réputation d'un ami des Slaves et d'un franc partisan de la Russie. Pourtant, durant tout ce temps, il a dû agir sur l'instruction secrète de son gouvernement qui, comme on le sait, considère notre politique en Orient avec une hostilité non dissimulée.

» Dans un premier temps, McLaughlin s'est borné à une activité de simple espion. Il a bien sûr transmis à Plevna des informations sur notre armée en profitant au maximum de la liberté que nous avons imprudemment laissée aux journalistes étrangers. Oui, c'est exact, un grand nombre d'entre eux avaient dans la ville assiégée des contacts que nous ne contrôlions pas, ce qui n'a jamais éveillé le moindre soupçon de nos services de contre-espionnage. Ultérieurement, il conviendra d'en tirer les leçons qui s'imposent. Là encore, c'est moi le coupable... Tant qu'il a pu le faire, McLaughlin a agi par personne interposée. Votre Majesté se souvient bien sûr de l'incident qui a concerné le lieutenant-colonel roumain Loukan dont le carnet mentionnait un certain « J ». J'avais imprudemment pensé qu'il s'agissait du gendarme Kazanza-

kis. Hélas, je m'étais trompé. « J » voulait dire
« journaliste » et désignait le citoyen britannique.

» Cependant, lors du troisième assaut, comprenant que le destin de Plevna et celui de la guerre
se jouaient, McLaughlin est passé à la diversion
directe. Je suis persuadé qu'il n'a pas agi à ses risques et périls, mais sur instruction de ses supérieurs, et je regrette de ne pas avoir, dès le début,
placé sous une surveillance discrète le colonel Wellesley, l'agent diplomatique britannique. J'ai déjà
eu l'occasion de mettre au courant Votre Majesté
des manœuvres anti-russes de ce monsieur, qui se
montre clairement plus attaché à l'intérêt turc
qu'au nôtre.

» Reconstituons à présent les événements du
30 août. Agissant de sa propre initiative, le général
Sobolev réussit à percer la défense turque et à
atteindre les abords sud de Plevna. On comprend
pourquoi. Connaissant par son agent le plan de
notre attaque, Osman avait en effet massé toutes ses
forces au centre et l'attaque de Sobolev l'a surpris.
Malheureusement, notre commandement n'est pas
informé à temps du succès du général, qui n'a pas
assez de forces pour poursuivre son action. Comme
les autres journalistes et les observateurs étrangers,
parmi lesquels je note au passage la présence entre
autres du colonel Wellesley, McLaughlin se trouve
par hasard à une position clef de notre front, entre
le centre et le flanc gauche. A six heures, le comte
Zourov, ordonnance de Sobolev, arrive à franchir
les flancs-gardes turcs. En passant à proximité des
journalistes qu'il connaît bien, il fait savoir la victoire de son détachement. Que se passe-t-il après ?
Tous les correspondants se précipitent à l'arrière

pour annoncer au plus vite par télégraphe le succès de l'armée russe. Tous, à l'exception de McLaughlin. Mademoiselle Souvorova le rencontre à peu près une demi-heure plus tard, seul, couvert de boue et sortant bizarrement des buissons. Le journaliste a de toute évidence eu le temps et la possibilité de rattraper le messager et de le tuer, en tuant par la même occasion le lieutenant-colonel Kazanzakis qui, pour son malheur, avait emboîté le pas à Zourov. On sait que tous les deux connaissaient bien McLaughlin et n'avaient aucune raison de le soupçonner de perfidie. Quant à mettre en scène le suicide du lieutenant-colonel, rien de plus facile : il traîne son corps dans les buissons, tire deux fois en l'air avec le pistolet du gendarme, et le tour est joué. Et moi, je me suis laissé prendre à cet hameçon.

Mizinov baissa les yeux d'un air confus, ce qui ne l'empêcha pas de poursuivre son récit sans attendre les reproches nouveaux que pouvait avoir envie de lui faire le souverain.

— En ce qui concerne la récente percée, McLaughlin a agi en concertation avec le commandement turc. Il a été, peut-on dire, l'atout majeur d'Osman. Leur calcul était simple et sûr : Ganetski est un général de grand mérite, mais, je vous prie d'excuser ma franchise, d'une intelligence quelque peu moyenne. Comme nous le savons, il n'a même pas eu la moindre velléité de mettre en doute l'information transmise par le journaliste, et il convient de rendre hommage à l'esprit de décision du lieutenant général Sobolev...

Varia trouva ce dernier propos désobligeant au plus haut point pour Fandorine qui était là sans rien dire, incapable de plaider sa cause. Aurait-il

228

été invité là simplement pour écouter les autres parler ? Elle ne se contint pas et s'écria :

— Mais c'est à Eraste Pétrovitch qu'il faut rendre hommage ! C'est Fandorine qui a couru chez Sobolev et qui l'a convaincu d'attaquer !

L'empereur darda un regard étonné sur cette audacieuse qui osait bafouer le protocole, et le vieux prince Kortchakov hocha la tête d'un air réprobateur. Elle eut l'impression que Fandorine lui-même se troublait, car il passa d'un pied sur l'autre. Bref, elle avait mis tout le monde mal à l'aise.

— Continue, Mizinov, fit l'empereur avec un signe de tête.

Mais le chancelier leva un doigt tout ridé :

— Avec l'autorisation de Votre Majesté. Si McLaughlin s'est lancé dans une diversion de cette importance, pourquoi a-t-il éprouvé le besoin d'en tenir informée cette demoiselle ?

Et le doigt se pencha dans la direction de Varia.

— Mais c'est évident ! (Mizinov essuya son front en sueur.) Il comptait sur le fait que Souvorova allait immédiatement colporter une nouvelle aussi extraordinaire dans tout le camp. La chose allait parvenir à l'état-major, et cela allait être l'exultation et le désordre ! La canonnade qui allait s'ensuivre serait du coup prise pour une salve. Peut-être même que, dans la liesse générale, on allait hésiter à accorder foi au premier appel du malheureux Ganetski attaqué, on allait perdre du temps à vérifier. C'est de l'écriture fine, l'improvisation d'un habile manœuvrier.

— Peut-être, en convint le prince.

— Mais où est passé ce McLaughlin ? demanda le tsar. En voilà un qu'il serait intéressant d'inter-

229

roger. Il faudrait également le confronter avec Wellesley. Cette fois, je suis bien certain que le colonel ne réussirait pas à se disculper !

Kortchakov eu un soupir rêveur.

— Oui ! Une affaire aussi compromettante nous permettrait de neutraliser totalement la diplomatie britannique.

— Malheureusement il n'a été retrouvé ni parmi les morts ni parmi les blessés. (Mizinov soupira lui aussi, mais son soupir avait une tout autre tonalité.) Il a réussi à s'échapper. Je me demande vraiment comment. Il est habile, le serpent. On n'a pas retrouvé non plus parmi les prisonniers le fameux Ali Bey, conseiller du sultan. Ce célèbre barbu qui a fait capoter notre premier assaut et qui, comme nous le supposons, ne serait autre qu'Anvar Effendi lui-même. J'ai remis à Votre Majesté un rapport sur ce dernier personnage.

Le souverain hocha la tête.

— Alors, qu'en dites-vous maintenant, Mikhaïl Alexandrovitch ?

Le chancelier cligna des yeux.

— J'en dis que cela peut donner quelque chose d'intéressant, Votre Majesté. Si tout ce qui vient d'être dit est vrai, cette fois les Anglais sont allés trop loin, ils ont dépassé la mesure. En manœuvrant bien, nous pouvons même nous retrouver gagnants dans l'affaire.

— Dites voir, dites voir un peu ce que vous avez imaginé ? demanda le tsar avec curiosité.

— Majesté, avec la prise de Plevna, la guerre en vient à sa phase finale. La victoire définitive contre les Turcs est l'affaire de quelques semaines. Je répète : « la victoire contre les Turcs ». Mais il ne faudrait pas que les choses tournent comme en 53 quand nous avons commencé par une guerre contre les Turcs pour nous retrouver face à l'Europe entière. Nos finances ne le supporteraient pas. Vous savez ce que nous a coûté cette campagne.

Le tsar fit la grimace, comme torturé par une rage de dents, et Mizinov hocha la tête d'un air affligé.

— La détermination de McLaughlin et la brutalité des moyens employés m'inquiètent beaucoup, poursuivit Kortchakov. Elles témoignent du fait que, dans sa volonté de nous empêcher d'accéder aux détroits, la Grande-Bretagne est prête à user de n'importe quels moyens, même les plus radicaux. N'oublions pas que son escadre militaire croise dans le Bosphore. Et pendant ce temps-là, la très aimable Autriche vous vise dans le dos, elle qui en son temps a déjà su planter un couteau dans le dos de votre père. A dire vrai, pendant que vous êtes restés là à faire la guerre à Osman Pacha, j'ai pour ma part réfléchi surtout à une autre guerre, la guerre diplomatique. Je pense en effet que nous versons notre sang, que nous mobilisons beaucoup d'argent et de ressources, mais que, pour finir, nous pouvons nous retrouver sans rien. Cette maudite Plevna nous a fait perdre un temps précieux tout en entamant la réputation de notre armée. Excusez-moi, Majesté, pardonnez au vieillard que je suis de faire l'oiseau de mauvais augure un jour comme celui-ci...

— Arrêtez, Mikhaïl Alexandrovitch, fit l'empereur avec un soupir. Nous ne sommes pas à la parade. Est-ce que je ne vois pas les choses !

— Avant les explications données par Lavrenty Arkadiévitch, j'étais d'une humeur très pessimiste.

Si on m'avait demandé il y une heure : « Dis voir, vieux renard, que pouvons-nous espérer de la victoire ? », j'aurais répondu en toute honnêteté : « L'autonomie de la Bulgarie et un petit morceau du Caucase. Voilà ce que nous pouvons obtenir au mieux, triste bénéfice pour des dizaines de milliers de morts et des millions de roubles. »

Alexandre eut un léger mouvement en avant :

— Et maintenant ?

Le chancelier braqua sur Varia et sur Fandorine un regard expressif dont Mizinov comprit la signification :

— Majesté, je vois où veut en venir Mikhaïl Alexandrovitch. J'en suis d'ailleurs arrivé à la même conclusion, et ce n'est pas par hasard que j'ai tenu à vous amener le conseiller titulaire Fandorine. Quant à mademoiselle Souvorova, nous pourrions peut-être la laisser aller.

Varia rougit violemment. Ainsi donc ici on ne lui faisait pas confiance. Quelle humiliation : être mise à la porte, et ce au moment le plus intéressant !

C'est alors que Fandorine ouvrit la bouche pour la première fois de l'audience :

— Je vous p-p-prie d'excuser mon audace. Mais ce n'est pas raisonnable.

L'empereur fronça ses sourcils bruns tirant sur le roux :

— Qu'est-ce qui n'est pas raisonnable ?

— On ne peut pas faire confiance à un collaborateur à moitié. Cela crée des vexations inutiles, et le travail s'en ressent. Varvara Andréevna sait tant de choses que, de toute façon, elle devinera sans p-p-peine le reste.

232

— Tu as raison, reconnut le tsar. Parlez, prince.

— Nous devons utiliser cette histoire pour déconsidérer la Grande-Bretagne aux yeux du monde. Diversion, assassinats, complot avec l'une des parties en guerre au mépris de la neutralité, tout cela est inouï. A parler franchement, je suis stupéfait de constater une imprudence pareille de la part du comte Beaconsfield. Et si nous avions réussi à nous emparer de McLaughlin et qu'il ait parlé ? Quel scandale ! Quel cauchemar ! Pour l'Angleterre, bien sûr. Elle n'aurait plus eu qu'à rapatrier son escadre et à tenter de se justifier devant l'Europe entière, et il lui en aurait fallu du temps pour lécher ses blessures ! Dans le conflit oriental en tout cas, le cabinet de Saint-James n'aurait pas osé intervenir. Et sans Londres, nos amis austro-hongrois se seraient tenus tranquilles. A ce moment-là nous aurions pu tirer le plus grand bénéfice de notre victoire, et...

Alexandre coupa assez brutalement la parole au vieillard :

— Ce ne sont là que suppositions. Nous n'avons pas McLaughlin. Et le problème est de savoir ce qu'il convient de faire.

— Le retrouver, répondit Kortchakov sans se troubler.

— Et comment ?

— Je ne sais pas, Majesté. Je ne suis pas le chef de la Troisième Section.

Le chancelier se tut, croisant avec bonhomie ses petits bras sur son ventre étique.

Mizinov comprit que c'était à lui de parler :

— Nous sommes convaincus de la culpabilité des Anglais et nous avons des preuves indirectes,

233

mais aucune preuve directe. Il faut donc en trouver... Ou en fabriquer. Hum...

— Explique-toi, fit le tsar, impatient. Et ne tourne pas autour du pot, Mizinov, nous ne sommes pas en train de jouer à un jeu de société.

— A Vos ordres, Majesté. Actuellement McLaughlin est soit à Constantinople, soit, plus vraisemblablement, en route pour l'Angleterre, puisque sa mission est achevée. A Constantinople, nous avons tout un réseau d'agents secrets, et il ne sera pas trop difficile d'enlever ce vaurien. La chose sera plus difficile en Angleterre, mais en s'y prenant bien...

— Je ne veux pas entendre cela ! s'écria Alexandre. Tu fais des propositions inadmissibles !

— Vous m'avez dit vous-même de ne pas tourner autour du pot, fit le général avec un geste d'impuissance.

— Ramener McLaughlin dans un sac, ce ne serait pas mal, bien sûr, fit le chancelier, pensif, mais c'est bien difficile et peu sûr. On risque de faire plus de mal que de bien. A Constantinople, passe encore ; à Londres, je ne vous le conseillerais pas.

— D'accord, dit Mizinov en ponctuant son propos d'un vigoureux signe de tête. Si McLaughlin fait surface à Londres, on ne le touchera pas. Mais on provoquera un scandale dans la presse britannique en dévoilant le comportement inadmissible du correspondant. Le public anglais n'appréciera pas ces agissements qui n'entrent aucunement dans le cadre de leur fameux fair-play.

Kortchakov approuva :

— Là, vous parlez d'or. Pour lier les mains de Beaconsfield et de Derby, un bon scandale dans les journaux sera amplement suffisant.

Tout au long de cette discussion, Varia s'était employée à se rapprocher tout doucement, quart de pas par quart de pas, d'Eraste Pétrovitch, et la voilà qui fut enfin toute proche de lui :

— Qui est Derby ? demanda-t-elle d'une voix très basse.

— Leur ministre des Affaires étrangères, lui répondit Fandorine dans un souffle, presque sans bouger les lèvres.

Mizinov se retourna, courroucé, et eut un mouvement menaçant des sourcils. Mais le chancelier poursuivit :

— Votre McLaughlin est visiblement un fripon de première catégorie qui ne s'embarrasse ni de préjugés ni de sentiments. Si on le retrouve à Londres, on peut, avant de faire éclater le scandale, avoir avec lui une conversation confidentielle, faire état de nos preuves, le menacer de les rendre publiques... En effet, si le scandale se produit, il est un homme fini. Je connais les habitudes anglo-saxonnes : dans le monde, personne ne lui serrera plus la main, même s'il sait se couvrir de médailles de la tête aux pieds. Cela fait tout de même deux meurtres, ce n'est pas rien. On est à deux doigts d'un procès au pénal. C'est un homme intelligent. Et si on lui promet en plus une belle somme d'argent et un petit domaine quelque part au-delà de la Volga... Il peut nous fournir des renseignements précieux que Chouvalov saura utiliser pour faire pression sur Derby. Il lui suffira de menacer de dévoiler les choses, et le cabinet britannique se fera en un instant doux comme un agneau... Qu'en dites-vous, général, est-ce que McLaughlin a des chances de marcher face à cette combinaison de la menace et du pot-de-vin ?

— Il n'aura pas d'autre solution, promit le général, tout à fait certain de son affaire. Moi aussi, j'ai pensé à cette variante, et c'est pour cela que j'ai amené Eraste Fandorine. Sans l'assentiment de Sa Majesté, je n'osais pas le charger d'une mission aussi délicate. La mise est trop forte. Fandorine est inventif, déterminé, il a une façon originale de percevoir les choses et, surtout, il est déjà allé à Londres, chargé d'une mission secrète particulièrement difficile dont il s'est acquitté brillamment. Il sait l'anglais et connaît McLaughlin personnellement. S'il faut l'enlever, il saura le faire. Si l'on en décide autrement, il saura le convaincre. S'il n'y arrive pas, il aidera Chouvalov à organiser un magnifique scandale. Ayant assisté aux événements, il peut témoigner contre McLaughlin lui-même. Il est en outre doué d'une étonnante force de persuasion.

— Et Chouvalov, qui est-ce ? demanda Varia, toujours dans un murmure.

— Notre ambassadeur, répondit le conseiller titulaire d'un air distrait.

Visiblement, il pensait à autre chose et n'écoutait plus le général que d'une oreille peu attentive.

— Alors, Fandorine, penses-tu réussir ? demanda l'empereur. Tu veux bien aller à Londres ?

— Je veux bien, M-M-Majesté, dit Fandorine. Pourquoi pas ?

Sentant que le conseiller titulaire ne livrait pas le fond de sa pensée, le monarque le regarda d'un air scrutateur, mais Fandorine n'ajouta rien.

Alexandre récapitula :

— Bon, Mizinov, agis dans les deux directions. Recherche-le à Constantinople et à Londres. Simplement ne perds pas de temps, il ne nous en reste pas beaucoup.

En ressortant du cabinet, Varia demanda au général :

— Et si on ne retrouve McLaughlin ni à Constantinople ni à Londres ?

— Croyez-en mon intuition, ma chère, répondit-il dans un soupir. Nous aurons encore l'occasion de rencontrer ce gentleman.

Chapitre douzième,

où l'on voit les événements
prendre un tour inattendu

Le Bulletin de Saint-Pétersbourg

8 (20) janvier 1878

Les Turcs demandent la paix !

Après la capitulation de Vessel Pacha, après la prise de Philipopol et la reddition de l'antique Adria qui, hier, a largement ouvert ses portes aux Cosaques du général blanc, le sort de la guerre est définitivement scellé, et ce matin un train de parlementaires turcs s'est présenté dans les dispositifs de notre valeureuse armée. Le convoi a été retenu à Andrinople, tandis que les pachas étaient conduits à l'état-major du commandant en chef, cantonné actuellement dans le petit village de Guermanly. Quand Namyk Pacha, le chef de la délégation turque âgé de 76 ans, a pris connaissance des conditions préalables à la signature d'un traité de paix, il s'est écrié au comble du désespoir : « *Votre armée est victorieuse, votre ambition est satisfaite, et la Turquie est détruite* [*] ! »

Eh bien, dirons-nous, c'est bien le sort qu'elle mérite, la Turquie !

Ils ne se dirent même pas correctement adieu. Varia fut enlevée sur le perron du « palais de campagne » par Sobolev qui l'envoûta par le magnétisme de sa gloire et de son succès et l'emmena à son état-major pour fêter la victoire. Elle eut à peine le temps de faire un petit signe de tête à Fandorine qui, le lendemain matin, n'était plus là. Tryphon, son ordonnance, lui dit : « Il est parti. Repassez dans un mois. »

Mais un mois passa, et le conseiller titulaire n'était toujours pas de retour. Il s'était sans doute révélé plus difficile que prévu de retrouver McLaughlin en Angleterre.

On ne peut pas dire que Varia s'ennuyait, tout au contraire. Une fois le camp de Plevna levé, la vie était redevenue passionnante. Tous les jours on changeait de lieu, on voyait des villes nouvelles, des paysages de montagne à vous couper le souffle, et c'étaient des fêtes sans fin pour célébrer des victoires quasi quotidiennes. L'état-major du commandement suprême avait d'abord été transféré à Kazanlyk, au-delà de la cordillère des Balkans, puis, plus au sud encore, à Guermanly. Cette fois, il n'y avait même plus d'hiver du tout. Les arbres restaient verts, et seuls les sommets des montagnes lointaines portaient de la neige.

En l'absence de Fandorine, Varia n'avait rien à faire. Elle continuait à faire partie de l'état-major et à percevoir régulièrement son salaire, ayant reçu ainsi décembre et janvier, plus une indemnité de déplacement, plus une prime pour Noël. Cela commençait à lui faire une somme rondelette dont elle ne savait vraiment pas que faire. Un jour, à Sofia, elle avait voulu s'acheter une jolie petite lampe en cuivre (qui ressemblait à celle que devait posséder

Aladin), mais pensez donc ! Paladin et Gridnev avaient failli se battre pour savoir lequel des deux allait avoir l'honneur de lui offrir cette babiole. Elle avait dû s'incliner.

Au fait, quelques mots sur Gridnev. C'est Sobolev qui avait attaché cet enseigne de dix-huit ans à sa personne. Le héros de Plevna et de Cheïnov était occupé jour et nuit par des tâches militaires, mais il n'oubliait pas Varia. Quand il trouvait le temps de passer à l'état-major, il ne manquait jamais de venir lui faire une petite visite ; il lui faisait parvenir des bouquets géants, l'invitait les jours de fête (le nouvel an avait ainsi été célébré deux fois, selon le calendrier occidental et à la date russe). Mais tout cela ne paraissait pas suffisant à l'entreprenant Michel qui avait mis à la disposition de la jeune fille l'un de ses soldats d'ordonnance, « pour lui apporter aide et soutien en route et pour la défendre ». L'enseigne avait commencé par faire la tête et par regarder de travers son nouveau chef en jupon, mais il avait été rapidement apprivoisé et s'était même apparemment pénétré de sentiments romantiques à son égard. C'était amusant, mais flatteur. Gridnev n'était pas beau (fin stratège, Sobolev n'aurait jamais choisi un beau garçon), mais il était agréable et fougueux comme un jeune chiot. A côté de lui, avec ses vingt-deux ans, Varia se sentait une femme adulte et mûre.

Sa situation était assez étrange. A l'état-major, tout portait à croire qu'on la considérait comme la maîtresse de Sobolev et, dans la mesure où le général blanc était unanimement adoré et où on lui pardonnait tout, personne ne jugeait Varia. On avait l'impression au contraire qu'une petite partie du rayonnement du célèbre Achille rejaillissait sur sa personne, et bien des officiers auraient sans doute été scandalisés d'apprendre qu'elle osait ne pas répondre à ses sentiments pour rester fidèle à un obscur petit soldat du chiffre.

Avec Pétia, à vrai dire, les choses n'allaient pas très bien. Non, il ne manifestait aucune jalousie et ne lui faisait pas de scènes. Pourtant, après le suicide raté, leurs relations étaient devenues difficiles. D'abord, elle ne le voyait presque pas. Pétia essayait d'« effacer sa faute » par le travail, dans la mesure où il n'était pas possible, dans son département de chiffreurs, de l'effacer par le sang. Il doublait son service, dormait sur place sur un lit pliant, ne fréquentait pas le club des journalistes et ne prenait pas part aux petites fêtes. C'est sans lui que Varia avait dû fêter et Noël et le jour de l'an. Quand il retrouvait la jeune fille, son visage s'illuminait d'une joie douce et tendre, mais il lui parlait comme il aurait parlé à l'icône de la Sainte Vierge de Vladimir : elle était pure, elle était son seul espoir, sans elle il serait complètement perdu.

Varia éprouvait à son endroit une pitié immense. Mais en même temps une question désagréable lui venait de plus en plus souvent en tête : peut-on se marier avec quelqu'un par pitié ? Et la réponse était « non ». Mais il lui paraissait plus inconcevable encore de lui dire : « Tu sais, Pétia, j'ai réfléchi, et je ne serai pas ta femme. » C'était la même chose que d'achever un blessé. Bref, qu'elle se tourne dans un sens ou dans un autre, toutes les solutions étaient mauvaises.

Le press-club, qui à présent se déplaçait de place en place, était comme d'habitude fréquenté par un grand nombre de gens, mais il était loin d'être aussi animé qu'à l'époque inoubliable de Zourov. On jouait bien aux cartes, mais modérément et seulement avec de petites mises. Quant aux parties d'échecs, elles avaient totalement cessé avec la disparition de McLaughlin. Les journalistes n'évoquaient jamais le nom de l'Irlandais, en tout cas en présence des Russes, mais les deux autres correspondants britanniques étaient ostensiblement boycottés et avaient cessé de venir au club.

On y faisait bien parfois la noce, naturellement, et il y arrivait des scandales. A deux reprises, le sang avait presque failli couler, et les deux fois, comme par un fait exprès, Varia avait été à l'origine des incidents.

Le premier incident avait eu lieu alors qu'on était encore à Kazanlyk. Un petit officier d'ordonnance de passage, qui n'avait pas trop compris le statut de Varia, avait fait une plaisanterie malheureuse en la qualifiant de « princesse Marlborough » et en laissant entendre clairement que le « prince Marlborough » était Sobolev. Paladin avait exigé des excuses de l'insolent, l'autre, fortement éméché, s'était rebiffé, et les voilà partis à tirer. Ce soir-là Varia n'était pas dans la tente, sinon elle aurait bien sûr mis fin à ce conflit absurde. Mais les choses avaient tout de même bien tourné : l'officier avait manqué son coup ; Paladin, en réponse, lui avait arraché sa casquette, après quoi l'offenseur avait recouvré ses esprits et reconnu son erreur.

La seconde fois, c'est le Français lui-même qui avait été provoqué et de nouveau pour une plaisanterie qui, cette fois, avait paru à Varia assez amusante. C'était déjà l'époque où Varvara Andréevna était accompagnée en permanence par le jeune Mitia Gridnev. Paladin avait imprudemment observé à voix haute que « mademoiselle Barbara » ressemblait à présent à l'impératrice Anna Ioanovna avec son négrillon et, sans craindre la terrible réputation du correspondant, le sous-lieutenant avait immédiatement exigé réparation. Dans la mesure où la scène s'était déroulée en présence de Varia, il n'y avait pas eu d'échange de coups de feu. Elle avait donné à Gridnev l'ordre de prendre patience et à Paladin celui de retirer ses paroles. Le journaliste avait battu sur-le-champ sa coulpe, reconnaissant que la comparaison n'avait pas été heureuse et que *monsieur le sous-lieutenant* * faisait davantage penser à Hercule venant de capturer une biche. On en était resté là.

Par moments Varia avait l'impression que Paladin lui jetait des regards qui ne pouvaient être interprétés que d'une seule façon, et pourtant le Français avait avec elle tout le comportement d'un Bayard. Il lui arrivait comme aux autres journalistes d'aller passer plusieurs journées sur la ligne du front, et ils se voyaient maintenant plus rarement qu'au moment de Plevna. Un jour cependant ils avaient eu en tête-à-tête une conversation que Varia avait reconstituée par la suite dans son intégralité pour la noter mot pour mot dans son journal (après le départ d'Eraste Pétrovitch, l'idée lui était bizarrement venue de tenir un journal. C'était sans doute parce qu'elle n'avait rien à faire).

Ils étaient assis au coin du feu dans une auberge d'un col de montagne, à boire du vin chaud, et la température ambiante avait poussé le journaliste à la confidence.

— Ah ! mademoiselle Barbara, si je n'étais pas moi, avait soudain ricané Paladin sans savoir qu'il

243

répétait presque littéralement les propos de Pierre Bézoukhov, ce héros de *Guerre et Paix* pour lequel Varia avait une véritable vénération. Si j'étais dans une autre situation, si j'avais un autre caractère et un autre destin... (Et il lui avait lancé un regard tel que son cœur s'était mis à bondir comme s'il sautait à la corde. J'aurais immanquablement essayé de rivaliser avec le brillant Michel.) Dites-moi, aurais-je eu contre lui ne serait-ce qu'une petite chance ?

— Bien sûr, avait répondu honnêtement Varia avant de se reprendre, sa réponse apparaissant comme une invitation au flirt. Je veux dire, Charles, que vous auriez eu ni plus ni moins de chances que Mikhaïl Dmitriévitch. C'est-à-dire zéro chance. Ou presque.

Elle avait quand même ajouté « ou presque ». O cet éternel féminin, haïssable et indomptable !

Dans la mesure où Paladin avait l'air détendu comme jamais, elle lui avait posé une question qui la titillait depuis longtemps.

— Charles, est-ce que vous avez une famille ?

Le journaliste avait souri :

— Ce qui vous intéresse en fait, c'est de savoir si j'ai une femme ?

Varia s'était troublée.

— Non, pas seulement. Si vous avez des parents, des frères, des sœurs...

Mais elle s'était morigénée intérieurement : après tout, pourquoi faire l'hypocrite ? C'était une question parfaitement normale, et elle avait ajouté d'un ton décidé :

— J'aimerais bien savoir aussi si vous avez une femme, naturellement. Regardez, Sobolev par exemple ne cache pas qu'il est marié.

244

— Hélas, mademoiselle Barbara. Ni femme ni fiancée. Je n'en ai pas, et je n'en ai jamais eu. Mon mode de vie ne me le permet pas. J'ai eu des aventures, cela va de soi, je vous en parle sans fausse honte parce que vous êtes une femme moderne, sans minauderies stupides. (Varia, flattée, sourit.) Pour ce qui est de ma famille, je n'ai qu'un père auquel je suis extrêmement attaché et qui me manque énormément. En ce moment il est en France. Un jour je vous parlerai de lui. Après la guerre, d'accord ? C'est toute une histoire !

En conclusion, elle ne lui était pas indifférente, mais il ne souhaitait pas entrer en rivalité avec Sobolev. Par orgueil sans doute.

Cette circonstance n'empêchait nullement le Français d'avoir des relations amicales avec Michel. Le plus souvent, c'est précisément dans le détachement du général blanc qu'il se rendait quand il disparaissait, d'autant que celui-ci se trouvait en permanence à l'extrême avant-garde de l'armée en marche, et les correspondants de presse avaient toujours quelque chose à glaner dans son entourage.

Le 8 janvier à midi, Varia vit arriver une voiture accompagnée d'une garde cosaque que lui envoyait Sobolev pour l'inviter à venir le rejoindre dans Andrinople tout juste conquise. Le siège en cuir d'un moelleux parfait de cet équipage confisqué à l'ennemi s'ornait d'une brassée de roses d'orangerie. En voulant organiser ces branches disparates en un bouquet, Mitia Gridnev déchira ses gants tout neufs avec les épines et en fut violemment contrarié. Et comme ils roulaient, Varia dut le consoler, en lui promettant, pour s'amuser, de lui donner ses gants à elle (le sous-officier avait de toutes petites mains de jeune fille). Mitia fronça ses sourcils clairs, renifla d'un air vexé et resta une demi-heure à bouder en battant de ses longs cils épais. Pour finir, ses cils sont la seule partie de son individu avec laquelle le pauvre gringalet a eu de la chance, se dit-elle. Il avait les mêmes qu'Eraste Pétrovitch, mais clairs. A partir de là, ses pensées se reportèrent tout naturellement sur Fandorine dont elle se demandait bien où il était passé. Pourvu qu'il revienne vite ! Quand il était là... Se sentait-elle plus en sécurité ? Les choses lui paraissaient-elles plus intéressantes ? Elle n'aurait pas su le dire comme cela d'un coup, ce qui était certain, c'est que quand il était là, *c'était mieux*.

Quand ils arrivèrent, le soir tombait. La ville était silencieuse, les rues désertes, et seuls résonnaient le pas sonore des détachements de cavaliers et le fracas des pièces d'artillerie que l'on disposait le long de la route.

L'état-major provisoire était installé dans le bâtiment de la gare, et Varia entendit de très loin des airs de musique militaire. Une fanfare jouait l'hymne au tsar. Toutes les fenêtres du bâtiment neuf de type européen étaient illuminées. Devant, sur la place, brûlaient des feux de camp et les cheminées des cuisines de campagne fumaient d'un air affairé. Mais ce qui étonna le plus Varia, ce fut de voir, à quai, un train de passagers tout ce qu'il y avait d'ordinaire : petits wagons coquets, locomotive crachant paisiblement de petits nuages de fumée, comme s'il n'y avait pas eu de guerre.

Il va sans dire que dans la salle d'attente, on célébrait l'événement. Autour de tables disparates rassemblées tant bien que mal et qui portaient quelques nourritures sommaires mais un nombre conséquent de bouteilles, les officiers faisaient la fête. Au moment où Varia et Gridnev pénétrèrent dans la pièce, tous venaient justement de hurler « hourrah », leur verre levé et le regard tourné vers la table occupée par le commandant. La célèbre tunique blanche du général tranchait sur les uniformes noirs de l'armée et sur la tenue grise des Cosaques. A la table d'honneur, outre Sobolev lui-même, se tenaient les officiers supérieurs (parmi eux Varia ne connaissait que Pérépelkine) et Paladin. Tous avaient la mine réjouie et la face rubiconde, et il était évident que le festin durait déjà depuis un bon moment.

— Varvara Andréevna ! cria Achille en bondissant de sa chaise. Je suis heureux que vous ayez accepté de venir ! Messieurs, un « hourrah » pour notre seule dame !

Tous se dressèrent, et leur cri fut à ce point assourdissant que Varia prit peur. Jamais encore elle n'avait été saluée d'une manière aussi active. N'avait-elle pas eu tort d'accepter l'invitation ? La baronne Vreïskaïa, qui dirigeait l'hôpital de campagne auquel étaient rattachées les deux compagnes de chambre de Varia, avait coutume de mettre en garde ses filles :

— *Mesdames*[*], tenez-vous à distance des hommes quand ils sont excités par une bataille ou, pis encore, par une victoire. Dans ces moments-là, s'éveille en eux une sauvagerie atavique, et n'importe lequel d'entre eux, fût-il un élève du corps de pages, se transforme provisoirement en un barbare. Laissez-les rester un moment entre eux, recouvrer leurs esprits, et de nouveau ils offriront au monde un visage civilisé et redeviendront contrôlables.

Cela dit, en dehors d'une galanterie exacerbée et d'éclats de voix un peu poussés, Varia ne remarqua rien de particulièrement sauvage chez ses voisins de table. On l'installa à la place d'honneur, à la droite de Sobolev, et Paladin se trouva à sa droite à elle.

Quelque peu rassérénée par un petit verre de champagne, la jeune fille demanda :

— Michel, qu'est-ce que c'est que ce train ? Je ne me souviens même plus du jour où j'ai vu pour la dernière fois une locomotive sur des rails, et non les roues en l'air dans un fossé.

— Mais vous ne savez donc rien ! s'écria un jeune colonel assis au bout de la table. La guerre est finie ! Aujourd'hui des parlementaires sont arrivés de Constantinople. Et ils sont venus par le train, comme en temps de paix !

— Et combien sont-ils, ces parlementaires ? s'étonna Varia. Tout un convoi ?

— Non, Varenka, expliqua Sobolev, ils ne sont que deux. Mais la chute d'Andrinople a déclenché chez les Turcs une telle panique que, pour ne pas perdre une minute, ils se sont contentés d'accrocher le wagon de leurs messagers à un train normal. Un train sans passagers, bien sûr.

— Et où sont ces parlementaires ?

— Je les ai envoyés au grand prince dans des voitures, car à partir d'ici la voie de chemin de fer est détruite.

— Oh ! là ! là ! Cela fait une éternité que je n'ai pas pris le train, soupira Varia, rêveuse. Carrer son dos contre un dossier moelleux, ouvrir un livre, boire un verre de thé chaud... Et pendant ce temps-là, voir derrière la fenêtre défiler les poteaux télégraphiques, entendre le bruit des roues...

— Je vous ferais bien faire un petit tour, dit Sobolev, mais on n'a malheureusement pas grand choix quant à l'itinéraire. D'ici, on ne peut se rendre qu'à Constantinople.

— Messieurs, messieurs ! s'exclama Paladin. Quelle excellente idée ! *La guerre est en fait finie*[*]. Les Turcs ne tirent plus. D'ailleurs la locomotive porte un drapeau turc ! Si l'on faisait un petit tour jusqu'à San Stefano ? *Aller et retour*[*] ? Qu'est-ce que tu en dis, Michel ? (Ayant commencé dans un russe approximatif, de plus en plus exalté par son projet, il passa définitivement au français.) Mademoiselle Barbara ferait une promenade en wagon de première, moi, j'écrirais un somptueux reportage, et un officier de l'état-major viendrait avec nous pour reconnaître les arrières de l'armée turque. Je te le jure, Michel, ça se passera sans le moindre problème ! D'ici à San Stefano et retour ! Ils ne se douteront même de rien ! Et si jamais ils s'aperçoivent de quelque chose, de toute façon ils n'oseront pas tirer : nous avons leurs parlementaires ! Michel, sais-tu qu'à San Stefano, on a les lumières de Constantinople comme dans le creux de la main ! C'est là que sont concentrées les maisons de campagne des vizirs turcs ! Oh, quelle belle occasion !

— Ce serait une folie irresponsable ! déclara le lieutenant-colonel Pérépelkine d'un ton cassant, et j'espère, Mikhaïl Dmitriévitch, que vous aurez assez de sagesse pour ne pas vous laisser tenter.

Quel homme rigide et désagréable que cet Erémeï Pérépelkine ! A vrai dire, au cours de ces quelques mois Varia avait conçu la plus vive antipathie pour le personnage, tout en accordant par ailleurs une foi totale aux louanges communément faites des qualités techniques exceptionnelles du chef d'état-major de Sobolev. Il ne manquerait plus qu'il ne se donne pas de mal ! C'est quand même quelque chose : en moins de six mois, sauter du grade de capitaine à celui de lieutenant-colonel, en arrachant au passage une croix de Saint-Georges et une épée de Sainte-Anne pour blessures au combat. Et tout cela grâce à Michel. Et pourtant il la regardait de travers, comme si elle, Varia, lui avait pris quelque chose. Cela dit, en fait, ça se comprenait : il était jaloux, il aurait voulu qu'Achille lui appartienne à lui tout seul. Il serait intéressant de savoir où en était Erémeï Ionovitch en matière de péché de Kazanzakis. Un jour, dans une discussion avec Sobolev, elle s'était même permis une petite allusion perfide à ce sujet, et Michel avait tellement ri qu'il avait failli s'en étrangler.

Cette fois cependant le détestable Pérépelkine avait totalement raison. La « merveilleuse idée » de Charles parut à Varia d'une sottise absolue. Pourtant, auprès des fêtards, elle reçut un soutien total : un colonel cosaque alla même jusqu'à donner au Français une tape amicale dans le dos en l'appelant « tête brûlée ». Sobolev souriait, mais se taisait pour le moment.

— Laissez-moi y aller, Mikhaïl Dmitriévitch, demanda un général de cavalerie cosaque à l'air bravache (son nom devait être Stroukov). Je mettrai mes gars dans les compartiments, et on fera un gentil petit tour. Et qui sait, on trouvera peut-être un autre Pacha à faire prisonnier. Eh oui, on en a encore le droit ! Pour le moment, nous n'avons pas reçu l'ordre de cesser les activités militaires.

Sobolev jeta un rapide regard à Varia qui remarqua que ses yeux avaient soudain un éclat inhabituel.

— Que non, Stroukov ! Dans un premier temps, il faudra vous contenter d'Andrinople. (Achille eut un sourire de rapace et haussa la voix :) Messieurs, voici mes ordres ! (Un silence total s'instaura immédiatement dans la salle.) Je transfère mon centre de commandement à San Stefano ! Que l'on fasse monter le troisième bataillon de chasseurs dans les rames. Même s'ils doivent être comme des harengs dans un tonneau, il faut qu'ils y entrent tous. Moi, je voyagerai dans le wagon de l'état-major. Puis le train reviendra immédiatement ici chercher des renforts, et il continuera à faire des allers et retours incessants. Demain à la mi-journée, j'aurai tout un régiment. Votre tâche à vous, Stroukov, est de venir nous rejoindre avec votre cavalerie pas plus tard que demain soir. Pour le moment, un bataillon me suffira. Selon les rapports des services de reconnaissance, nous ne devrions pas rencontrer d'unités turques prêtes au combat. Il ne reste plus à Constantinople que la garde du sultan dont la mission est de veiller sur Abdül-Hamid.

— Ce ne sont pas les Turcs qu'il faut craindre, Excellence, dit Pérépelkine d'une voix grinçante. On peut supposer que les Turcs ne vous toucheront pas, ils sont au tapis. En revanche le commandant en chef, lui, ne va pas vous complimenter.

251

— Rien de moins sûr, Erémeï Ionovitch, fit Sobolev en clignant des yeux avec malice. Tout le monde sait qu'Ak Pacha est fou, et ça permet de faire passer bien des choses. Par ailleurs, l'annonce de la prise d'une banlieue de Constantinople au moment même où se mènent les pourparlers peut se révéler d'une grande utilité pour Sa Majesté impériale. A haute voix on me gourmandera, mais on me dira merci dans le silence du cabinet. Et ce ne sera pas la première fois. En outre, veuillez ne pas discuter un ordre qui a déjà été donné !

— *Absolument*[*] ! fit Paladin avec un hochement de tête enthousiaste. *Un tour de génie, Michel*[*] ! Ce n'est donc pas mon idée qui était la meilleure. Mais mon reportage n'en sera que plus intéressant !

Sobolev se leva et offrit cérémonieusement son bras à Varia :

— Ne vous serait-il pas agréable, Varvara Andréevna, de jeter un coup d'œil aux lumières de Constantinople ?

Le convoi fendait l'obscurité à vive allure, et Varia avait à peine le temps de lire le nom des stations : Babaeski, Liuleburgaz, Tchorlu. Les gares étaient des gares comme toutes les autres, comme celles que l'on peut trouver par exemple dans la région de Tambov, simplement elles étaient jaunes au lieu d'être blanches : lumières, silhouettes élégantes de cyprès ; une fois, la dentelle métallique d'un pont laissa apercevoir dans un éclat le ruban d'une rivière caressée par la lune.

Le compartiment était confortable, avec des divans en peluche et une grande table d'acajou. Les gardes et Gulnora, la jument blanche de Sobolev, avaient pris place dans la partie du wagon réservée à la suite, et des hennissements en parvenaient sans arrêt, Gulnora ne réussissant pas à recouvrer son calme après l'énervement que lui avait causé le chargement. Outre le général lui-même et Varia, le salon accueillait Paladin et plusieurs officiers, dont Mitia Gridnev, endormi paisiblement dans un coin. Regroupés autour de Pérépelkine, qui portait sur une carte l'avancement du train, les officiers fumaient, le correspondant prenait des notes dans son calepin, quant à Varia et à Sobolev, ils se tenaient à l'écart, près de la fenêtre, occupés à une conversation qui n'était pas des plus faciles.

— ... Je pensais que c'était le grand amour...

Michel se confessait à mi-voix, faisant mine d'avoir les yeux fixés sur l'obscurité derrière la fenêtre, mais Varia savait très bien que c'était son reflet à elle qu'il regardait dans la vitre.

— Bon, je ne vais pas vous raconter des histoires. Je ne pensais pas à l'amour. Ma véritable passion, c'est l'ambition, tout le reste vient après. Je suis fait comme cela. Mais l'ambition n'est pas un péché quand elle vise des buts élevés. Je crois au destin et à l'étoile de chacun, Varvara Andréevna, et mon étoile à moi brûle d'un éclat vif et mon destin est particulier. Je sens cela avec mon cœur. Quand je n'étais encore qu'élève de l'école militaire...

Délicatement Varia le ramena à ce qui l'intéressait :

— Vous aviez commencé à me parler de votre femme.

— Ah oui ! Je me suis marié par ambition, je l'avoue. J'ai commis une erreur. L'ambition est une bonne chose quand elle vous conduit à aller au-devant des balles, mais il ne faut surtout pas l'associer au mariage. Je vais vous dire comment les choses se sont passées. Je revenais du Turkestan. C'étaient pour moi les premiers rayons de la gloire, mais cela ne changeait rien, je n'étais qu'un parvenu, un roturier. Mon grand-père avait commencé tout en bas de l'échelle des grades. Et voilà que j'avais en face de moi la princesse Titov. Une lignée remontant à Riourik, le premier prince russe. Pour moi, c'était passer directement de la garnison au grand monde. Comment ne pas se laisser tenter ?

Sobolev parlait d'une voix entrecoupée, avec amertume. Il donnait le sentiment d'être sincère, et Varia apprécia cette sincérité. En plus, bien sûr, elle voyait bien où il voulait en venir. Elle aurait pu l'arrêter à temps, faire dévier la conversation, mais elle manqua de courage. Mais qui en aurait eu à sa place ?

— Très vite, j'ai compris que je n'avais rien à faire dans la haute société. Le climat ne convenait pas à mon organisme. Et nous avons vécu comme cela : moi en campagne, elle à la capitale. Dès que la guerre sera terminée, je demanderai le divorce. Je peux me le permettre, je l'ai bien mérité. Et personne ne me jugera : on a beau dire, je suis un héros. (Sobolev eut un sourire malicieux.) Alors, Varenka, que me dites-vous, ?

— A quel sujet ? demanda-t-elle avec un air innocent.

Sa maudite nature de coquette exultait. Ces confidences ne menaient à rien, elles ne pouvaient créer que des complications, et pourtant, elle avait le cœur en fête.

— Dois-je divorcer ou non ?

— Là, c'est à vous de décider. (Elle allait dire ce qu'il fallait, elle allait le dire tout de suite.)

Sobolev poussa un lourd soupir et se jeta à l'eau la tête la première.

— Il y a longtemps que je vous regarde. Vous êtes intelligente, sincère, courageuse, vous avez du caractère. C'est d'une compagne comme vous que j'ai besoin. Avec vous, je serais encore plus fort. Et vous ne le regretteriez pas, vous non plus, je vous l'assure... Bref, Varvara Andréevna, considérez que je vous fais...

— Votre Excellence ! hurla Pérépelkine. Que le diable l'emporte celui-là ! San Stefano ! On décharge ?

L'opération s'effectua sans la moindre anicroche. Complètement abasourdie, la garde (six soldats à moitié endormis en tout et pour tout) fut désarmée en un tournemain, et les hommes s'égaillèrent dans la ville en petites sections.

Tant que de rares coups de feu se firent entendre dans les rues, Sobolev resta dans la gare. Mais tout fut terminé en une demi-heure. Comme pertes, on ne déplorait qu'un blessé léger, et encore c'étaient sans doute les siens qui l'avaient touché par inadvertance.

Le général inspecta rapidement le centre de la ville éclairé par des becs de gaz. Juste après, commençait un sombre labyrinthe de ruelles tortueuses, et s'y enfoncer n'avait aucun sens. Pour sa résidence, et afin de pouvoir le cas échéant y organiser sa défense, Sobolev choisit le bâtiment massif de la filiale de la banque Osmano-osmanienne.

Une première compagnie prit place juste devant les murs et à l'intérieur, une deuxième resta à la gare, la troisième se distribua en équipes de ronde dans les rues avoisinantes. Le train, lui, repartit aussitôt pour aller chercher des renforts.

Il fut impossible d'informer l'état-major du commandement suprême de la prise de San Stefano, la ligne restait muette. Sans doute les Turcs s'en étaient-ils occupés.

— Le deuxième bataillon sera là au plus tard à midi, dit Sobolev. Pour le moment, on ne prévoit rien d'intéressant. Admirons les lumières de la capitale de Byzance et bavardons pour passer le temps.

L'état-major provisoire fut installé au second étage, dans le cabinet du directeur. Premièrement on avait effectivement des fenêtres une vue magnifique sur les lumières lointaines de la capitale turque, deuxièmement une porte en fer menait directement du cabinet à la salle du trésor de la banque. Là, de lourds rayonnages en fonte portaient des sacs régulièrement alignés munis d'un cachet de cire. Déchiffrant les caractères arabes, Paladin annonça que chacun des sacs contenait cent mille livres.

— Et on dit que la Turquie est ruinée, fit Mitia, étonné. Il y a là des millions !

— C'est pour cela que nous n'allons plus bouger d'ici, au moins on sera certain que personne n'y touchera, décida Sobolev. On m'a déjà accusé une fois d'avoir subtilisé le trésor du khan. Ça suffit.

La porte de la salle du trésor resta entrouverte, et personne ne parla plus des millions. On apporta de la gare un appareil télégraphique que l'on installa dans l'antichambre en tirant un fil à travers toute la place. Tous les quarts d'heure, Varia essayait d'entrer en contact ne serait-ce qu'avec Andrinople, mais l'appareil ne donnait aucun signe de vie.

Au bout d'un moment, on vit arriver une députation des marchands et du clergé qui supplièrent de ne pas piller les maisons et de ne pas détruire les mosquées, mais de fixer plutôt une contribution, dans les cinquante mille livres par exemple, les pauvres habitants de la ville étant incapables d'en rassembler davantage. Quand le chef de la députation, un gros Turc au nez camus vêtu d'une redingote et coiffé d'un fez, comprit qu'il avait devant lui le légendaire Ak Pacha en personne, le montant de ladite contribution se trouva sur-le-champ multiplié par deux.

Sobolev voulut calmer les envoyés en leur expliquant qu'il n'était pas habilité à recevoir de contribution. Le Turc au nez camus jeta un regard de biais à la porte non fermée de la salle du trésor et leva respectueusement les yeux au ciel :

— Je comprends, Effendi. Cent mille livres pour un grand personnage comme toi, ce n'est rien du tout !

Dans le pays, les nouvelles se répandaient vite. Deux heures ne s'étaient pas écoulées après le départ des quémandeurs de San Stefano qu'Ak Pacha voyait se présenter à son cabinet une ambassade de marchands grecs venant de Constantinople même. Ceux-ci ne proposèrent pas de contribution, mais offrirent aux « valeureux guerriers chrétiens » des sucreries et du vin. Ils expliquèrent que la ville comptait un grand nombre de chrétiens orthodoxes et demandèrent de ne pas tirer au canon, mais que s'il fallait absolument le faire un peu, qu'ils ne tirent pas sur le quartier de Péra, où se trouvaient un grand nombre de magasins et de dépôts remplis de marchandises, mais plutôt sur Galata ou, mieux encore, sur les quartiers arméniens et juifs. Ils tentèrent de remettre à Sobolev une épée en or ornée de pierres précieuses, furent mis à la porte et s'en retournèrent apparemment rassurés.

— Byzance, la ville impériale ! fit Sobolev, ému, en considérant par la fenêtre les lueurs scintillantes de la grande cité. Rêve constant et inaccessible des souverains russes. Là sont les racines de notre foi et celles de notre civilisation. Là est la clé de toute la Méditerranée. Et elle est si proche ! Il suffirait de tendre la main et de la prendre. Est-ce qu'encore une fois, on repartira bredouille ?

— Ce n'est pas possible, Excellence, s'écria Mitia Gridnev. Le tsar ne le permettra pas !

— Hélas, mon pauvre Mitia ! Je parie que nos sages de l'arrière, les Kortchakov et les Gnatiev, ont déjà entamé les pourparlers et qu'ils frétillent de la queue devant les Anglais. Ils n'auront pas le souffle nécessaire pour s'emparer de ce qui appartient à la Russie selon un droit antique, je suis certain qu'ils ne l'auront pas ! En 29, Dibitch est venu jusqu'à Andrinople, aujourd'hui, vous le voyez, nous sommes à San Stefano. Et pourtant, cela ne donnera rien. Je vois pour ma part une Russie grande et forte qui rassemblerait les terres slaves d'Arkhangelsk à Constantinople et de Trieste à Vladivostok ! Ce n'est qu'alors que les Romanov rempliraient leur mission historique et pourraient enfin, en en finissant avec les guerres constantes, passer à l'organisation de leur malheureux Empire.

Mais si on recule, cela voudra dire que nos fils et nos petits-fils auront encore à verser leur sang et celui des autres pour essayer d'atteindre les murailles de la ville impériale. Tel est le chemin de croix destiné au peuple russe !

— J'imagine ce qui se passe en ce moment à Constantinople, dit Paladin d'un air rêveur en regardant lui aussi par la fenêtre. Ak Pacha est à San Stefano ! Au palais, c'est la panique, on évacue le harem, les eunuques courent dans tous les sens en remuant leur gros derrière. J'aimerais bien savoir si Abdül-Hamid est déjà passé sur la rive asiatique ? Et il ne peut venir à l'idée de personne que vous êtes arrivé là, Michel, avec un seul bataillon. Si on était en train de faire un poker, ça constituerait un bluff étonnant, avec garantie totale de voir l'adversaire jeter ses cartes et passer.

Pérépelkine recommença à s'alarmer :

— C'est de mal en pis ! Mikhaïl Alexandrovitch, Excellence, mais ne l'écoutez pas ! Vous voyez bien que vous courez à votre perte ! Déjà vous venez de vous fourrer dans la gueule du loup ! On n'en a rien à faire d'Abdül-Hamid !

Sobolev et le correspondant se regardèrent dans le blanc des yeux.

— Et qu'est-ce que je risque, à vrai dire ? (Le général serra le poing à en faire craquer ses doigts.) Bon, si la garde du sultan ne prend pas peur et qu'elle essaie de nous tirer dessus, je bats en retraite et voilà tout. Qu'est-ce que vous en dites, Charles, elle est importante, la garde d'Abdül-Hamid ?

— Abdül-Hamid a une bonne garde, mais il ne la laissera s'éloigner de lui à aucun prix.

— Ce qui veut dire qu'ils ne me poursuivront pas. Pénétrer dans la ville en une colonne, drapeaux au vent et avec roulement des tambours, moi en tête, monté sur Gulnora.

De plus en plus excité, Sobolev se mit à aller et venir dans son cabinet.

— Il faut agir avant le jour, pour qu'ils ne s'aperçoivent pas que nous sommes si peu nombreux. Et aller directement au palais. Sans un seul coup de feu ! Croyez-vous qu'on va me présenter les clés de la ville impériale ?

— A coup sûr ! s'écria Paladin en s'enflammant. Et ça, ce sera la capitulation complète !

— Placer les Anglais devant le fait accompli ! (Le général fendait l'air du tranchant de la main.) Le temps qu'ils réalisent, la ville est déjà aux mains des Russes, et les Turcs ont capitulé. Et si jamais quelque chose ne marche pas, pour moi ça reviendra au même. San Stefano non plus, personne ne m'a autorisé à le prendre !

— Ce sera une conclusion sans précédent ! Et dire que j'en aurai été le témoin direct ! bredouillait le journaliste avec émotion.

— Non, pas un témoin, un acteur ! dit Sobolev en lui donnant une tape sur l'épaule.

Brusquement Pérépelkine se dressa en travers de la porte. Il avait l'air au comble du désespoir, ses yeux bruns étaient exorbités, des gouttes de sueur perlaient à son front :

— Je ne vous laisserai pas y aller ! En tant que chef d'état-major, je proteste ! Reprenez-vous, Excellence ! Souvenez-vous que vous êtes un général de la suite de Sa Majesté, et non pas un quelconque Bachi-Bouzouk ! Je vous en conjure !

— Ecartez-vous, Pérépelkine, vous m'ennuyez ! (Le ton du terrible habitant des cieux se fit violent à l'égard du rationaliste.) Quand Osman Pacha a tenté sa percée, vous m'avez conjuré aussi de ne pas me mettre en campagne avant d'en recevoir l'ordre. Vous vous êtes même jeté à genoux ! Et qui a eu raison ? Et voilà ! Vous verrez, on me présentera les clés de la ville impériale !

— Quelle audace ! s'écria Mitia, vous ne trouvez pas que c'est admirable, Varvara Andréevna ?

Varia ne répondit pas, car elle se demandait s'il fallait admirer ou non. La détermination folle de Sobolev lui donnait le vertige. De plus, une question se posait : que devait-elle faire, elle ? Devait-elle se mettre en marche au son du tambour en compagnie du bataillon de chasseurs, accrochée à un étrier de Gulnora ? Ou alors rester seule la nuit dans une ville ennemie ?

— Gridnev, je te laisse mes gardes personnels, tu veilleras sur la banque. Sinon les gens d'ici vont s'emparer du trésor, et on mettra tout cela sur le dos de Sobolev, dit le général.

Le sous-lieutenant essaya de se lamenter :

— Votre Excellence ! Mikhaïl Dmitriévitch ! Moi aussi, je veux aller à Constantinople !

— Et qui va veiller sur Varvara Andréevna ? fit Paladin sur un ton de reproche dans son russe approximatif.

Sobolev tira de sa poche sa montre en or dont il releva avec bruit le couvercle.

— Il est cinq heures trente. Dans deux heures, deux heures et demie, le jour commencera à se lever. Hé, Goukmassov !

Un sous-lieutenant cosaque de fort belle prestance fit une entrée fulgurante dans la pièce :

— A vos ordres, Excellence !

— Rassemble les compagnies ! Qu'on forme le bataillon en colonne de marche ! Etendards et tambours en tête ! Qu'on place aussi en tête les chanteurs ! Nous allons avancer en beauté ! Qu'on selle Gulnora ! Exécution ! A six heures zéro zéro, on se met en route !

L'ordonnance partit comme une flèche. Sobolev, lui, s'étira délicieusement et dit :

— Cette fois, Varvara Andréevna, ou je deviens un héros plus grand que Bonaparte ou c'en est enfin fini de ma tête folle.

— Non, ce n'est pas la fin, répondit-elle en fixant le général avec une admiration profonde, tellement il était à ce moment-là superbe, un véritable Achille.

En bon Russe superstitieux, Sobolev cracha trois fois par-dessus son épaule gauche pour déjouer le mauvais sort.

Pérépelkine tenta une fois encore d'intervenir :

— Il n'est pas trop tard pour changer d'avis, Mikhaïl Dmitriévitch ! Permettez-moi de rappeler Goukmassov !

Il fit même un premier pas en direction de la porte, mais à cet instant...

A cet instant précis, on entendit dans l'escalier un bruit de pas nombreux. La porte s'ouvrit et deux personnes entrèrent : Lavrenty Arkadiévitch Mizinov et Fandorine.

— Eraste Pétrovitch, hurla Varia, qui faillit lui sauter au cou mais se reprit à temps.

Mizinov marmonna :

— Oui, il est là ! C'est parfait !

Apercevant derrière les deux hommes des uniformes de gendarme en nombre, Sobolev se renfrogna :

— Excellence ? Comment se fait-il que vous soyez là ? J'ai bien sûr agi sans l'avis de mes supérieurs, mais aller jusqu'à m'arrêter, c'est peut-être excessif !

Mizinov s'étonna :

— Vous arrêter ? Pourquoi cela ? J'ai eu toutes les peines du monde à venir vous rejoindre dans une draisine accompagné d'une demi-compagnie de gendarmes. Le télégraphe ne fonctionne pas, la route est coupée. J'ai essuyé trois attaques et perdu sept hommes. Regardez mon manteau percé par une balle.

Il montra un trou dans sa manche. Eraste Pétrovitch fit un pas en avant. Il n'avait pas changé du tout depuis son départ, il était simplement habillé d'une manière plus élégante, un vrai dandy : haut-de-forme, imperméable à capeline, col dur.

— Bonjour, Varvara Andréevna, dit le conseiller titulaire d'une voix avenante. C-c-comme vos cheveux ont repoussé. Je crois que c'est tout de même mieux ainsi.

Il s'inclina légèrement devant Sobolev :

— J'ai appris que vous aviez obtenu une épée en diamants, Excellence. Je vous en félicite, c'est un grand honneur.

Il se contenta d'un rapide signe de tête en direction de Pérépelkine, et, pour finir, s'adressa au correspondant :

— Salaam aleikoum, Anvar Effendi.

Chapitre treizième,
où l'on voit Fandorine
prononcer un long discours

Wiener Zeitung (Vienne)

21 (9) janvier 1878

... Le rapport de forces entre les deux adversaires à l'étape finale de la guerre est tel que nous ne pouvons plus ignorer la menace que constitue l'expansion panslave à la frontière sud de l'Empire austro-hongrois. Le tsar Alexandre et ses satellites la Roumanie, la Serbie et le Monténégro ont concentré un poing de fer de sept cent mille hommes armés de quinze cents canons. Et tout ceci contre qui ? Contre une armée turque démoralisée qui, selon les calculs les plus optimistes, ne compte aujourd'hui pas plus de cent vingt mille soldats affamés et apeurés.

La situation est grave, messieurs ! Il faudrait être une autruche pour ne pas voir le danger qui guette l'ensemble de l'Europe civilisée. Tout retard est synonyme de mort, et si nous restons là, bras croisés, à regarder les hordes scythes...

Fandorine rejeta le pan de son imperméable sur son épaule, et, dans sa main droite, l'acier bruni d'un joli petit revolver eut un éclat mat. A la même seconde Mizinov claqua des doigts, deux gendarmes pénétrèrent dans le cabinet et pointèrent leurs carabines sur le correspondant.

— Qu'est-ce que c'est que cette bouffonnerie ? hurla Sobolev. Que veut dire ce « salaam aleikoum » ? Pourquoi « Effendi » ?

Varia tourna le regard vers Charles. Il se tenait près du mur, les bras croisés sur la poitrine, et regardait le conseiller titulaire avec un sourire à la fois méfiant et ironique.

— Eraste Pétrovitch, bredouilla Varia, mais c'est McLaughlin que vous étiez allé chercher en Angleterre.

— Je suis bien allé en Angleterre, Varvara Andréevna, mais pas du tout pour y rechercher McLaughlin dont je savais pertinemment qu'il n'y était pas et qu'il ne pouvait pas y être.

— Pourtant vous n'avez rien objecté quand Sa Majesté...

Varia s'interrompit, consciente d'avoir été à deux doigts de trahir un secret d'Etat.

— A ce moment-là, je n'avais rien pour étayer mon hypothèse, et, de toute façon, il fallait bien que j'aille voir en Europe.

— Et qu'y avez-vous découvert ?

— Comme il fallait s'en douter, le cabinet anglais n'est pour rien dans l'affaire. Et de un. C'est vrai, à Londres, on ne nous aime pas. C'est vrai, on s'y prépare à une grande guerre. Mais de là à tuer des messagers et à organiser des diversions, c'est trop. La chose serait contraire à l'esprit sportif anglais. Le comte Chouvalov me l'a d'ailleurs confirmé.

» Je suis passé à la rédaction du *Daily Post* où j'ai pu me convaincre de l'innocence totale de McLaughlin. Et de deux. Ses amis et collègues définissent Seamus comme un homme droit et sans ruse, hostile à la politique anglaise et, qui plus est, non sans relations peut-être avec le mouvement nationaliste irlandais. Tout cela ne dessine pas le portrait d'un parfait agent du perfide Disraeli.

» Au retour, je me suis arrêté à Paris, de toute façon c'était ma route, et j'y suis resté un moment. J'y ai fait un saut à la rédaction de *La Revue parisienne*.

Paladin fit un mouvement, et les gendarmes dressèrent leur arme, prêts à tirer. Le journaliste hocha la tête, montrant qu'il avait compris, et cacha ses mains derrière son dos, sous les basques de sa redingote de voyage.

Eraste Pétrovitch continua comme si de rien n'était :

— C'est là que j'ai appris qu'à la rédaction, personne n'avait jamais vu le célèbre Charles Paladin. Il leur fait parvenir ses brillants articles, ses essais et ses billets par la poste ou par le télégraphe.

— Et alors ? fit Sobolev, scandalisé. Charles n'est pas un minet de salon, c'est un amateur d'aventures.

— Et ce dans une mesure bien supérieure à celle que suppose Son Excellence. J'ai feuilleté les vieilles années de *La Revue parisienne* et constaté une bien curieuse coïncidence. Les premières publications de monsieur Paladin ont été envoyées de Bulgarie il y a dix ans, c'est-à-dire à l'époque où le vilayet du Danube avait pour gouverneur Midhat

Pacha, lequel avait pour secrétaire un jeune fonctionnaire du nom d'Anvar. En 1868, Paladin fait parvenir de Constantinople une série d'esquisses brillantes sur les mœurs de la cour du sultan. C'est la période de la première notoriété de Midhat Pacha, le moment où il est invité à la capitale pour diriger le Conseil d'Etat. Un an après, le réformateur est envoyé en exil honorifique dans la lointaine province de Mésopotamie, et, comme prise sous le charme, la plume brillante du talentueux journaliste se transporte elle aussi de Constantinople à Bagdad. Durant trois années (or c'est précisément le temps que passe Midhat Pacha en qualité de gouverneur de l'Irak), Paladin va parler des fouilles assyriennes, des Cheiks arabes et du canal de Suez.

Sobolev coupa la parole à l'orateur avec colère :

— Vous faussez les perspectives ! Charles a voyagé dans tout l'Orient. Il a envoyé des papiers d'autres lieux que vous ne mentionnez pas parce qu'ils contredisent votre hypothèse. En 73 par exemple, il était avec moi à Khiva. Nous avons crevé de soif ensemble, nous avons failli fondre de chaleur. Et il n'y avait pas là de Midhat, monsieur le policier !

— Et d'où venait-il quand il est arrivé en Asie centrale ? demanda Fandorine au général.

— Je crois qu'il venait d'Iran.

— Je pense qu'il venait non pas d'Iran, mais d'Irak. A la fin de 1873, le journal publie ses études lyriques sur l'Hellade. Pourquoi tout à coup l'Hellade ? Parce que le patron de notre Anvar Effendi est envoyé à ce moment-là à Salonique. Au fait, Varvara Andréevna, vous souvenez-vous de la belle nouvelle sur ses vieilles bottes ?

Varia, qui, fascinée, ne quittait pas Fandorine des yeux, acquiesça d'un petit signe de tête. Tout ce que relatait le conseiller titulaire était parfaitement délirant, mais il le disait avec une telle conviction, et il s'exprimait si bien, avec tant d'autorité ! Il n'en bégayait même plus.

— Il y fait mention d'un naufrage qui s'est produit dans le golfe de Therma en novembre 1873. Je vous fais observer que c'est en bordure de ce golfe que se situe la ville de Salonique. J'ai appris aussi dans cet article qu'en 1876 l'auteur se trouvait à Sofia et en 1871 à Majdur, parce que c'est précisément cette année-là que les Arabes ont massacré l'expédition archéologique britannique de sir Andrew Weyard. Après ce texte, j'ai commencé à soupçonner très sérieusement monsieur Paladin, mais ses manœuvres habiles m'ont plus d'une fois dérouté...

Fandorine rangea son revolver dans sa poche et se tourna vers Mizinov :

— A présent, calculons les dommages qui nous ont été causés par les activités de monsieur Anvar. Le journaliste Charles Paladin est venu rejoindre l'équipe des correspondants de guerre à la fin du mois de juin de l'année dernière. C'était l'époque où notre armée allait de victoire en victoire. Nous avions passé le Danube, l'armée turque était démoralisée, la route de Sofia et au-delà celle de Constantinople étaient ouvertes. Le détachement du général Gourko s'était déjà emparé du col de Chibkin, clé de la grande chaîne balkanique. En fait, nous avions déjà gagné la guerre. Mais que s'est-il passé à ce moment-là ? Une erreur fatale dans le chiffrage conduit notre armée à prendre une Nikopol dont personne n'avait rien à faire tandis que l'armée d'Osman Pacha pénètre dans une Plevna vide sans rencontrer le moindre obstacle, compromettant ainsi la suite de notre marche. Rappelons les circonstances de cet épisode mystérieux. Le chiffreur Iablokov commet une faute grave en abandonnant sur sa table une dépêche secrète. Pourquoi agit-il ainsi ? Parce qu'il est sous le coup de l'émotion que vient de lui procurer l'arrivée inopinée de mademoiselle Souvorova qui est sa fiancée.

Tous les regards se portèrent sur Varia qui se sentit tout à coup devenir quelque chose comme une preuve matérielle.

— Et qui a annoncé à Iablokov l'arrivée de sa fiancée ? Le journaliste Paladin. Quand, perdant la tête de bonheur, le jeune chiffreur s'est sauvé, il a suffi de recopier le papier chiffré en y remplaçant « Plevna » par « Nikopol ». Le chiffre de notre armée est, disons-le comme ça, peu complexe, et Paladin connaissait l'opération que l'armée russe était sur le point de conduire, car c'est en sa présence, Mikhaïl Dmitriévitch, que j'ai été amené à vous parler d'Osman Pacha. Vous souvenez-vous de notre première rencontre ?

Sobolev hocha la tête d'un air sombre.

— Maintenant souvenons-nous de cet Ali Bey mythique dont Paladin aurait obtenu une interview — « interview » qui nous a coûté deux mille morts —, après quoi l'armée russe est restée à piétiner devant Plevna pour longtemps et dans de bien mauvaises conditions. C'était une manœuvre risquée, car Anvar ne pouvait qu'attirer le soupçon, mais il n'avait pas d'autre issue. En effet, les Russes auraient pu finir par ne laisser contre Osman qu'un corps peu nombreux et poursuivre la progression de l'essentiel de leurs forces vers le sud. Au contraire de cela, l'écrasement de notre premier assaut a fait naître dans notre commandement une idée excessive du danger que représentait Plevna, et notre armée s'est déployée avec toute sa puissance contre cette pauvre petite ville bulgare.

— Attendez, Eraste Pétrovitch, essaya d'objecter Varia, mais Ali Bey a réellement existé. Nos espions l'ont vu à Plevna.

— Nous reviendrons là-dessus un peu plus tard. Pour le moment, repensons aux circonstances de la seconde offensive contre Plevna, dont nous avons dans un premier temps attribué l'échec à la trahison du colonel roumain Loukan qui aurait livré nos dispositifs aux Turcs. Vous aviez raison, Lavrenty Arkadiévitch, « J » dans le carnet de Loukan signifiait bien « journaliste », mais faisait référence non pas à McLaughlin, mais à Paladin. Celui-ci n'avait eu aucune peine à enrôler le pauvre fat devenu une proie facile du fait de ses dettes de jeu et de ses ambitions démesurées. Par la suite, à Bucarest, le journaliste a su fort habilement utiliser mademoiselle Souvorova pour se défaire d'un agent qui avait perdu tout son prix et qui commençait au contraire à représenter un certain danger. En outre, je n'exclus pas l'idée qu'Anvar commençait à avoir besoin de reprendre contact avec Osman Pacha. Sa mise à l'écart de notre armée, provisoire et comportant une réhabilitation prévue d'avance, lui en donnait la possibilité. Le correspondant français a été absent un mois. Et c'est précisément à ce moment-là que notre service de renseignements nous a fait savoir que le commandant turc avait auprès de lui un mystérieux conseiller du nom d'Ali Bey. Ce même Ali Bey a d'ailleurs pris la peine de se montrer un peu dans le monde en se faisant remarquer par l'importance de sa barbe. Comme vous avez dû vous moquer de nous, monsieur l'espion.

Paladin ne répondit pas. Il regardait le conseiller titulaire avec la plus grande attention et en ayant l'air d'attendre quelque chose.

— L'apparition d'Ali Bey à Plevna était nécessaire pour écarter les soupçons qui pesaient sur Paladin à la suite de sa malheureuse interview. Cela dit, je ne doute pas un seul instant du grand bénéfice qu'a su tirer Anvar de ce mois de séjour : il s'est au moins mis d'accord avec Osman Pacha sur des actions à conduire et il s'est établi un contact utile. Vous savez que notre service de contre-espionnage ne s'opposait pas à ce que les correspondants étrangers aient dans la ville assiégée leurs propres informateurs. Anvar Effendi a même pu, s'il en a éprouvé le besoin, se rendre à Constantinople. Plevna n'étant pas encore coupée des voies de communication, c'était tout simple. Il suffisait d'aller à Sofia, et là de prendre un train pour se retrouver le lendemain à Istanbul.

» Le troisième assaut représentait pour Osman Pacha un très grand danger, surtout du fait de l'attaque surprise de Mikhaïl Dmitriévitch. Cette fois Anvar a eu de la chance et nous pas. Le hasard perfide a été contre nous : alors qu'il se rendait au poste de commandement, votre officier d'ordonnance Zourov est passé à proximité des correspondants de presse auquel il a fait savoir que vous

271

étiez à Plevna. Anvar a bien entendu perçu toute la signification de cette information ainsi que deviné le contenu de la mission de Zourov. Il fallait gagner du temps, donner à Osman Pacha la possibilité de revoir la disposition de ses forces et d'expulser Mikhaïl Dmitriévitch et son modeste détachement de Plevna avant l'arrivée de renforts. Et Anvar prend encore des risques et improvise. Il se montre audacieux, agit en virtuose et avec le plus grand talent. Et comme toujours de la manière la plus impitoyable.

» Au moment où, apprenant l'avancée victorieuse du flanc sud, les journalistes se sont jetés à qui irait le plus vite vers les appareils du télégraphe, Anvar s'est, lui, lancé à la poursuite de Zourov et de Kazanzakis. Monté sur son célèbre Ianytchar, il n'a eu aucune peine à les rattraper, et là, profitant d'un espace désert, il les a assassinés tous les deux. Il semblerait qu'au moment de l'attaque il se soit trouvé entre les deux hommes, le capitaine de cavalerie étant à sa droite et le gendarme à sa gauche. Anvar tire à bout portant dans la tempe gauche du hussard, et, l'instant suivant, envoie une balle dans le front du lieutenant-colonel qui s'est retourné en entendant le coup de feu. Tout cela ne prend pas plus d'une seconde. Tout autour, des troupes vont et viennent, mais les cavaliers se trouvent dans un chemin creux, personne ne les voit. Quant aux deux coups de feu, au milieu de la canonnade constante, on doute qu'ils aient pu éveiller l'attention de quelqu'un. Le meurtrier laisse sur place le corps de Zourov, non sans lui enfoncer dans le dos le couteau du gendarme. Je veux dire qu'il a commencé par le tuer, et ce n'est qu'après, alors qu'il était déjà mort, qu'il l'a poignardé, et non l'inverse comme on l'avait cru dans un premier temps. Le but de son action est simple, il s'agit de faire peser les soupçons sur Kazanzakis. Ces mêmes considérations conduisent Anvar à transporter le corps du lieutenant-colonel dans le buisson le plus proche et à simuler un suicide.

— Et la lettre ? s'écria Varia, la lettre de ce prince géorgien ?

— C'est là un coup d'une grande habileté, reconnut Fandorine. Les services d'espionnage turcs avaient sans doute connaissance des penchants particuliers de Kazanzakis depuis le séjour de ce dernier à Tiflis. Je suppose qu'Anvar Effendi avait un œil sur le lieutenant-colonel avec l'idée de pouvoir peut-être un jour avoir recours au chantage. Mais les événements prenant un autre tour, cette information a été mise à profit pour nous faire perdre la piste. Anvar a tout simplement pris une page blanche sur laquelle il a rédigé à la va-vite une lettre caricaturale d'homosexuel. Là, il a poussé son zèle un peu loin, et j'ai tout de suite trouvé la lettre douteuse. Premièrement, il est difficile de croire qu'un prince géorgien puisse écrire si mal le russe, il a bien fait au moins des études au lycée. Deuxièmement, vous vous souvenez peut-être que j'ai questionné Lavrenty Arkadiévitch au sujet de l'enveloppe et qu'il nous a appris que la lettre était dans la poche du mort, sans enveloppe. Dans ce cas, on se demande comment elle aurait pu rester aussi impeccable. Kazanzakis est en effet censé l'avoir portée sur lui toute une année !

— Tout cela est parfait, intervint Mizinov, et c'est la seconde fois en vingt-quatre heures que

vous m'exposez vos réflexions, mais je vous le rede-
mande : pourquoi avez-vous gardé tout cela pour
vous ? Pourquoi ne nous avez-vous pas fait part de
vos doutes avant ?

— Quand on conteste une version, il faut en
avancer une autre, et moi, je n'arrivais pas à relier
les morceaux, répondit Eraste Pétrovitch. Notre
homme utilisait des moyens trop divers. J'ai honte
de l'avouer, mais pendant un moment, le suspect
principal a été à mes yeux monsieur Pérépelkine.

— Eréméï ? (Sobolev fit un geste des bras qui
marqua son intense étonnement.) Là, messieurs,
c'est franchement de la paranoïa.

Pérépelkine, lui, cligna plusieurs fois des yeux et
déboutonna nerveusement son col qui le serrait.

— Oui, c'est bête, acquiesça Fandorine, mais
monsieur le lieutenant-colonel me tombait sans
cesse sous la main. Son apparition même avait eu
quelque chose de suspect : sa capture et sa libération miraculeuse, le coup de feu à bout portant
manqué. D'habitude, les Bachi-Bouzouks tirent
mieux que cela. Puis il y a eu cette histoire avec le
chiffrage : or, c'est précisément Pérépelkine qui a
remis au général Krüdener l'ordre de marcher sur
Nikopol. Et qui a poussé le naïf journaliste Paladin
à aller voir les Turcs à Plevna ? Et ce « J » mystérieux dans le carnet de Loukan ? Souvenez-vous
que Zourov avait surnommé Pérépelkine « Jérôme » et que ce nom lui est resté. Cela pour une
part. Par ailleurs, reconnaissez-le, Anvar Effendi
s'était fabriqué une couverture tout simplement
idéale. Je pouvais bâtir autant d'hypothèses logi-
ques que je le voulais, il me suffisait de jeter un
regard à Charles Paladin, et tout s'effondrait.

Regardez donc cet homme. (Fandorine désignant Paladin à l'attention générale, celui-ci fit un petit salut empreint de la plus grande modestie.) Peut-on croire que ce journaliste séduisant, spirituel, européen des pieds à la tête, et le perfide et cruel chef des services secrets turcs soient une seule et même personne ?

— Jamais, déclara Sobolev. Maintenant encore je ne le crois pas !

Eraste Pétrovitch hocha la tête d'un air satisfait.

— Revenons à présent à l'histoire de McLaughlin et à la percée manquée des Turcs. Là tout était simple, pas l'ombre d'un risque. Glisser dans l'oreille de cet homme confiant cette nouvelle « sensationnelle » n'a représenté aucune difficulté. L'informateur dont l'Irlandais taisait si soigneusement l'identité et dont il était si fier travaillait à coup sûr pour vous, effendi.

Choquée par cette façon de s'adresser à Charles, Varia sursauta. Non, il y avait quelque chose qui n'allait pas. Il n'était pas un « effendi » !

— Vous avez habilement su tirer profit de la naïveté de McLaughlin ainsi que de sa vanité. Il enviait tellement le brillant Paladin, il rêvait tellement de faire mieux que lui ! Jusque-là il n'avait réussi à le battre qu'aux échecs, et encore pas toujours, et tout à coup voilà que se présentait une occasion extraordinaire ! *Exclusive information from most reliable sources* ! Et quelle information ! Pour une nouvelle pareille, n'importe quel reporter est prêt à vendre son âme au diable. Si McLaughlin n'avait pas rencontré par hasard Varvara Andréevna et s'il ne s'était pas laissé aller à bavarder... Osman aurait piétiné le corps de grenadiers, rompu le blocus et se

275

serait retiré à Chipka. Et la situation sur le front aurait été désastreuse.

— Mais si McLaughlin n'est pas un espion, où est-il passé ? demanda Varia.

— Vous souvenez-vous du récit de Ganetski sur la façon dont les Bachi-Bouzouks ont attaqué son état-major et sur la peine qu'il a eue à se sortir de là vivant ? Je pense que ce n'était pas Ganetski qui intéressait les Turcs, c'était McLaughlin. Il était indispensable de le mettre à l'écart, et il a disparu. Sans la moindre trace. Selon toute vraisemblance, le pauvre Irlandais, trompé et sali par le soupçon, gît aujourd'hui quelque part au fond de la rivière Vid, avec une pierre au cou. A moins que, fidèles à leur délicieuse habitude, les Bachi-Bouzouks ne l'aient découpé en pièces.

Varia eut un sursaut en revoyant le correspondant à la mine replète dévorer les petits pâtés à la confiture lors de leur dernière rencontre. Il ne lui restait alors plus que deux heures à vivre...

— N'avez-vous pas eu pitié du pauvre McLaughlin ? dit Fandorine.

Mais, d'un geste élégant, Paladin (ou peut-être Anvar Effendi ?) l'enjoignit de poursuivre avant de cacher de nouveau sa main derrière son dos.

Varia se souvint que, conformément à la science psychologique, des mains cachées derrière le dos signalent un caractère dissimulateur et la volonté de ne pas dire la vérité. Etait-ce possible ? Elle se rapprocha du journaliste, les yeux fixés sur son visage, essayant de découvrir dans les traits familiers quelque chose d'étranger, de terrible. Le visage de Paladin était comme d'habitude, peut-être seulement un tout petit peu plus pâle. Il ne la regardait pas.

— La percée n'a pas été réussie, mais une fois encore vous êtes sorti indemne de l'aventure. J'ai fait de mon mieux pour revenir de Paris le plus rapidement possible et pour rejoindre le théâtre des opérations militaires. Je savais déjà avec certitude qui vous étiez, et j'avais conscience du grand danger que vous représentiez.

— Vous auriez pu envoyer un télégramme, grogna Mizinov.

— Quel télégramme, Excellence ? « Le journaliste Paladin est Anvar Effendi » ? Vous auriez pensé que Fandorine était devenu fou. Souvenez-vous du temps qu'il m'a fallu pour vous exposer les preuves, vous ne vouliez pas vous résoudre à abandonner la version de l'intervention anglaise. Quant au général Sobolev, comme vous pouvez le voir, il n'est encore pas convaincu malgré l'ampleur de mes explications.

Sobolev hocha la tête d'un air têtu :

— Nous allons vous écouter jusqu'au bout, Fandorine, après quoi nous donnerons la parole à Charles. L'instruction d'une affaire ne saurait consister dans le seul discours du procureur.

— Merci, Michel, fit Paladin avec un bref sourire. *Comme dit l'autre**, *a friend in need is a friend indeed**. Une question pour *monsieur le procureur**. Comment en êtes-vous venu à me soupçonner ? *Au commencement** ? Soyez assez gentil pour satisfaire ma curiosité.

— C'est simple ! expliqua Fandorine. Vous avez commis une telle imprudence. Il ne faut pas fanfaronner de la sorte et sous-estimer à ce point son adversaire ! Il m'a suffi de voir la façon dont vous avez signé vos premiers textes dans *La Revue pari-*

sienne, Charles Paladin d'Hevraïs, pour me souvenir que, selon certains informateurs, Anvar Effendi, notre principal adversaire, serait né dans la petite ville bosniaque d'Hevraïs. Paladin d'Hevraïs était, reconnaissez-le, un pseudonyme par trop transparent. Il aurait pu ne s'agir bien sûr que d'une coïncidence, mais en tout état de cause, cela éveillait des soupçons. Il est probable qu'au début de vos activités de journaliste, vous n'imaginiez pas encore que le masque de correspondant allait pouvoir vous servir pour des actions d'un tout autre ordre. Je suis persuadé que vous avez commencé à écrire pour les journaux français mû par des mobiles parfaitement innocents : c'était une façon de donner issue à vos talents littéraires hors du commun et en même temps d'éveiller chez les Européens un intérêt pour les problèmes de l'Empire ottoman et en particulier pour la figure du grand réformateur Midhat Pacha. Vous vous êtes d'ailleurs admirablement tiré de votre tâche. Le nom du sage réformateur Midhat revient dans vos publications plus de cinquante fois. On peut dire que c'est vous précisément qui avez fait de lui une figure populaire et respectée dans l'Europe entière et particulièrement en France, où il s'est d'ailleurs réfugié pour l'heure.

Varia se souvint que Paladin avait parlé d'un père ardemment aimé habitant la France. Serait-il possible que tout cela soit vrai ? Prise de terreur, elle regarda le correspondant. Celui-ci continuait à conserver le plus parfait sang-froid, mais elle eut tout de même l'impression que son sourire était un peu fabriqué.

— A ce propos, je ne crois pas que vous ayez trahi Midhat Pacha, poursuivit le conseiller titulaire. C'est là un jeu subtil. Maintenant, après la défaite de la Turquie, il va revenir, ceint des lauriers du martyr, et sera de nouveau à la tête du gouvernement. Du point de vue de l'Europe, c'est un personnage parfaitement idéal. A Paris, sa popularité est extrême. (Fandorine porta la main à sa tempe, et Varia remarqua soudain combien il était pâle et combien il avait l'air fatigué.) J'ai essayé d'aller le plus vite possible, mais les trois cents verstes qui séparent Sofia de Guermanly m'ont pris plus de temps que les mille cinq cents entre Paris et Sofia. Ces routes des arrières sont indescriptibles. Dieu merci, Lavrenty Arkadiévitch et moi, nous sommes arrivés à temps. Dès que le général Stroukov m'a annoncé que Votre Excellence était partie à San Stefano en compagnie du journaliste Paladin, j'ai compris que c'était là le quitte ou double d'Anvar Effendi. Ce n'est pas par hasard que le télégraphe est coupé. J'avais très peur, Mikhaïl Dmitriévitch, que cet individu ne profite de votre caractère aventureux et de votre goût des honneurs pour vous convaincre d'aller à Constantinople.

— Et pourquoi cette perspective vous faisait-elle si peur, monsieur le procureur ? demanda Sobolev avec ironie. Les guerriers russes seraient entrés dans la capitale de l'Etat turc, et alors ?

— Comment cela, et alors ? s'écria Mizinov en portant la main à son cœur. Vous êtes fou ! C'était la fin de tout !

— La fin de quoi ? essaya de rétorquer Achille en haussant les épaules.

Mais Varia lut de l'inquiétude dans ses yeux.

— La fin de notre armée, la fin de nos conquêtes, la fin de la Russie ! déclara d'une voix terrible le chef des gendarmes. Le comte Chouvalov, notre ambassadeur en Angleterre, nous a dépêché une information chiffrée. Il a vu de ses propres yeux le mémorandum secret du cabinet de Saint-James. En vertu d'un accord secret passé entre la Grande-Bretagne et l'Empire austro-hongrois, au cas où un seul soldat russe mettrait les pieds à Constantinople, l'escadre cuirassée de l'amiral Gorbee ouvre immédiatement le feu tandis que l'armée austro-hongroise passe la frontière serbe et la frontière russe. Vous vous rendez compte, Mikhaïl Dmitriévitch. Nous étions menacés d'une défaite bien plus terrible que celle de Crimée. Le pays est exsangue. Après l'épopée de Plevna, nous n'avons plus de flotte dans la mer Noire. Le trésor est vide. La catastrophe aurait été totale.

Sobolev, dérouté, se taisait.

— Mais Votre Excellence a eu la sagesse et le bon sens de ne pas aller au-delà de San Stefano, dit Fandorine respectueusement. Lavrenty Arkadiévitch et moi aurions donc pu ne pas tant nous hâter.

Varia vit le visage du général blanc devenir rubicond. Sobolev toussota et n'en acquiesça pas moins d'un signe de tête empli de dignité, les yeux fixés sur le sol de marbre.

Le hasard voulut qu'à cet instant précis le sous-lieutenant Goukmassov se glisse par la porte. Il coula un regard de mépris en direction des uniformes bleus des gendarmes et hurla :

— Excellence, permettez-moi de vous faire mon rapport.

Varia fut envahie d'un sentiment de pitié pour le pauvre Achille, et elle détourna le regard tandis que cette bûche de Goukmassov continuait de cette même voix sonore :

— Il est six heures zéro zéro ! Conformément à l'ordre reçu, le bataillon est prêt à se mettre en marche, Gulnora est sellée ! Nous n'attendons plus que Votre Excellence, et en avant pour la ville impériale !

— A remettre, crétin ! bredouilla le héros cramoisi. Au diable la ville impériale !

N'y comprenant plus rien, Goukmassov sortit de la pièce à reculons. Et à peine la porte se refermat-elle que se passèrent des choses auxquelles personne ne s'attendait.

— *Et maintenant, mesdames et messieurs, la parole est à la défense* [*] ! déclara Paladin d'une voix forte.

Il sortit brutalement sa main droite de derrière son dos. Cette main tenait un revolver qui cracha deux fois le tonnerre et l'éclair.

Et dans un même mouvement, comme si elles s'étaient donné le mot, Varia vit les vareuses des deux gendarmes exploser sur le côté gauche de leur poitrine. Les carabines roulèrent à terre dans un bruit métallique, les gendarmes s'effondrèrent presque sans bruit.

Les oreilles assourdies par les coups de feu, Varia n'eut le temps ni d'avoir peur ni de crier, Paladin tendit sa main gauche, l'agrippa solidement par le coude et l'attira à lui, en se protégeant de son corps comme d'un bouclier.

Scène muette, comme dans *Le Révizor* de Gogol, pensa Varia sans la moindre émotion en voyant un gendarme imposant se profiler à la porte et se figer sur place. Eraste Pétrovitch et Mizinov tendaient leur arme. Le général semblait fulminer, le conseiller titulaire avait un air malheureux. Sobolev ouvrit les bras dans un geste de perplexité et resta dans cette position. Mitia Gridnev, la bouche ouverte, battait de ses cils admirables. Pérépelkine, qui avait levé les mains pour reboutonner sa vareuse, oubliait de les baisser.

— Charles, vous êtes devenu fou ! cria Sobolev en faisant un pas en avant. Vous cacher derrière une dame !

— Msieur Fandorine vient de prouver que je suis un Turc, répondit Paladin d'un air ironique, et Varia sentit sur sa nuque son souffle chaud. Or les Turcs ne font pas de manières avec les femmes.

— Ou-ou-ou... gémit Mitia.

Et, baissant la tête comme un petit veau, il se jeta en avant.

Le revolver de Paladin claqua une nouvelle fois, juste sous le coude de Varia, et le jeune sous-lieutenant tomba face contre terre en poussant un dernier cri.

Tous se figèrent de nouveau.

Paladin tirait Varia en arrière et sur le côté.

Sans hausser la voix, il donna un avertissement clair :

— Celui qui bouge, je le descends.

Varia eut l'impression que le mur s'ouvrait dans son dos, et brusquement elle se trouva dans une autre pièce.

Oh, oui ! c'était la salle du trésor de la banque !

Paladin claqua la porte et tira le verrou.

Ils n'étaient plus que tous les deux.

Chapitre quatorzième,
où l'on dit du mal de la Russie et où retentit la langue de Dante

Bulletin du gouvernement

(Saint-Pétersbourg) 9 (21) janvier 1878

... incline à des réflexions peu réjouissantes. Voici quelques extraits du discours de M. Kh. Reitern, secrétaire d'Etat, ministre des Finances, prononcé jeudi dernier à la réunion de l'Union panrusse des banques. En 1874, pour la première fois depuis de longues années, nous étions parvenus à un solde positif des recettes sur les dépenses, dit le ministre. Les prévisions budgétaires pour 1876 avaient été calculées par la comptabilité de l'Etat avec un volant de 40 millions de roubles. Cependant une année presque complète d'actions militaires a coûté au trésor un milliard vingt millions de roubles, et nous manquons de moyens pour la poursuite de notre campagne. Les réductions de dépenses dans le budget civil ont fait qu'en 1877 on n'a pas construit en Russie une seule verste de chemin de fer. La dette intérieure et extérieure de l'Etat a pris des proportions inhabituelles et constitue de ce fait...

Paladin lâcha le coude de Varia qui, horrifiée, s'écarta d'un mouvement vif.

Par la lourde porte, des voix leur parvenaient, fortement assourdies.

— Quelles sont vos conditions, Anvar ?

C'était Eraste Pétrovitch.

— Pas de conditions ! (Mizinov) Ouvrez immédiatement cette porte ou je la fais sauter à la dynamite !

— Vous, contentez-vous de donner des ordres dans votre corps de gendarmes ! (Sobolev) Si vous utilisez de la dynamite, elle n'a aucune chance !

— Messieurs, cria en français Paladin qui n'était pas Paladin, cela finit par devenir indécent ! Vous ne me laissez pas bavarder tranquillement avec une dame !

— Charles ! Ou quel que soit votre nom ! hurla Sobolev d'une voix de basse retentissante comme n'en possèdent que les généraux. Si vous touchez ne serait-ce qu'à un cheveu de Varvara Andréevna, je vous pends haut et court sans le moindre jugement et sans instruction !

— Un mot de plus, et je la tue, elle d'abord, avant de me suicider ! lança Paladin en haussant la voix et en prenant des accents tragiques, mais tout en coulant à Varia un clin d'œil amusé, comme s'il venait de se permettre une plaisanterie quelque peu douteuse, mais tellement drôle.

Derrière la porte, ce fut le silence.

— Ne me regardez pas comme s'il venait tout à coup de me pousser des cornes et des griffes, mademoiselle Barbara, dit tout doucement Paladin de sa voix habituelle et en se frottant les yeux d'un geste las. Il va de soi que je n'ai nullement l'intention de vous tuer et que je ne souhaiterais en rien mettre votre vie en danger.

— Ah bon ! ? demanda-t-elle perfidement. Alors pourquoi toute cette mise en scène ? Pourquoi avez-vous tué trois hommes qui n'avaient rien fait ? Sur quoi comptez-vous ?

Anvar Effendi (il convenait à présent d'oublier Paladin) sortit sa montre.

— Il est six heures cinq. J'ai eu besoin de toute cette mise en scène pour gagner du temps. A ce propos, inutile de vous soucier pour monsieur le sous-lieutenant. Sachant que vous lui étiez attachée, je lui ai simplement fait un trou dans le mollet, rien de bien grave. Par la suite il pourra se vanter d'avoir été blessé au combat. Quant aux gendarmes, que voulez-vous, c'est leur service qui veut ça.

— Gagner du temps pour quoi faire ? demanda Varia, inquiète.

— Voyez-vous, mademoiselle Barbara, conformément au plan, dans une heure vingt minutes, c'est-à-dire à sept heures et demie, doit arriver à San Stefano le régiment des tirailleurs anatoliens. C'est l'un des meilleurs détachements de la garde turque. On avait calculé qu'à cette heure, Sobolev aurait déjà eu le temps de s'avancer dans la banlieue d'Istanbul, et, pris sous le feu de la flotte anglaise, de battre en retraite. Les soldats de la garde auraient frappé par-derrière les Russes reculant dans le désordre. C'était un plan magnifique, et, jusqu'à la dernière minute, tout marchait exactement comme prévu.

— De quel plan parlez-vous ?

— Je vous le dis, un plan magnifique. Pour commencer, il fallait un peu pousser Michel à s'intéres-

285

ser à ce train de passagers qui stationnait dans la gare comme une tentation. Là vous m'avez beaucoup aidé, et je vous en remercie. Vous avez parlé d'« ouvrir un livre », de « boire une tasse de thé ». C'était sublime. La suite était toute simple : l'orgueil sans limites de notre incomparable Achille, son goût du risque et sa foi dans son étoile devaient parachever l'affaire. Oh ! Sobolev n'aurait pas été tué ! J'y aurais veillé. Premièrement parce que je lui suis sincèrement attaché, deuxièmement parce que la détention du grand Ak Pacha par les Turcs aurait été un point de départ sans pareil pour la seconde étape de la guerre des Balkans... (Anvar poussa un soupir.) Quel dommage que les choses aient été interrompues. Votre jeune vieillard Fandorine mérite des applaudissements. Comme disent les sages orientaux, c'est le karma !

— Que disent-ils exactement ? demanda Varia étonnée.

— Vous voyez, mademoiselle Barbara, vous ne manquez pas d'instruction, vous êtes une jeune intellectuelle, et pourtant vous ne connaissez pas un certain nombre de choses élémentaires, dit sur un ton de reproche l'étrange interlocuteur de la jeune femme. Le karma est l'un des concepts de base de la philosophie indienne et de la philosophie bouddhiste. Il a quelque chose à voir avec la notion chrétienne de destin, mais c'est beaucoup plus subtil. Le malheur de l'Occident est qu'il méprise la sagesse de l'Orient. Et pourtant l'Orient, qui compte beaucoup plus de siècles, est plus avisé et plus complexe. Ma Turquie est justement située à la croisée des deux, et ce pays pourrait avoir un grand avenir.

Mais Varia interrompit assez sèchement ses réflexions :

— L'heure n'est pas aux conférences. Qu'avez-vous l'intention de faire ?

— Comment cela ? s'étonna Anvar. J'ai l'intention d'attendre sept heures et demie, bien sûr. La première partie du plan a échoué, mais les tireurs anatoliens vont tout de même arriver. Il y aura un combat. Si c'est notre garde qui est victorieuse — et elle a pour elle la supériorité du nombre et l'excellence de l'entraînement de ses soldats, en outre elle va bénéficier d'un effet de surprise —, je suis sauvé. Si Sobolev et ses hommes résistent... Mais ne faisons pas de projets à l'avance. Au fait (il regarda Varia dans les yeux de la manière la plus sérieuse), je connais votre courage, mais n'essayez pas d'avertir vos amis de ce qui les attend. Vous n'aurez pas le temps d'ouvrir la bouche pour crier que je serai obligé de vous mettre un bâillon. Et je le ferai, quels que soient le respect et la sympathie que j'éprouve à votre égard.

A ces mots, il détacha sa cravate pour en faire une boule bien ferme qu'il glissa dans sa poche.

— Un bâillon à une femme ? ricana Varia. Je vous préférais en Français !

— Soyez assurée qu'avec des enjeux de cette taille, un espion français agirait à ma place très exactement de la même manière. J'ai pris l'habitude de ne pas ménager ma personne, et j'ai risqué bien des fois mon existence dans des affaires importantes. Cela me donne le droit de ne pas ménager la vie d'autrui. Ici, mademoiselle Barbara, c'est un jeu d'égal à égal. Un jeu cruel, mais la vie est d'une manière générale remplie de cruauté.

Vous croyez que je n'ai pas éprouvé de pitié pour le valeureux Zourov et pour le brave garçon qu'était McLaughlin ? J'en ai éprouvé, et beaucoup, mais il y a des valeurs plus précieuses que les sentiments.

— Quelles valeurs ? s'écria Varia. Veuillez m'expliquer, monsieur l'intrigant, quelles sont ces idées supérieures au nom desquelles on peut tuer un homme qui vous traite en ami ?

— Excellent sujet de discussion. (Anvar lui avança une chaise :) Asseyez-vous, mademoiselle Barbara, nous avons du temps devant nous. Et ne me regardez pas avec cette hostilité. Je ne suis pas un monstre, je ne suis qu'un ennemi de votre pays. Je n'aimerais pas que vous me considériez comme un démon dénué de toute sensibilité tel que m'a décrit monsieur Fandorine auquel je reconnais une perspicacité exceptionnelle. En voilà un, entre parenthèses, que j'aurais dû mettre à temps hors d'état de nuire... Oui, j'ai tué. Mais tous ici, nous avons tué, et votre Fandorine, et le défunt Zourov, et Mizinov. Quant à Sobolev, c'est un meurtrier au carré, on peut dire qu'il nage dans le sang. Deux rôles seulement sont possibles dans nos jeux masculins : celui de tueur ou celui de tué. Ne vous inventez pas un monde d'illusions, mademoiselle, nous vivons tous dans une jungle. Essayez de me considérer sans parti pris, en oubliant que vous êtes russe et moi turc. Je suis un homme qui a choisi dans la vie une voie très difficile. Un homme en outre auquel vous n'êtes pas indifférente. Je suis même un peu amoureux de vous.

Heurtée par le « un peu », Varia fronça les sourcils :

— Vous m'en voyez infiniment reconnaissante.

— Et voilà, je me suis mal exprimé, dit Anvar en ouvrant les bras pour marquer son regret. Je ne peux pas me permettre de tomber sérieusement amoureux, ce serait un luxe impardonnable et dangereux. Mais laissons cela. Permettez-moi plutôt de répondre à votre question. Tromper ou tuer un ami est une lourde épreuve, mais il arrive qu'on soit amené à en passer par là. J'ai eu l'occasion... (Il eut un spasme nerveux du coin de la bouche.) Cependant, quand on voue toute sa personne à un grand but, on est obligé de faire le sacrifice de ses attachements personnels. Tenez, je vais vous donner des exemples tout proches. Je suis certain qu'en tant que jeune fille moderne, vous voyez d'un bon œil les idées révolutionnaires. Il en est bien ainsi, n'est-ce pas ? Or, chez vous, en Russie, les révolutionnaires ont déjà commencé à tirer quelques petits coups de feu. Et bientôt, c'est une véritable guerre secrète qui va éclater, croyez-en un professionnel. Des jeunes gens et des jeunes filles pétris d'idéalisme vont commencer à faire sauter des palais, des trains et des voitures. Et chaque fois, outre le ministre réactionnaire ou le gouverneur ennemi du peuple, seront immanquablement victimes des innocents : parents, collaborateurs, serviteurs. Mais au nom de l'idée, cela ne compte pas, on peut le faire. Attendez un tout petit peu, et vous verrez vos idéalistes travailler à gagner abusivement la confiance de quelqu'un, espionner, tromper, assassiner leurs renégats. Tout cela au nom d'une idée.

— Et quelle est votre idée à vous ? demanda Varia sur un ton coupant.

— D'accord, je vais vous le dire. (Anvar appuya son coude sur l'étagère qui portait les sacs d'argent.) Pour ma part, je vois le salut non pas dans la révolution, mais dans l'évolution. L'évolution doit cependant être dirigée dans la bonne direction. Il faut la guider. Notre dix-neuvième siècle décide du destin de l'humanité, j'en suis profondément persuadé. Il faut aider les forces de la sagesse et de la tolérance à prendre le dessus, sinon, dans un avenir proche, la Terre risque de connaître des secousses douloureuses et inutiles.

— Et où résident la sagesse et la tolérance ? Dans les terres de votre Abdül-Hamid ?

— Non, bien sûr. Je pense aux pays dans lesquels l'homme apprend peu à peu à se respecter lui-même et à respecter les autres, à l'emporter non pas par la force du bâton, mais par celle de la conviction, à soutenir les faibles, à tolérer ceux qui ne pensent pas comme lui. Oh ! combien les processus que connaissent l'Europe occidentale et les Etats-Unis d'Amérique sont prometteurs ! Il va de soi que je suis loin d'idéaliser ces pays. Eux aussi ont beaucoup de boue, de crimes, de stupidités. Mais la direction générale est juste. C'est précisément cette voie que doit emprunter le monde, sinon l'humanité va sombrer dans le chaos et dans la tyrannie. La tache claire sur la carte de la planète est encore bien petite, mais elle grandit rapidement. Il convient seulement de la préserver de la pression des ténèbres. Une grandiose partie d'échecs se déroule, et moi, je joue pour les blancs.

— Et si je comprends bien, la Russie, elle, joue pour les noirs ?

— C'est cela même. Votre énorme pays représente aujourd'hui le plus grand danger qui menace la civilisation. Par ses immensités, sa population nombreuse et inculte, sa machine gouvernementale lourde à manier et agressive. Il y a longtemps que je m'intéresse à la Russie, j'ai appris la langue, j'ai beaucoup voyagé, lu les travaux des historiens, étudié le mécanisme de votre Etat, fréquenté vos personnalités marquantes. Donnez-vous la peine de prêter l'oreille à ce que dit cet adorable Michel qui ambitionne de devenir un nouveau Bonaparte. La mission du peuple russe serait la prise de la Ville impériale et la réunion de tous les Slaves. Mais à quelle fin ? Pour que les Romanov dictent encore une fois leur volonté à l'Europe ? Perspective horrible ! Ce que je dis ne vous est pas agréable à entendre, mademoiselle Barbara, mais la Russie représente une menace terrible pour la civilisation. Elle est agitée de l'intérieur par des forces sauvages et destructrices qui, tôt ou tard, s'en échapperont, et à ce moment-là le monde ira mal. C'est un pays instable et absurde qui a pris tout ce qu'il y avait de plus mauvais à l'Occident et dans l'Orient. La Russie doit être remise à sa place, il faut lui raccourcir les bras. Ce sera un bien pour vous aussi, et cela permettra à l'Europe de poursuivre son développement dans la bonne direction. Vous savez, mademoiselle Barbara (et elle entendit soudain un tremblement dans la voix d'Anvar), j'aime beaucoup ma malheureuse Turquie. C'est le pays des grandes occasions manquées. Mais je suis prêt à sacrifier consciemment l'Etat ottoman pourvu que cela permette d'écarter de l'humanité la menace russe. Si l'on veut rester dans la partie d'échecs, savez-vous ce que c'est qu'un gambit ? Non ? En italien, *gambetto* signifie « croc-en-jambe », *dare il gambetto*, « faire un croc-en-jambe à quelqu'un ». On appelle « gambit » le début d'une partie d'échecs dans laquelle on sacrifie une figure pour s'assurer une supériorité stratégique. C'est moi qui ai élaboré le schéma de la partie d'échecs qui est en train de se jouer, et dès le départ j'ai glissé à la Russie une figure attirante, la grasse, l'appétissante et la faible Turquie. L'Empire ottoman va périr, mais Alexandre ne gagnera pas la partie. Cela dit, la guerre s'est déroulée d'une manière si heureuse que finalement tout n'est peut-être pas perdu pour la Turquie. Il lui reste Midhat Pacha. C'est un homme remarquable, mademoiselle Barbara, et c'est exprès que je l'ai exclu du jeu pour un temps, mais à présent je vais le réintroduire... Si j'en ai la possibilité, bien sûr. Midhat Pacha va revenir à Istanbul sans être compromis en rien, et il aura le pouvoir entre les mains. Peut-être la Turquie pourra-t-elle alors, elle aussi, passer de la zone des ténèbres à celle de la lumière.

On entendit derrière la porte la voix de Mizinov :

— Monsieur Anvar, pourquoi tarder ? Vous voyez bien que ce n'est qu'un manque de courage ! Sortez, je vous promets le statut de prisonnier de guerre.

— Et la potence pour l'assassinat de Kazanzakis et de Zourov ! ajouta Anvar dans un murmure.

Varia se remplit la poitrine d'air, mais le Turc veillait. Il sortit son bâillon de sa poche et hocha la tête d'une manière significative. Puis il cria :

— Il faut que je réfléchisse, monsieur le général ! Je vous donnerai ma réponse à sept heures et demie.

Après cela il garda longtemps le silence. Il allait et venait dans la pièce d'un pas agité, consultant sans arrêt sa montre.

292

— Pourvu que je sorte d'ici ! marmonna enfin cet homme étrange en donnant un coup de poing à l'étagère en fonte. Sans moi, Abdül-Hamid ne fera qu'une bouchée du noble Midhat !

Après quoi, comme pris en faute, il fixa Varia de ses yeux bleus et lumineux et expliqua :

— Excusez-moi, mademoiselle Barbara, je suis nerveux. Dans cette partie d'échecs, ma vie n'est pas sans importance. Ma vie est aussi une figure, mais je lui accorde plus de poids qu'à l'Empire ottoman. On peut dire les choses comme cela : l'empire, c'est le fou, et moi je suis la reine. Cela dit, pour gagner, on peut aussi aller jusqu'à sacrifier la reine... En tout cas, il est déjà clair que je n'ai pas perdu la partie, je suis au moins assuré de faire match nul ! (Il eut un rire nerveux.) J'ai réussi à maintenir votre armée à Plevna bien plus longtemps que je ne l'espérais. Vous avez gaspillé du temps et des forces. L'Angleterre a eu le temps de se préparer à la confrontation, l'Autriche a cessé d'avoir peur. Même si la guerre ne connaît pas de seconde étape, la Russie a tout de même perdu. Il lui a fallu vingt ans pour se remettre de la campagne de Crimée, elle passera vingt autres années à panser les blessures que vient de lui causer cette guerre ; et ce aujourd'hui, en cette fin de dix-neuvième siècle où chaque année compte énormément. En vingt ans, l'Europe aura pris une belle avance. Quant à la Russie, elle est appelée désormais à n'être plus qu'une puissance d'importance seconde. Déchirée par l'ulcère de la corruption et du nihilisme, elle va cesser de représenter une menace pour le progrès.

Cette fois, Varia perdit patience :

— Mais qui êtes-vous donc, pour juger de qui apporte un bien à la civilisation et de qui la dessert ! Monsieur a étudié le mécanisme de notre État, il a fréquenté les grands. Et le comte Tolstoï, et Fédor Mikhaïlovitch Dostoïevski, vous les avez rencontrés ? La littérature russe, vous l'avez lue ? Sans doute n'en avez-vous pas eu le temps ? Deux fois deux, cela fait toujours quatre, et trois fois trois toujours neuf, c'est cela ? Deux droites parallèles ne se rencontrent jamais ? C'est chez votre Euclide qu'elles ne se rencontrent pas, chez notre Lobatchevski elles se sont rencontrées !

Anvar haussa les épaules.

— Je ne comprends pas votre métaphore. En ce qui concerne la littérature russe, je l'ai lue, bien sûr. C'est une belle littérature qui vaut bien les littératures anglaise et française. Mais la littérature est un jeu, dans un pays normal elle ne peut pas avoir une grande importance. N'oubliez pas que, moi aussi, je suis en quelque sorte un écrivain. Mais il faut s'occuper de choses sérieuses et non pas s'amuser à échafauder des fables sensiblardes. Regardez la Suisse, elle n'a pas de grande littérature, et la vie y est incomparablement plus digne que dans votre Russie. J'y ai passé presque toute mon enfance et mon adolescence, et vous pouvez me croire...

Il n'eut pas le temps d'achever, car ils entendirent au loin le bruit d'une fusillade.

— Ça commence ! Ils ont attaqué avant l'heure !

Anvar colla l'oreille à la porte, ses yeux brillaient d'un éclat fiévreux.

— Malédiction ! et comme par un fait exprès cette maudite salle du trésor n'a pas une seule fenêtre !

Varia essayait en vain de calmer son cœur qui battait furieusement dans sa poitrine. Le tonnerre des coups de feu se rapprochait. Elle entendit Sobolev lancer des ordres mais ne réussit pas à comprendre ce qu'il disait. On entendit crier « Allah », une salve retentit.

Tout en triturant le barillet de son revolver, Anvar marmonnait :

— Je pourrais tenter une sortie, mais il ne me reste que trois balles... J'ai horreur de l'inaction !

Il eut un sursaut, on tirait dans le bâtiment même.

— Si les nôtres l'emportent, je vous enverrai à Andrinople, dit-il d'une voix précipitée. A présent, la guerre va sans doute se terminer. Il n'y aura pas de seconde étape. C'est dommage. Les choses ne se passent pas toujours comme on les prévoit. Peut-être nous retrouverons-nous un jour. Aujourd'hui, bien sûr, vous me détestez, mais avec le temps, vous comprendrez que j'ai raison.

— Je n'éprouve pour vous aucune haine, dit Varia. Je trouve simplement affligeant de voir un homme aussi talentueux que vous s'occuper de choses aussi abjectes. Je repense au récit qu'a fait Mizinov de votre vie...

— Vraiment ? fit Anvar d'un air distrait en tendant l'oreille pour mieux entendre la fusillade.

— Oui. Que d'intrigues, que de morts ! Le Circassien qui chantait des airs d'opéra avant son exécution était bien votre ami, n'est-ce pas ? Lui aussi, vous l'avez sacrifié ?

— Je n'aime pas repenser à cette histoire, fit-il d'un ton sévère. Savez-vous qui je suis ? Je suis un accoucheur, j'aide l'enfant à venir au monde, et mes mains sont dans le sang et dans les glaires jusqu'au coude...

Une salve se fit entendre, toute proche.

— Je vais ouvrir la porte, dit Anvar en armant son revolver, et venir en aide aux miens. Vous, vous restez là, et surtout ne sortez pas la tête. Cela ne va pas durer longtemps.

Il tira le verrou et soudain resta figé. Dans la banque on ne tirait plus. Seuls parvenaient des éclats de voix dont il était impossible de comprendre si c'était du russe ou du turc. Varia retint sa respiration.

— Je vais te casser la gueule ! Rester caché dans un coin en attendant que ça se passe, nom de nom ! hurla une voix de sous-officier.

A entendre cette voix si suavement familière, Varia eut le sentiment que tout se mettait à chanter en elle.

Ils ont tenu ! Ils ont résisté !

Les coups de feu s'éloignaient de plus en plus, on entendit très clairement un « hourrah » prolongé.

Anvar ne bougeait pas. Il avait les yeux fermés et son visage était calme et attristé. Quand la fusillade s'arrêta tout à fait, il défit le verrou et entrouvrit la porte.

— C'est fini, mademoiselle Barbara. Votre emprisonnement a pris fin. Vous pouvez sortir.

— Et vous ? dit-elle dans un souffle.

— La reine est sacrifiée sans grand bénéfice. C'est dommage. Pour le reste, tout demeure inchangé. Allez-y et bonne chance !

— Non ! fit-elle en se dégageant. Je ne vous laisserai pas là. Rendez-vous, je témoignerai en votre faveur à votre procès.

— Pour qu'on me ferme la bouche et qu'on finisse tout de même par me pendre ? ricana Anvar. Non, merci. Il y a deux choses que je déteste particulièrement au monde, l'humiliation et la capitulation. Adieu, je veux rester un peu seul.

Il prit Varia par la manche et, la poussant légèrement, lui fit franchir la porte. Un instant après le verrou de fer était tiré.

Varia avait devant elle un Fandorine tout pâle. Près de la fenêtre dont les vitres étaient brisées, le général Mizinov admonestait ses gendarmes occupés à balayer les éclats de verre. Dehors il faisait tout à fait jour.

— Où est Michel ? demanda-t-elle, inquiète. Il a été tué ? Blessé ?

— Il est sain et sauf, répondit Eraste Pétrovitch en examinant la jeune fille en détail. Il est dans son élément, il poursuit l'adversaire. C'est le pauvre Pérépelkine qui a été blessé une fois de plus : il s'est fait arracher la moitié d'une oreille d'un coup de yatagan. Cela va lui valoir une nouvelle décoration. Ne vous inquiétez pas non plus pour le sous-lieutenant Gridnev, il est vivant lui aussi.

— Je sais, dit-elle.

Fandorine plissa légèrement les yeux. Mizinov, s'approchant d'eux, recommença à se plaindre :

— Encore un trou dans ma capote. Quelle journée ! Il vous a laissée sortir ! Maintenant on va pouvoir y aller avec de la dynamite.

Et, s'approchant doucement, il passa la main sur l'acier de la porte.

— Je pense que deux sacs, ce sera parfait. A moins que ce ne soit trop ? Ce serait bien de le prendre vivant, ce salaud !

De la salle du trésor parvint soudain un air d'opéra sifflé harmonieusement et avec désinvolture.

Mizinov en fut scandalisé :

— Et le voilà encore qui sifflote ! Quelle engeance ! Attends un peu, je vais venir t'aider. Novgorodtsev ! Envoyez un homme chercher de la dynamite au détachement des sapeurs !

— On n'aura pas b-b-besoin de dynamite, dit Eraste Pétrovitch à voix basse tout en tendant l'oreille.

— Vous bégayez de nouveau, lui fit remarquer Varia. Cela veut-il dire que tout est terminé ?

Sa tunique blanche aux parements rouges largement ouverte, Sobolev entra en faisant sonner ses bottes.

— Ils ont battu en retraite ! annonça-t-il d'une voix cassée par le combat. Les pertes sont énormes, mais ce n'est pas grave, on attend un nouveau contingent. Qui est-ce qui siffle si agréablement ? Mais c'est *Lucia di Lammermoor*, j'adore !

Le général se mit à chanter d'une agréable voix de baryton un peu rauque :

Del ciel clemente un riso,
La vita a noi sara !

Il achevait la dernière strophe en y mettant tout le sentiment nécessaire quand un coup de feu claqua derrière la porte.

Épilogue

Les Nouvelles du gouvernement de Moscou

19 février (3 mars) 1878

LA PAIX EST SIGNEE !

« Aujourd'hui, jour anniversaire de la grande date qui a vu, il y a dix-sept ans, les bienfaits suprêmes se répandre sur nos paysans, une nouvelle page radieuse vient de s'inscrire dans la chronique du règne du tsar libérateur. Les responsables russes et turcs ont signé à San Stefano une paix qui a mis fin à la glorieuse guerre de libération des peuples slaves du pouvoir turc. Selon les termes du traité, la Roumanie et la Serbie acquièrent une indépendance totale, un vaste royaume bulgare est créé, quant à la Russie, elle obtient en dédommagement de ses frais de guerre 410 millions de roubles dont l'essentiel sera versé sous forme de cessions territoriales parmi lesquelles la Bessarabie et Dobroudja, mais également Ardagan, Kars, Batoum, Bajazet... »

— Et voilà, la paix est signée, en outre c'est une bonne paix. Et vous qui aviez prévu le pire, monsieur le pessimiste, dit Varia qui une fois encore ne parlait pas de ce dont elle avait envie de parler.

Le conseiller titulaire avait déjà fait ses adieux à Pétia, et l'ex-prisonnier et actuellement homme libre Pétia Iablokov était déjà monté dans le compartiment pour prendre possession du lieu et commencer à disposer leurs affaires. Du fait de l'heureuse conclusion de la guerre, le jeune homme avait été non seulement entièrement blanchi, mais honoré d'une médaille pour application dans le service.

Ils auraient pu partir depuis déjà une quinzaine de jours, et Pétia insistait pour qu'ils le fassent, mais Varia tardait sans trop savoir pourquoi.

Avec Sobolev, la séparation s'était mal faite, il s'était vexé. Mais bon, tant pis. Un héros de sa trempe trouverait rapidement quelqu'un pour le consoler.

Et voici qu'était venu le jour de prendre congé d'Eraste Pétrovitch. Depuis le matin, Varia était-nerveuse. Pour une broche qu'elle ne retrouvait pas, elle avait fait au pauvre Pétia une scène pas possible qui s'était terminée par une crise de larmes.

Fandorine restait à San Stefano, la signature du traité de paix n'ayant nullement mis fin au travail diplomatique. Pour leur dire au revoir, il arrivait d'ailleurs directement d'une réception, aussi était-il en smoking, haut-de-forme et cravate de soie blanche. Il offrit à Varia un bouquet de violettes de Parme, poussa force soupirs en dansant d'un pied sur l'autre, mais ne brilla nullement par son éloquence.

— Ce traité de paix est t-t-t-rop avantageux, l'Europe ne le reconnaîtra pas. Anvar a excellemment joué son gambit, moi j'ai perdu. On m'a décoré alors qu'on aurait dû me traduire en justice.

— Comme vous êtes injuste à l'égard de vous-même, comme vous êtes dur ! dit-elle avec flamme en craignant de se mettre à pleurer. Pourquoi travaillez-vous toujours à vous punir ? Sans vous, je ne sais pas où nous en serions tous...

— Lavrenty Arkadiévitch m'a dit à peu près la même chose, fit Fandorine en ricanant, et il m'a promis la récompense de mon choix, pourvu qu'elle soit en son pouvoir.

Cette information fit plaisir à Varia.

— C'est vrai ? Je suis contente ! Et alors, qu'avez-vous souhaité ?

— Que l'on m'envoie travailler au bout du monde, le plus loin possible de tout cela, fit-il avec un geste indéterminé de la main.

— Quelle sottise ! Et qu'a dit Mizinov ?

— Il s'est mis en colère. Mais une parole donnée est une parole donnée. Quand les p-p-p-pourparlers seront achevés, je quitterai Constantinople pour Port-Saïd et de là, en bateau, j'irai au Japon. Je suis nommé second secrétaire à l'ambassade de Tokyo. Il n'y a rien de plus éloigné.

— Au Japon...

Elle ne réussit pas à contenir ses larmes, qu'elle essuya de son gant d'un geste rageur.

La cloche qui annonçait le départ retentit, la locomotive fit entendre sa voix, Pétia passa la tête par la fenêtre :

— Varenka, c'est l'heure. Le train va partir.

Eraste Pétrovitch eut l'air gêné et baissa les yeux.

— Au r-r-r-revoir, Varvara Andréevna. J'ai été très heureux...

Mais il n'acheva pas.

Varia lui saisit la main d'un geste nerveux, ses yeux clignaient de plus en plus vite pour chasser les larmes qui coulaient.

— Eraste... ne put-elle s'empêcher de crier.

Mais les mots ne vinrent pas, ils lui restèrent dans la gorge. Fandorine eut un tressaillement du menton, mais il ne dit rien.

Les roues firent entendre un premier cliquetis, le wagon bougea.

— Varia ! je vais partir sans toi ! hurla Pétia désespéré. Dépêche-toi !

Elle se retourna, hésita encore une seconde, puis sauta sur la marche qui passait dans un mouvement lent le long du quai.

— ... Et avant tout un bon bain chaud. Puis chez Philipov acheter de la pâte d'abricot que tu aimes tant. Après cela, à la librairie voir ce qu'il y a de neuf, puis à l'université. Tu imagines toutes les questions qu'on va nous poser, tu vois un peu...

Varia se tenait à la fenêtre, accompagnant de hochements de tête les bredouillements heureux de Pétia. Elle avait envie de regarder de toutes ses forces la silhouette noire restée sur le quai, mais bizarrement ladite silhouette avait un comportement étrange, ses contours se diluaient. Ou alors étaient-ce ses yeux à elle qui avaient quelque chose ?

The Times (Londres)

10 mars (26 février) 1878

Le gouvernement de sa majesté dit « non »

Lord Derby a déclaré aujourd'hui que le gouvernement britannique, soutenu par les gouvernements de la majorité des pays européens, refuse catégoriquement de reconnaître les conditions scélérates de la paix imposée à la Turquie par les appétits démesurés du tsar Alexandre. Le traité de San Stefano est contraire aux intérêts de la défense européenne et doit être reconsidéré à un congrès convoqué à cette fin auquel prendront part la totalité des grandes puissances.

Impression réalisée sur Presse Offset par

BRODARD & TAUPIN

GROUPE CPI

La Flèche (Sarthe), 16402
N° d'édition : 3442
Dépôt légal : janvier 2003

Imprimé en France